JAK
ODDECH

JAK ODDECH

MAŁGORZATA WARDA

Prószyński i S-ka

Projekt okładki
Olga Szczepańska

Zdjęcie na okładce
© Terry Bidgood / Trevillion Images

Redaktor prowadzący
Anna Derengowska

Redakcja
Renata Bubrowiecka

Korekta
Agnieszka Ujma

Łamanie
Jacek Kucharski

ISBN 978-83-7839-488-4

Warszawa 2013

Wydawca
Prószyński Media Sp. z o.o.
02-697 Warszawa, ul. Rzymowskiego 28
www.proszynski.pl

Druk i oprawa
Drukarnia TINTA
13-200 Działdowo, ul. Żwirki i Wigury 22

Jak zawsze dla Sylwii

To musi się wydawać snem. Tej martwej dziewczynie.
To rytmiczne wznoszenie się i opadanie.
Wznoszenie się i opadanie przypływu. Jak oddychanie.

Joyce Carol Oates, *Pustkowie*

Wiem tylko, że kiedyś mnie nie było, potem pomyślałeś
mnie i już byłem.
Zatem, naturalnie, jestem na twoje rozkazy.

Terry Pratchett, *Kolor magii*

Pomysł tej książki zrodził się, gdy śledząc losy zaginionych osób, zapoznałam się z historią Johnny'ego Goscha, poszukiwanego w Ameryce chłopca, którego wizerunek jako pierwszy w latach siedemdziesiątych znalazł się na kartonie mleka. Rodzice Johnny'ego przeżyli dramat, kiedy jakiś czas po jego zaginięciu ktoś podrzucił im na ganek domu kopertę ze wstrząsającymi zdjęciami ich dziecka.

Prolog

Kiedy Alicja dzwoni do nas w środku nocy, mama od razu wie, że stało się coś niedobrego.

– Jasmin, zbieraj się! – rzuca, zapalając światło w moim pokoju.

Niemal półtorej godziny później nasze volvo zatrzymuje się na podjeździe w dzielnicy domów jednorodzinnych, gdzie Alicja i Staszek mieszkają od ponad dwóch lat – to jest rekord ich życia, jeśli chodzi o długość przebywania pod jednym adresem.

– Dobry Boże, co ten sukinsyn im zrobił?! – mamrocze mama, z hukiem zamykając za sobą drzwiczki.

Wbiega na schody ganku, wpatrzona w zerwaną firanę, która tylko częściowo zakrywa okno oranżerii.

– Alicjo! Staszku! Już jesteśmy! Otwórzcie!

W środku próbuje siostrze pomóc się spakować.

– Bierz tylko to, co najważniejsze! – komenderuje. – Po resztę przyjadę jutro.

– Nie ma mowy!

Podarta sukienka spada z ramion Alicji, a kiedy ciocia odwraca się do mnie profilem, zauważam czerwone waciki, które mama w pośpiechu powtykała jej do dziurek od nosa, żeby zatamować upływ krwi. Wszystko dzieje się tak szybko, że zapamiętuję głównie chude, roztrzęsione dłonie cioci, którymi – zamiast pakować – rozsypuje rzeczy. Z rąk lecą jej kosmetyki. Niemal cały puder wysypuje się na podłogę. Otwiera torbę i zgarnia do niej to, co znajduje się w łazienkowej szafce.

– Wszystko trzeba zabrać dzisiaj… Cholera! Cholera!…

Otwiera plastikową reklamówkę i do niej wrzuca ciuchy, które chwilę temu zdjęła z suszarki.

– Nie znasz go… Naprawdę go nie znasz… Nie wiesz, do czego jest zdolny…!

– A ty już wiesz, tak? – mama zaciska usta jak zawsze, kiedy chce się jej płakać. – Jasmin, pomóż się pakować Staszkowi! Pospieszcie się!

Cokolwiek się stało, rozegrało się na dole, w salonie. Na ścianie widzę rozbryzganą krew, na podłodze jest jej więcej. Spod komody wystaje ramka ze zdjęciem z pękniętą szybką. Rozbita doniczka, wokół rozsypana ziemia, przewrócony stół, zakrwawiona sofa. Sznur. Nóż. I porzucony na dywanie pistolet.

W samochodzie moją uwagę przykuwa bezwładne ramię Alicji.

– Musisz pojechać z tym do lekarza. – Mama, prowadząc samochód, patrzy na nią kątem oka.

– Och, Reni, zamknij się! Mam teraz większe zmartwienia na głowie… Tylko nie to! – Alicja zaciska palce na swoich włosach tak, że na pewno ją to boli. Jęczy, jakby ktoś znowu ją uderzył. – Błagam… Nasze konto!

Ten dupek ma hasło do mojego konta! Pieprzony dupek ma hasło do mojego pieprzonego konta!!!

Ze złością uderza w deskę rozdzielczą, a mama uspokajająco kładzie dłoń na jej udzie.

– Nie denerwuj się. Zaraz znajdziemy jakieś miejsce z Wi-Fi i zrobisz przelew. Może jeszcze niczego nie ruszył...

Oddaję Staszkowi swój pokój, żeby mógł tam spać, póki Alicja nie znajdzie dla nich innego lokum.

– Jak się czujesz? – pytam, przystając w drzwiach.

– W porządku, mi nic się nie stało.

Na jego twarzy nie zauważam śladów przemocy. Moje spojrzenie w pośpiechu obiega dłonie, ramiona, szukam krwawych ran w jasnych włosach, ale tam też ich nie znajduję. Cokolwiek się więc stało w mieszkaniu męża Alicji, ciało jej syna zostało nienaruszone.

– Co on zrobił?

Moje pytanie wybucha jak zdetonowana bomba. Sekundę temu Staszek stał na środku pokoju zdystansowany i obojętny, a teraz nagle siada na łóżku i przyciska dłonie do uszu, zgięty wpół. Boli. Czuję, jak boli.

– Nie mogłem jej pomóc – odzywa się cicho. – Naprawdę nie mogłem.

– Wiem.

– Czas w takich momentach biegnie wolniej, Jasmin. To zupełnie inny rodzaj czasu. Miliardy rzeczy dzieją się w jednej chwili, która innego razu mija jak pstryknięcie palcami. Ale kiedy dzieje się coś strasznego, ta chwila nie mija, tylko trwa całe wieki...

Alicja i mama są w kuchni. Głośno brzęczy lodówka, w czajniku podgrzewa się woda. Ciocia właśnie uniosła

11

twarz w stronę lampy, podczas gdy mama przykłada lód do jej napuchniętego oka i perswaduje szeptem:

– Musisz pojechać na pogotowie, Ali. Potrzebujesz szwów na brwi. Poza tym to, co się stało, trzeba zgłosić policji. Nie możesz tak tego zostawić. To chory człowiek...

– Nigdzie nie będę tego zgłaszać!

Alicja syczy z bólu, kiedy mama dotyka jej lodem. Zaraz też cofa głowę i atakuje swoją przyjaciółkę:

– Cholera, nieco ostrożniej!

Wsuwam się do łóżka mamy w jej sypialni. Nie spałam tu od wielu lat. Ostatniego razu nawet nie pamiętam. Pewnie byłam wtedy mała i miałam jakiś zły sen. Kołdra ma zapach perfum, a poduszka – jej kremu do twarzy. Kiedy spoglądam przez okno, zauważam, że nad dzielnicą powoli wstaje blady świt.

Ściana za zagłówkiem sąsiaduje z kuchnią, więc słyszę część rozmowy. Alicja mówi stłumionym głosem, jakby w ustach trzymała papierosa:

– ...Kiedy Staszek wrócił, on już na niego czekał. Miał pistolet, celował we mnie. Kazał mu usiąść pod oknem... Cała reszta rozegrała się na jego oczach... Na oczach mojego syna, Reni!...

Kiedy mama kładzie się koło mnie, obie nie możemy zasnąć.

– Śpisz, Jasmin? – pyta, więc otwieram oczy i wpatruję się w szary prostokąt okna.

– Nie – odpowiadam szeptem.

– Przeszłość zawsze wraca. Myślałam, że tamten zastępczy dom opuściłyśmy dawno temu, ale tak nie jest. On ciągle się za nami wlecze jak balon przytroczony do nogi. Nie ma znaczenia, gdzie pójdziemy i co zrobimy. Tamten dom ciągle jest tuż obok!

Z rana dzwoni do klientek, z którymi była poumawiana, i odwołuje spotkania.

– Pojedziemy do naszego letniego domku. – Informuje nas przy śniadaniu, które przebiega w napiętej, cichej atmosferze. – Nie byliśmy tam od lat!

Widzę, jaka jest zdenerwowana. Sztucznie wychodzi klaśnięcie w ręce, które ma wzbudzić w nas entuzjazm:

– To świetny plan! Po prostu po śniadaniu trzeba się spakować i ruszamy w drogę!

Dochodzi jedenasta, kiedy pokonujemy trasę do nadmorskiej wsi. Cisza wisi w samochodzie jak duszna zasłona i zrobiłabym wszystko, żeby tylko ją przerwać. Pod powiekami mam migawki naszych innych wspólnych wyjazdów. Towarzyszyło im głośno nastawione radio, nasze matki śpiewały na całe gardła, papieros spalał się w chudych palcach Alicji, jej piegowaty łokieć zawsze był wypchnięty za okno, a duże ciemne okulary w stylu Jackie Kennedy osłaniały oczy mojej mamy. My siedzieliśmy z tyłu, rozbawieni ich zachowaniem. Kiedy nie patrzyły, ocieraliśmy się o siebie kolanami, udami...

Mama wrzuca do odtwarzacza swoją ulubioną płytę, na której jest nagranie Beyoncé z zespołem Destiny's Child *Emotions*, i zaczyna głośno śpiewać razem z wokalistkami:

W słowach o złamanym sercu
jest wzruszenie, które mnie porywa.
Łapie mnie smutek, gubię się...

Alicja, która przez większość drogi siedzi nieruchomo z głową podpartą na dłoni, zapatrzona w pejzaż, teraz mierzy ją napiętym, pełnym niedowierzania wzrokiem. Poddaję się wrażeniu, że jeśli mama nie przestanie śpiewać, stanie się coś strasznego, nastąpi jakiś wielki wybuch. Ale ona ignoruje przyjaciółkę i śpiewa dalej, jakby chciała nas wszystkich sprowokować do jakiejś reakcji:

...Czy nie wiesz, że na świecie nie został nikt
By przytulić mnie tej nocy?
Czy nie wiesz, że na świecie nie został nikt,
by pocałować mnie na dobranoc.
Dobranoc, dobranoc... *

Jej głos łagodnieje jak za czasów, gdy byłam mała i siadała na moim łóżku, żeby zaśpiewać mi przed snem.

– Zatrzymaj! – Alicja szarpie za klamkę.

Mama natychmiast z piskiem kół zjeżdża na wąskie piaszczyste pobocze, co powoduje, że jakiś samochód mija nas, trąbiąc. Kiedy stajemy, ciocia wybiega na zewnątrz i staje kilka kroków dalej, pochylona jak do wymiotów, z rękoma opartymi na udach. Staszek sięga do klamki, ale mama nakazuje mu, żeby został w samochodzie, i sama idzie do Ali. Idzie do niej po zielonej trawie pełnej czerwonych maków.

* *In the words of a broken heart*
  It's just emotion that's taken me over
  Caught up in sorrow, lost in my soul
  (...) Don't 'cha know there's nobody left in this world
  To kiss goodnight
  Goodnight, goodnight

– Musisz to z siebie wyrzucić, skarbie! – prosi, kładąc jej rękę na ramieniu.

Alicja spycha jej dłoń i robi jeszcze kilka kroków w głąb łąki, ale mama z uporem posuwa się za nią.

– No, dalej, kochanie!

– Zostaw mnie! Idź sobie!

Mimo że mama kazała nam zostać w środku, wychodzimy z auta. Dopiero teraz czujemy, jak jest gorąco. Powietrze dosłownie stoi w miejscu. Opieramy się o rozgrzany samochód i obserwujemy nasze matki krzyczące do siebie.

– Mamo! – wołam w końcu, na co ona gestem powstrzymuje mnie przed podejściem do nich.

– Krzycz! – zwraca się do Alicji. – Wyrzuć to z siebie!

Gorący wiatr szarpie rudymi włosami cioci, rozwiewa jej długą indyjską sukienkę. Chudą piegowatą ręką przytrzymuje włosy, żeby nie wpadały jej na twarz, i krzyczy do mojej mamy ochryple, z nutą histerii:

– Zostaw mnie! Idź do diabła! – Ostrzegawczo celuje w nią palcem.

Ale ona znowu się do niej przybliża. Perswaduje błagalnie:

– Kochanie, musisz to z siebie wyrzucić...

I ciocia zaczyna krzyczeć, a potem wrzeszczeć. Padają takie słowa jak: „Nienawidzę cię!" oraz „Mam dość! Zostaw mnie! Zostawcie mnie wszyscy! Nienawidzę was! Nienawidzę!!!". Dopiero, kiedy mama na siłę przyciąga ją do siebie, Alicja wybucha płaczem kompletnie załamana. Nagle zamiast krzyczeć, szlocha: rozpaczliwie, histerycznie. Płacz wyczerpuje ją. Obejmuje moją mamę i obie siadają na trawie, wciąż ciasno się do siebie tuląc.

Kilka dni później, wieczorem, podczas gdy one piją piwo na werandzie letniego drewnianego domku, Staszek i ja kierujemy się na niemal pustą plażę i siadamy na piasku, który wciąż jest jeszcze ciepły po słonecznym dniu. Ubrani w jasne rzeczy i z poskręcanymi przez wiatr włosami pewnie wyglądamy jak dwoje turystów – nikt nie pomyślałby, z jakiego powodu się tu znaleźliśmy.

Linia wody jest niewyraźna, rozpoznaję ją po brzmieniu fal nacierających na brzeg. Nie widzę dobrze twarzy mojego przyjaciela, tylko zarys jego białej koszulki, błysk oczu.

– Obiecaj mi coś – proszę. Myślę o sznurze, który widziałam w ich salonie. Wciąż mam przed oczami nóż i tamtą broń. – Obiecaj, że gdyby coś ci się stało... No, wiesz, gdybyś na przykład zginął albo coś...

W ciszy słyszę jego oddech i moje bicie serca. Oblizuję zaschnięte usta i szepczę dalej:

– Gdybyś kiedyś umarł, a ja wciąż bym żyła... Obiecaj, że przyjdziesz do mnie, że dasz mi jakiś znak. Żebym wiedziała, że wciąż jesteś.

1

Kiedy przychodzi, nie jest jak w powieściach Stephena Kinga albo w filmach. Cząstki powietrza nie kształtują niewyraźnego zarysu jego postaci. Nie pokazuje mi się w przymglonej tafli lustra ani nie zostawia odcisków palców w głębokim kurzu w miejscach, których nigdy nie sprzątam. Po prostu budzę się i czuję, że w pokoju nie jestem już sama.

Jest wczesny poranek. Szary świt przedziera się przez popielate zasłony i układa jasnym prostokątem na drewnianej podłodze i w nogach mojego łóżka. Poprzedniego dnia w prognozie pogody przepowiadano, że będzie ciepło, ale kiedy sennie pocieram oczy, moje palce są zimne jak lód.

Strzępy snu krążą pod powiekami. Jest tam coś o moich stopach, o tym, że tracę nad nimi kontrolę, że przyklejają się do ściany i prowadzą mnie w stronę ciemnego korytarza...

Nie wiem, jak długo leżę w bezruchu, ogarnięta wrażeniem, że stało się coś złego. Mija jeszcze kilka chwil i wtedy przychodzi ta świadomość. Ktoś nie żyje – myślę, przytomniejąc.

Ty nie żyjesz.

Urodziłam się pół roku po twoim przyjściu na świat. Kiedy miałam zaledwie dobę, Alicja przyjechała do szpitala, gdzie leżałam przy mamie, i zabrała z sobą ciebie.

– Synku, poznaj małą Jasmin!

Wyciągnęła twoją rączkę tak, żeby dotknęła mojej zaciśniętej piąstki.

– To jest Staś, a to Jasmin...

Miałam siedem lat, kiedy z trawy zrobiłeś dla mnie obrączkę, a potem wsunąłeś mi ją na palec.

– Kiedyś się z tobą ożenię – oznajmiłeś, spoglądając na moją dłoń, którą uniosłam pod słońce.

Kilka dni później zapytałam twoją mamę, czy można wyjść za mąż za swojego kuzyna.

– Staszek nie jest twoim kuzynem, Jasmin – odpowiedziała Alicja z roztargnieniem i dopiero po chwili sens mojego pytania przebił się do jej świadomości. Popatrzyła na mnie ze zdziwieniem: – A masz na myśli jego? – I zanim zdążyłam odpowiedzieć, wrzasnęła do mamy: – Reni! Reni, mamy problem!!!

Od tamtej pory nasze matki już nie nalegały tak mocno, byśmy spędzali całe dnie razem, i przestały wpadać na krępujące nas pomysły, jak kąpiel w morzu bez strojów kąpielowych. Oczywiście mojej szybko znudziło się kontrolowanie nas i w końcu usłyszałam, jak wzdycha:

– Na Boga, Alicjo, przecież to jeszcze dzieci! Chcesz się teraz bawić w świętą inkwizycję?

Nasze ostatnie wakacje spędziłam w Pradze, a ty zostałeś w Gdyni, gdzie podjąłeś pracę w firmie zajmującej się wykończeniówką domów. Z Pragi wróciłam z końcem lata. Byłam wówczas opaloną, szczupłą i długowłosą blondynką o zaróżowionych policzkach i oczach jak dwa oceany, kropla w kroplę podobną do mamy. Prosto z lotniska taksówką pojechałam pod Monar, ponieważ w piątki Alicja prowadziła tam terapię poprzez sztukę i było więcej niż pewne, że jej w tym pomagasz.

Już przy siatce ogradzającej budynek zauważyłam twój niebieski rower. Zostawiłeś na nim chustę oraz rękawiczki bez palców. Zwolniłam kroku. A więc byłeś tu. Po ponad dwóch miesiącach nareszcie miałam cię spotkać!

Było za ciepło na zajęcia w sali, więc znalazłam was na tyłach budynku. Na zalanym słońcem trawniku stały puszki z farbami, pędzle i flamastry. Twoja matka, ubrana w białą indyjską sukienkę, która wyglądała, jakby uszyto ją z pieluchy tetrowej, i blada, jakby nie tknął jej jeszcze żaden promień słońca, wyróżniała się na tle podopiecznych. Właśnie prosiła, żeby wszyscy zdjęli buty.

Zsunęłam sandały i pod stopami poczułam miękką trawę, która przyprawiła mnie o uśmiech.

Podwinąłeś nogawki dżinsów i włosy spadły ci na oczy. Odgarnąłeś je, ale nie odruchowo, jak zrobiłabym to ja, tylko powoli, z namysłem. Założyłeś najdłuższe kosmyki za uszy, przesłałeś miły uśmiech dziewczynie, która w tym momencie też na ciebie popatrzyła, a potem wyprostowałeś się i twoje spojrzenie padło na mnie. Znieruchomiałeś, jakbyś zobaczył zjawę.

– Hej! – wyszeptałam, stawiając na trawie walizkę.

– Cześć.

Nie odrywałeś ode mnie oczu. Twoje spojrzenie prześlizgnęło się w dół. Zauważyłeś moją pogniecioną bluzkę na ramiączkach, pobrudzone kawą dżinsy i zacząłeś się uśmiechać.

– Przyjechałaś prosto z lotniska?

Kiwnęłam głową.

– Wariatka. Czemu nie zadzwoniłaś?

Zanim zdążyłam odpowiedzieć, zamknąłeś mnie w ciasnym uścisku.

– Daj mi dwadzieścia minut, Jasmin – wyszeptałeś w moje włosy. – Za dwadzieścia minut zabiorę cię stąd.

Alicji głos przebił się przez śmiechy i rozmowy:

– Chciałabym, żeby każdy z was spróbował zostawić ślad siebie! – zawołała, rozwijając szeroką na półtora metra ryzę papieru. – Macie całkowitą dowolność! Możecie korzystać z farb, flamastrów oraz własnych pomysłów!

Ludzie moczyli stopy w farbach i ich odbicia zostawiali na papierze. Odciskali swoje twarze, palcami stawiali małe kroczki na kartkach, bawiąc się tak dobrze, że niemal zapomniałam, dlaczego w ogóle tu przebywają.

– Mój ślad.

Obrysowałam pomadką usta i pocałowałam papier. Ty zanurzyłeś dłonie w turkusowej farbie, a potem ułożyłeś je na kartce.

– Jak w Hollywood – zażartowałam. – Walk of Fame...

Stanęliśmy blisko siebie, a poproszona przez nas dziewczyna obrysowała czarnym flamastrem nasze cienie. Połączone nie przypominały postaci, tylko podłużną, dziwną formę.

– Jasmin, co ty tu robisz? Renata nie wspominała, że już wróciłaś. – Twoja mama przystanęła koło nas i popatrzyła na zarysowany na papierze kształt. – To twoje odbicie?

– Nie, to Stasiojasmin – odpowiedziałam, śmiejąc się.

– Stasiojasmin? – zdziwiła się Alicja i chyba naprawdę nie zrozumiała, o czym mówię. – A co to takiego?

– To taka podwójna forma, ciociu. Choćby ktoś bardzo się starał, nie da się jej rozdzielić!

Osiem dni później zaginąłeś.

Ostatnią osobą, która cię widziała, był starszy mężczyzna, sąsiad z waszego bloku. Zeznał, że z rana w poniedziałek, szesnastego września, o wpół do szóstej rano minęliście się na klatce schodowej. W szczegółach potrafił opisać twój strój. Twierdził, że miałeś na sobie szarą bluzę z kapturem, a na ramieniu – torbę, która sprawiała wrażenie ciężkiej. Zapamiętał twój ubiór, ponieważ gdy przytrzymałeś dla niego drzwi, przypomniał sobie, że w prognozie pogody przepowiadano upalny dzień. Podobno powiedział do ciebie: „Młody człowieku, dzisiaj ma być prawie trzydzieści stopni! Nie przesadziłeś z tymi ciuchami?". Podobno odpowiedziałeś nieuważnym uśmiechem, przeczekałeś, aż on wyjdzie z klatki, i przełożywszy torbę na drugie ramię, opuściłeś blok.

Od kilku tygodni pracowałeś w firmie, która zajmowała się kolportowaniem ulotek reklamowych oraz bezpłatnej gazety trafiającej na stojaki w blokach i wieżowcach Trójmiasta. Wyznaczono ci teren Starego Oksywia w Gdyni. Składały się na niego cztery dawno nieremontowane bloki rozmieszczone wzdłuż rozległego pasa lasu, graniczącego z dziką plażą.

Tamten poniedziałek dla mnie przebiegł w okamgnieniu. Mama od rana miała klientki, którym ścinała i farbowała włosy, więc korzystając z tego, że jestem w domu, angażowała mnie do pomocy.

– Jasmin, peleryna!

Czarną pelerynę narzuciłam na ramiona pani Marii, młodej mężatki życzącej sobie pasemek.

– Rozmieszaj rozjaśniacz! – rozkazała mama, więc posłusznie poszłam do kuchni po butelkę.

Wtedy zadzwonił telefon.

– Jasmin, jest u ciebie Staszek? – To była Alicja. – Możesz spróbować się do niego dodzwonić? Jak ja dzwonię, nie odbiera... Twój telefon może odbierze.

W komórce miałeś ustawione „granie na czekanie", piosenkę Green Day *Boulevard of Broken Dreams*, ale tamtego dnia, kiedy wybrałam numer, utwór włączył się tylko na moment i zaraz zamilkł. Mechaniczny głos powiadomił mnie, że abonent nie może zrealizować rozmowy. Spróbowałam zadzwonić jeszcze raz, ale tym razem w ogóle nie rozległa się muzyka. Od razu włączyła się poczta głosowa.

Telefon ponownie odezwał się w środku nocy. Jego dźwięk mnie nie zbudził. Dopiero mama, pochylając się nad łóżkiem w ciemności, zmusiła mnie do rozchylenia powiek.

– Jasmin, obudź się – wyszeptała. – Musisz się zastanowić, gdzie może być Staszek.

Potarłam powieki, z trudem unosząc głowę.

– Co się stało? – głos miałam schrypnięty, moje spojrzenie pływało po jej sylwetce, ledwie odcinającej się w ciemności od ścian. – Nie wiem, gdzie jest. Czemu mnie budzisz?

Myślałam, że da mi spokój, ale ona wciąż nade mną stała. W jej głosie wyczułam napięcie:

– Jasmin, Staszek nie wrócił jeszcze do domu po tym, jak z rana wyszedł do pracy.

– A która jest godzina? – Byłam pewna, że dochodzi północ, a przecież nieraz zdarzało ci się zasiedzieć gdzieś dłużej.

Odpowiedź sprawiła, że nareszcie oprzytomniałam:

– Jest trzecia trzydzieści.

W nocy wszystko wydawało się inne: błysk kuchennych blatów, ciemność za oknem, odgłos stawianego na stole kubka, dźwięk odkręcanej pokrywki w pojemniku na herbatę. Siedziałam na drewnianym krześle, pocierając oczy, osowiała i dziwnie zmarznięta.

– Jasmin, kiedy ostatni raz z nim rozmawiałaś? Widzieliście się wczoraj?

Próbowałam popatrzeć na tę sytuację z perspektywy jutra, które miało nadejść: będziemy z mamą się dziwić, że piłyśmy herbatę o czwartej rano i analizowałyśmy moje ostatnie rozmowy z tobą.

– Tak. – Objęłam rękami kubek, pod palcami poczułam ciepło napoju.

Mama zwinęła dłoń luźno w pięść i kciukiem dotykała dolnej wargi, jakby się nad czymś zastanawiała.

– Skarbie, zastanów się, czy nie wspomniał ci, że gdzieś się wybiera po pracy albo planuje się z kimś spotkać?

Po chwili namysłu pokręciłam głową. Nie rozmawialiśmy o twojej pracy, w ogóle nie rozmawialiśmy o poniedziałku. Widzieliśmy się krótko, na bulwarze nadmorskim. Pod ławką, na której usiedliśmy, schował się biały chudy kot. Powiedziałeś, że przypomina ci Pandę.

Pandę znalazłeś niemal pięć lat wcześniej. Wyszedł zza śmietnika i otarł się o twoje nogi. „Popatrz, jaki śliczny!" – wyciągnęłam rękę, żeby go pogłaskać, i moje palce zanurkowały w sierści. Kiedy zauważyłam, że za uchem ma krwawą ranę, cofnęłam dłoń. „Chyba jest chory". Zsunąłeś się z drabinek, na których siedzieliśmy, i kucnąłeś przed nim. „Cześć. Nic ci nie zrobię, chodź, nie bój się". Kiedy kot powąchał twoją rękę, zacząłeś się uśmiechać. „Co ci się stało?" Rozgarnąłeś jego futerko w miejscu, gdzie znajdowała się rana. „Może potrącił go samochód?" – podsunęłam. Otoczyłeś rękoma kolana i przez chwilę obserwowałeś zwierzę. W końcu podjąłeś decyzję: „Wezmę cię na ręce, okej?". Nie podrapał cię, chociaż był spięty. Okryłeś go bluzą i pojechaliśmy do najbliższego weterynarza. Kolejne tygodnie leczył się w twoim mieszkaniu. Nazwałeś go Panda, ponieważ miał biało-czarne futerko, jak miś. Miałeś go już prawie pół roku, kiedy pod twoją nieobecność zniknł.

Mama spojrzała na zegar ścienny. Ja też. Czwarta już minęła.

– Więc o czym rozmawialiście? Co ci mówił?

Zaczęłam się bać tego, o czym rozmawialiśmy, i tego, że nie wróciłeś jeszcze do domu. Pierwszy raz spróbowałam spojrzeć na tę rozmowę z perspektywy kogoś, kto potwierdzi twoje zaginięcie. A co, jeśli się nie znajdzie? – przemknęło mi przez myśl.

Zrobiło mi się jeszcze zimniej, odruchowo skuliłam ramiona i poprawiłam sweter naciągnięty na piżamę.

– Nie było mowy o poniedziałku – powtórzyłam.

2

Dawniej

Pędzimy na rowerach jak szaleni, chociaż wąska droga ciągnąca się wzdłuż kanału i zielonych łąk jest wyboista i jeśli się poślizgniemy, możemy wpaść do głębokiej wody, której jeszcze nie zabezpieczono żadnymi deskami.

– Szybciej, Jasmin! Co? Tchórzysz?

Jesteś jakieś trzy metry przede mną. Pochylam się nad kierownicą i pedałuję ile sił w nogach, ale i tak nie mogę cię dogonić.

– Kto ostatni pod tamtym domem, ten dzwoni domofonem! – Oglądasz się na mnie.

Zjeżdżamy z kanału. Rowery pokonują rondo w trakcie budowy, niemal w przeskoku mijamy rozłożone nad dziurą deski, słyszymy zirytowany okrzyk jednego z robotników i już jesteśmy na ulicy Cienistej. Jest zabudowana domami, nie tak pustynna jak moja. Po obu jej stronach stoją niemal identyczne budynki z kwadratowymi trawnikami i równo przyciętymi krzewami. Zwalniamy, a potem schodzimy z rowerów i prowadzimy je.

– Jest!

Twoje oczy rozchylają się z przejęcia, kiedy spomiędzy drzew wyłania się bladożółta willa.

– To ten!

Mama zakazała mi się tu zapuszczać dopóty, dopóki człowiek, który tutaj mieszka, nie trafi za kratki. Właśnie dlatego tak wielkim aktem odwagi jest przyjechanie tu i zobaczenie tego domu z bliska.

Budynek – podobnie jak reszta domów stojących wzdłuż ulicy – wygląda jak klocek i ma płaski dach. Przed nim znajduje się ogród pełen kwiatów, ale na ganku coś się spaliło i osmaliło drzwi. Pod murem leżą kamienie, okna są wybite i zaklejone gazetami jak w mieszkaniach, o których opowiadała Alicja – wzdychając przy tym, że poniżenie ludzkie przekracza wszystkie granice – a które odwiedzała ze względu na swoich podopiecznych z Monaru.

Włoski jeżą się mi na skórze i chociaż jest gorąco, robi mi się bardzo zimno. Zobaczyć ten dom, to jak wejść do ciemnej piwnicy, w której może się czaić czarna ręka albo potwór. Kiedy więc jesteśmy tuż przy ogrodzeniu, łapiemy się za ręce.

– Boisz się? – pytasz szeptem.

– Tak, bardzo. A ty?

– Ja też.

„Myślisz, że potwory noszą maski?" – zapytała mnie Alicja kilka dni wcześniej i wtedy pierwszy raz usłyszałam o tym, że ktoś z naszej dzielnicy oskarżony jest o zabójstwo dziewczynki z mojej szkoły. „To zwyczajni ludzie. Żyją między nami i wyglądają jak my. Mogą się uśmiechać i być przemili, mogą cię poczęstować cukierkiem, Jasmin. Popatrzysz na nich, ale nie przyjdzie ci nawet do głowy, że pod ich skórą, w mózgu aż roi się od czarnych robaków.

Dlatego nigdy nie ufaj nawet tym, którzy wydają ci się znajomi!"

Z boku domu dobiega szczekanie psa i po chwili zauważam kundla miotającego się na długiej smyczy, zdenerwowanego naszą obecnością. Wstrzymuję oddech i wypuszczam go z pełnym zdumienia okrzykiem:

– O raju, ja go znam!

Kilka tygodni temu pogłaskałam go na placu zabaw! Od razu przypomina mi się jego właściciel. Przychodził tam z małym chłopcem i siadał na ławce, wyłuskując ze skorupek orzeszki, które przynosił w szeleszczącej paczce.

Patrzysz na mnie szeroko rozwartymi oczami.

– Znasz j e g o ? – Jesteś tak zdruzgotany, jakbym ci powiedziała, że w moim ogrodzie wylądowało UFO.

Kiwam głową i boję się teraz bardziej niż kiedykolwiek wcześniej, ponieważ tamten pan, którego pamiętam z placu zabaw, sprawiał wrażenie naprawdę miłego i kiedyś nawet pomógł mi znaleźć fioletowego kucyka, którego zakopałam w piaskownicy i nie pamiętałam gdzie. Nie chcę już dzwonić do niego domofonem ani robić żadnych innych psikusów, nie chcę w ogóle tu stać. Łapię swój rower i pedałuję ile sił w z powrotem.

W nocy budzę mamę krzykiem.

– Ciiii…. – szepcze uspokajająco, tuląc mnie. – To tylko zły sen, Jasmin.

Kiedy już chce opuścić moją sypialnię, proszę, żeby zajrzała pod łóżko, do szafy i odchyliła obie zasłony.

– Myślisz, że w pokoju czai się coś złego? – pyta z łagodnym uśmiechem. – Tu nie ma. – Odchyla jedną zasłonę, a potem drugą. – I tu nie ma. – Schyla się pod łóżko. – I tu też nie ma. – Porusza wieszakami w szafie. Kiedy zamyka jej drzwi, znowu się uśmiecha. – Skarbie, potwory istnieją tylko w bajkach. Masz dziesięć lat i jeszcze o tym nie wiesz?

Układam głowę na poduszce i mocno przytulam czarodziejskiego pieska, który ma magiczną moc i może mnie ochronić przed czarną ręką i wszystkimi bajkowymi stworzeniami. Nie ochroni mnie jednak przed prawdziwym potworem.

Mama nie mówi całej prawdy. Potwory istnieją, żyją między ludźmi i wyglądają całkiem zwyczajnie, a najstraszniejsze w nich jest to, że na pierwszy rzut oka nie widać, że nimi są.

3

Pod powiekami miałam ciebie i siebie na huśtawkach
za domem mamy, kiedy jeszcze byliśmy dziećmi. Odchy-
laliśmy głowy, bujając się tak mocno, że świat wirował,
a łańcuchy obijały się głośno o pręty.

Chwile naszych zabaw: budowane z piasku zamki,
mydlane bańki puszczane pod chmury, straszne opowieści o wszystkich najgorszych rzeczach, momenty w namiocie przy blasku latarki, czarodziejski świat, w który
wierzyliśmy. Magia pierwszego pocałunku, podejrzanego
u dziewczyny z sąsiedztwa. „O raju, ohyda!" – chichota-
łam, przyciskając rękę do ust, dziwnie szczęśliwa, że to
widziałam i że jesteś obok.

Kiedy zostawaliśmy w moim domu sami, świat stawał
otworem. Przetrząsaliśmy sypialnię mamy, ja ubierałam
się w jej imprezowe stroje, a ty myszkowałeś po kanałach
telewizyjnych. Łączyliśmy się z Internetem, oglądaliśmy
zakazane strony przeznaczone tylko dla dorosłych, włą-
czaliśmy sobie filmy, których matki nie pozwalały nam
oglądać. Gdy poszliśmy do liceum, bycie sam na sam
oznaczało prawdziwą wolność. Leżąc na łóżku w moim

pokoju, opieraliśmy stopy o ścianę i paliliśmy papierosy albo coś lepszego.

Nasz dawny śmiech wrócił jak echo. Zobaczyłam nas w pamięci: zalany kaskadą słońca pokój, dłonie, które się dotknęły, gdy podawałeś mi skręta. Przypomniałam sobie, jak wsunęłam bosą stopę w nogawkę twoich spodni. „Będziemy smażyć się za to w piekle" – powiedziałam ze śmiechem, zbliżając usta do twoich warg.

Myślałam o tobie sprzed kilku lat, o tobie sprzed roku, sprzed kilku dni... Wertowałam w myślach nasze ostatnie rozmowy, ale nie słyszałam w nich zapowiedzi tego, że wyjdziesz z domu i nie wrócisz. Próbowałam wypatrzeć odpowiedź w twoich oczach, przypisać ci smutek albo zamyślenie, które mogłabym teraz odczytać inaczej niż w czasie rzeczywistym, ale tego też nie umiałam.

Dochodziła ósma rano, kiedy zatrzymałam stare granatowe volvo mamy na parkingu przed twoim blokiem. Za szybą znajdywała się sypialniana dzielnica, przywodząca na myśl PRL-owskie filmy. Przy parkingu roztaczał się plac zabaw z huśtawkami, którym brakowało oparć, i drabinkami obdrapanymi z farby. Moje spojrzenie podążyło dalej, do czteropiętrowego bloku, gdzie mieszkałeś. Balkony łączyły się z sobą, tworząc coś w rodzaju galerii prowadzącej pod drzwiami i oknami sąsiadów do klatki schodowej.

Tam czekała na nas twoja matka. Obejmowała się rękami za brzuch, jakby ją bolał. Nawet z daleka widziałam jej białą skórę i podkrążone oczy.

– Przestań go kryć! – napadła na mnie, kiedy tylko się do niej zbliżyłyśmy. – Gdzie on jest?!

Zatrzymałam się w pół kroku.

– Niech ona go nie osłania! Ma mi zaraz powiedzieć, gdzie on jest! – powtórzyła histerycznie.

Mama zbliżyła się do niej.

– Nie wariuj, Ali – powiedziała ostrożnie, napiętym głosem. – Nikt nie skrzywdzi dorosłego chłopaka. Wyśpi się i wróci. Pewnie gdzieś zabalował.

Alicja jednak wycelowała we mnie chudym piegowatym palcem:

– Wie, wie! Jeśli ona nie wie, gdzie jest Staszek, to kto ma wiedzieć?! Ledwie wróciła i zaczęły się problemy!

Mama ujęła jej twarz w swoje dłonie i zmusiła do popatrzenia sobie w oczy:

– Jasmin była w nocy w domu i wierzę jej, że nie ma pojęcia, gdzie jest Staszek. – Zwróciła się do mnie: – Idź do jego pokoju i zorientuj się, co z sobą zabrał!

Kiedy się nie poruszyłam, wyszeptała bezgłośnie coś, co miało znaczyć: „Zejdź jej z oczu, i to już!".

Przy wejściu rozsunęłam kotarę z różnobarwnych koralików i kryształków, a one rozdzwoniły się melodyjnie. Wasze mieszkanie było małe i dodatkowo zagracone meblami, które Alicja ustawiła wedle wymogów chińskich wierzeń dotyczących energii, jaką kumulują przedmioty i kąty. Otwarte ikeowskie regały z bałaganem na nich i komody miały przynieść wam szczęście. Paradoksalnie Alicja zrobiła przemeblowanie zaledwie tydzień wcześniej, korzystając z mojej i twojej pomocy i powtarzając, że teraz przywróci mieszkaniu dobrą energię.

W twoim pokoju panował półmrok, ponieważ nikt nie odsłonił rolet. W cieniu tonęło nieposłane łóżko, jakbyś opuścił je chwilę temu, w pośpiechu odrzucając kołdrę. Na poduszce leżała niebieska koszulka, w której spałeś.

Moje spojrzenie prześlizgnęło się do książki, którą odłożyłeś na podłogę tak, jakbyś zaraz miał po nią sięgnąć. Na parapecie dostrzegłam kubek z resztkami kawy. Poczułam zapach, którego nie umiałam nazwać ani z niczym połączyć. Jakby ktoś rozpylił perfumy. Przywiódł mi na myśl kwiaty. Kwiaty na łące, kwiaty w wazonie, kwiaty na pogrzebie. Kiedy podciągnęłam rolety i do wnętrza wpadło poranne słońce, zapach się rozproszył.

Pewnie myślisz, że przebywanie w twoim pokoju sprawiło mi ulgę. Mylisz się. Już w chwili, gdy do niego weszłam, stał się dla mnie miejscem nie do wytrzymania. Naiwnie pragnęłam znaleźć w nim uspokajającą odpowiedź na to, czemu jeszcze nie wróciłeś do domu, ale wszystko, co napotykały moje oczy, budziło raczej wątpliwości.

Nie zabrałeś z sobą ładowarki do telefonu, a przecież, gdybyś planował zniknąć na dłużej niż jeden dzień, włożyłbyś ją do torby. Nie wyłączyłeś laptopa, jakbyś zakładał, że po powrocie z pracy będziesz z niego korzystał. Kiedy poruszyłam palcem po touch padzie, ekran powoli się rozjaśnił, odsłaniając ściągany przez ciebie film. Wtedy ścisnął mnie lodowaty strach. Stało się coś złego – przemknęło mi przez myśl. On nie wróci.

Nagle ta jedna doba, podczas której nie miałam z tobą kontaktu, zaczęła rozciągać się i dłużyć. Twój głos w mojej pamięci słabł, a obraz ciebie, który jeszcze rano miałam pod powiekami, bladł. Znikałeś. Przestawałeś być. Przeraziło mnie, że jeśli zaraz nie staniesz w drzwiach, nie będzie sposobu, aby ten proces zatrzymać.

4

Co kilkanaście minut dzwoniłam na twoją komórkę. Ciągle zgłaszała się poczta, a po pewnym czasie nawet ona przestała się odzywać i w telefonie zapadła głucha cisza.

– Nie ma go, nie wiem, gdzie jest... – mówiła Alicja do telefonu.

Obserwowałam jej profil z wystraszonym okiem, które obiegło podłogę w kuchni i prześlizgnęło się po nas.

– S-słucham? – zająknęła się. – J-jak to? Jak to zgłoszenie przyjęte? Nie rozumiem. Co znaczy, że mamy czekać czterdzieści osiem godzin? – Usta jej drgnęły, znowu zaczęła się jąkać: – M-mój syn nigdy nie znikał na tyle czasu! Słucham? J-jak to „się znajdzie"? Wiem, że jest dorosły, ale przecież pani go nie zna... Kiedy mam zadzwonić? Słucham? – Raptownie odłożyła słuchawkę i przycisnęła ręce do ust, jakby się poparzyła. – Powiedzieli, że jest dorosły i że takie mają procedury! – Jej oczy rozszerzał strach, a głos przeszedł w rozpaczliwy szept. – To jakieś wariactwo! Jezu, Reni, oni nie chcą go szukać! Co oni robią? Przez czterdzieści osiem godzin może zdarzyć się wszystko! Poza tym ja... ja nie wytrzymam tylu godzin czekania!

Popatrzyłam na zegarek. Dochodziło południe, a ciebie ciągle nie było. Mama podała mi torebkę.

– Obdzwoń jego znajomych, Jasmin. Dowiedz się, czy ktoś go widział albo wie, gdzie on może być. I zadzwoń do tej firmy, w której Staszek pracuje. Niech się wypowiedzą, kiedy z nim rozmawiali!

Pierwszą osobą, do jakiej zadzwoniłam, był Marcin, twój najlepszy przyjaciel z wczesnego dzieciństwa.

– Nie mam pojęcia, gdzie może być Staszek – oznajmił wyraźnie zdziwiony moim telefonem. – Ostatni raz rozmawialiśmy na Fejsie. Wspominał coś o spotkaniu w czwartek. Mieliśmy wyskoczyć na piwo, wszyscy razem. Czemu pytasz? Coś się stało?

Tania odebrała natychmiast i wydawała się ucieszona, że mnie słyszy. Wstrzymała oddech, kiedy wyjaśniłam, że nie ma cię od doby i twoja mama złożyła zawiadomienie na policji.

– Co ty mówisz? – w jej głosie usłyszałam wyraźny niepokój, ale też jakąś ciekawość. – A dzwoniłaś do ludzi z jego pracy? Może jest z nimi? – W tle usłyszałam szelest, jakby kartkowała swój notes. – Nie, niestety nie znam nikogo, z kim Staszek pracuje, nie mam też namiarów do ludzi z jego poprzedniej pracy... Ale może Łukasz ich zna? – Nabrała głęboko powietrza i wypuściła je z drżeniem. – Co mogło się stać? Chyba nie zdarzyło się nic złego?

– O co ci chodzi? – Łukasz, twój znajomy, z którym zimą pracowałeś w magazynie, wydawał się zirytowany, kiedy usłyszał, że ciebie nie ma. – To, co gadasz, brzmi trochę mało konkretnie. Chcesz mi powiedzieć, że Staszek nie wrócił na noc do domu i od razu dzwonicie z tym na policję? Świetnie, gratuluję!

– Dostaliśmy informację, że gazety nie zostały rozniesione na Oksywiu – poinformowała mnie kobieta z firmy kolportażowej. – Ani jedna nie trafiła do stojaka, a Staszek nie zjawił się po południu, żeby wziąć drugą turę. Też chciałabym wiedzieć, gdzie on jest i gdzie są nasze egzemplarze.

Zapadł zmierzch, a ciebie ciągle nie było.

– Wrócę do domu – zdecydowałam, zbierając swoje rzeczy.

– Ja zostanę z Ali. – Mama wskazała na siostrę, która właśnie przeniosła się na bujany fotel w salonie. Siedziała z kolanami pod brodą, obejmując je rękami, zapatrzona w jakieś miejsce na dywanie. – Lepiej tu będę. – Włożyła mi do ręki klucze, ale zatrzymała mnie w drzwiach: – Podzwoń po szpitalach, opisz go – powiedziała, patrząc mi w oczy. – Może miał wypadek, a nie znaleziono przy nim dokumentów?

5

Dawniej

Nóż trzeba położyć po lewej stronie talerza, a widelec po prawej. W kuchni dzwoni telefon i mama odbiera.

– Co znowu? – pyta z irytacją, a po chwili rzuca ostrzej.

– Tak, Staszek tu jest, przygotowujemy się do obiadu. A ty gdzie jesteś? Kiedy po niego przyjedziesz? Miałaś być wczoraj!

W zalanym zimowym słońcem salonie rozkładasz sztućce na naszym nowym długim stole z ciemnego drewna, nakrytym białym obrusem, którego końce zwisają po obu stronach aż do podłogi. Przy dwóch talerzach widelce lądują nie tam, gdzie powinny.

– Nie tu! – unoszę głos. – Przecież mówiłam ci, że widelec ma być tam!

Nie usłyszałam kroków mamy, nie spodziewałam się więc tego, że nagle znajdzie się za moimi plecami i raptownie złapie mnie za rękę. Wykręca mi ją niemal boleśnie, a potem syczy ostro:

– Zaraz zleję ci tyłek, moja panno!

Puszcza mnie jednak i kuca przed tobą. Masz na sobie dżinsowe ogrodniczki, w których Alicja przywiozła cię do nas, i żółtą bluzkę z rysunkiem Boba Budowniczego. Pochylasz głowę, jakbyś coś zbroił, a twoje policzki zaczynają czerwienieć.

– Nic się nie stało.

Mama głaszcze cię po włosach, które są tak długie, że opadają ci na ramiona.

– Czemu Jasmin na ciebie krzyczała?

– Nie krzyczałam na niego! – unoszę głos. – On po prostu nie umie ułożyć głupiego widelca ani łyżki tam, gdzie być powinny!

Świdruje mnie wzrokiem ze złością i już wiem na pewno, że powinnam zamilknąć.

– Wytłumaczę ci to, Staszku...

– Już mu tłumaczyłaś!

Kolejny ostrzegawczy rzut oka.

– Jak chwytasz widelec?

Po nieskończenie długim czasie unosisz rękę nad sztućcami.

– Właśnie... – Mama uśmiecha się, ale trochę nerwowo. – A nóż?

Twoja druga ręka wędruje do talerza.

– Tak. – Nie spuszcza z ciebie oczu. – Dokładnie... Więc musisz ułatwić swoim rękom sięgnięcie po sztućce i położyć je tak, żeby było wygodniej... Jasmin, zbierz sztućce i Staszek jeszcze raz je rozłoży.

Posłusznie podaję ci zebrane widelce i noże, a ty zaczynasz okrążać stół. Pierwsze dwa komplety układasz jak trzeba, ale potem dzwoni telefon i wtedy, spoglądając w stronę kuchni, znowu popełniasz błąd.

– Źle! – wyrywa mi się, ale mama natychmiast ucisza mnie wzrokiem.

– Kochanie? – Wiem, że jej cierpliwość kiedyś się skończy, ale na razie ma jej całe pokłady. – Staszku, skup się... Odbiorę telefon, a ty zrób to jeszcze raz, prawidłowo.

– Ma problemy z koncentracją. Bywało jednak już gorzej – mama mówi tak głośno w gabinecie, że słyszymy ją na korytarzu.

Poradnia psychologiczna jest dzisiaj pełna dzieci, więc głupio mi, że wszyscy się na nas gapią.

– Nie, teraz jest pogorszenie. Nie wytrzymuje na filmie, że nie wspomnę o siedzeniu w szkole. Dlatego tu jesteśmy. Poprzednia psycholog doradzała ćwiczenia, ale one według mnie nic nie dają. Przyszłam za zgodą jego matki, bo pomyślałam, że może potrzebuje leków. Albo dalszych badań. Przecież chyba możecie jakoś zlikwidować ten problem?

Zanim Alicja cię do nas przywiozła, dostałeś od niej zestaw samochodów Crossing Cruiser i ciągle jeden przy sobie nosisz. Teraz też masz go na oparciu krzesła i wygląda na to, że niespecjalnie przejmujesz się tym, co mama opowiada o tobie psycholożce, tylko udajesz, że samochód spada w przepaść.

– Mogę pobawić się z tobą? – pytam, ustawiając przy twoim kolanie mojego białego cadillaca.

Nasze samochody toczą się w dół i lądują na podłodze. My też zsuwamy się z krzeseł, kucamy blisko siebie, próbując wyprowadzić wozy z wypadku.

– W moim jest kilku rannych – informuję cię. – Ratunku!... Mam złamaną rękę, niech mi ktoś pomoże!

Zajęci zabawą, nie słyszymy, kiedy drzwi do sali się otwierają i staje w nich młoda kobieta. Unoszę głowę, gdy pada twoje imię.

– Staszku?

Kobieta wpatruje się w twoje plecy, a ty po chwili odwracasz się do niej, przedramieniem odgarniając włosy, które spadły ci na oczy.

– Zapraszam do gabinetu!

– Potrzymam twojego cruisera – proponuję.

Wolisz zabrać go z sobą. Przyciskasz go do siebie tak, jak ja czasem robię z ukochaną przytulanką. Pani psycholog zamyka za tobą drzwi i w korytarzu zostaję sama. Wtedy jedna z matek siedzących po mojej lewej stronie zwraca się do innej pani:

– To chyba dzieci z jakiejś sekty, prawda? Myślałam, że to dziewczynka. Kto normalny pozwala chłopcu nosić takie włosy? No i te leki... Jezu, co za ludzie! Jak można chcieć podawać leki tak młodemu chłopakowi?

6

Gdybyś zobaczył swoją mamę na zdjęciach, gdy miała dwadzieścia trzy lata, na pewno zrozumiałbyś, dlaczego nie umawiała się na randki. Chłopacy nie wariują z namiętności do chudych, wysokich kobiet o piersiach zebranych w luźny biały stanik i bladej cerze nakrapianej piegami, które w dodatku noszą okulary w niemodnych oprawkach i jeśli spotka się je na mieście, zawsze mają przy sobie jakiś podręcznik. Kiedy zaszła w ciążę, nie chciała powiedzieć mojej mamie, kto jest twoim ojcem. „Nie chcę ojca dziecka w nic wikłać i przestań się o niego dopytywać!" – oznajmiła kategorycznym tonem, podczas gdy moja mama histerycznie krążyła wokół niej, machając testem ciążowym, na którym niebieskie kreski były tak wyraźne, że nie dawało się ich żadną miarą zignorować. „To był mój błąd. Poradzę sobie sama".

Przyszedłeś na świat wiosną, kiedy Alicja była na drugim roku studiów pedagogicznych. Ja przyszłam na świat jesienią.

Moi rodzice wybudowali dom, a więc od urodzenia posiadałam śliczny pokoik położony blisko ich sypialni, a w nim białe łóżeczko z prętami i biały baldachim, który okalał je jak zaczarowana kotara, kryjąca najpiękniejsze sny. Tata większą część roku spędzał na morzu, opływając cały świat i przysyłając nam mnóstwo zdjęć, a wracał z tych rejsów obładowany prezentami dla mnie, podczas gdy ja i mama czekałyśmy na jego powrót w odświętnych nastrojach. Zasadniczo więc dzieciństwo spędzałam z nią. Moja mama nie jest jak Alicja. Na starych zdjęciach zawsze jest otoczona przyjaciółkami i najfajniejszymi chłopakami. Niska i szczupła. Kiedy już byłam nastolatką, mogła podbierać ciuchy z mojej szafy i kupowała je w tych samych sklepach co ja. Na fotografiach, na których ja mam zaledwie kilka lat, jest roześmianą młodą kobietą o platynowych włosach i oczach ukrytych pod efektownymi okularami przeciwsłonecznymi; szczęśliwą tak bardzo, jakby właśnie wygrała milion w totolotka.

Nie wychodziłeś zbyt wiele na dwór, więc rosłeś wolniej ode mnie i podobno wyglądałeś jak mój młodszy brat. Przy mojej opalonej, zaróżowionej buzi, którą ciągle wystawiałam na słońce, twoja wydawała się wampirzo blada, a oczy zawsze były podcienione.

– On źle wygląda. O której go kładziesz? – dopytywała się mama.

Uważała, że jesteś zbyt cichy jak na dwulatka, za drobny i zbyt mało ważysz.

– Na Boga, kładzie się spać, kiedy jest senny! – zirytowała się Alicja.

– Jak to „kiedy jest senny"? O której? O ósmej wieczorem? Dziewiątej? Czy idzie spać wtedy, gdy robisz to ty?

– Przestań bawić się w psychologa! Idzie spać, kiedy mu się oczy zamykają! Od kiedy masz prawo mnie pouczać?

– Musisz podawać mu witaminy i wprowadzić stałą porę snu. Poza tym według mnie Staś za mało przebywa na powietrzu i dlatego wygląda jak roślinka hodowana bez światła. Musisz zabrać go do lekarza!

Od małego nauczyłeś się, żeby być cicho i nie sprawiać kłopotów. Zajmowały się tobą różne studentki i studenci, więc nie miałeś ustalonego grafiku dnia. Alicja zabierała cię z sobą, jeśli nie było możliwości podrzucenia cię komuś pod opiekę: bawiłeś się sznurówkami w jej butach, gdy godzinami ślęczała przy stoliku w czytelni, przygotowując się do egzaminów. Nauczyłeś się być niewidzialny na wykładach, których nie mogła opuścić. Na akademickich imprezach, w papierosowym dymie i przy huku muzyki, próbowałeś bawić się albo zasnąć.

Nie mieliśmy dziadków – nasze matki wychowały się w rodzinach zastępczych i nie utrzymywały kontaktu z biologicznymi rodzicami. Kiedyś znalazłam zdjęcie, na którym moja, wówczas piętnastoletnia, wiesza pranie w słonecznym ogrodzie u rodziny, u której wówczas mieszkała i gdzie poznała Alicję. Ma na sobie ciasny sweterek i wąską spódnicę, podkreślającą kształt jej ud. Uśmiecha się tak pięknie, jakby była najszczęśliwsza na świecie. A przecież w tym okresie przeżywała jeden wielki dramat!

Już jako dorosła dziewczyna oglądałam z nią w telewizji „Uwagę". Odcinek dotyczył rodziny zastępczej, w której opiekunowie znęcali się nad małą dziewczynką, przypalając ją papierosami i bijąc. Dziecko było tak wystraszone, że kiedy w domu zjawiła się kobieta z opieki socjalnej, leżało pod kołdrą, nakryte aż po szyję, i bało się nawiązać jakikolwiek kontakt. Wtedy moja mama, wytrząsając z paczki papierosa, westchnęła: „Czasami chciałabym móc wymazać wspomnienia". I chociaż nie powiedziała niczego więcej, wiem, że dawno temu ona i Alicja były właśnie takimi bezbronnymi dziewczynkami. I że to dlatego mamie tak bardzo zależało, by moje życie było jak najpiękniejszy sen, a Alicja swoje szczęście upatrywała w zdobyciu wiedzy i niezależności.

Kiedy skończyłeś cztery lata, ciocia zaczęła przywozić cię do nas. Zostawałeś najpierw na cały dzień, potem również na noc i pół kolejnego dnia, aż stało się jasne, że będziesz mieszkał z nami od poniedziałku do piątku, a Alicja poświęci ci weekendy. Mama już wtedy wróciła do fryzjerstwa i dlatego nasze wspomnienia z tamtego okresu dotyczą suszarek do włosów, które nastawiała na duże obroty i które podrywały w górę włosy klientek. Uwielbialiśmy zapach farb, odżywek, szamponów i szelest sreberka oraz folii, w którą zawijała farbowane pasma.

Najbardziej lubiliśmy przebywać w pobliżu fryzjerskiego fotela. Z przejęciem cięliśmy sreberka na cienkie paski, podawaliśmy miseczki, w których mama mieszała rozjaśniacze, przygotowywaliśmy spinki i grzebienie, a kiedy strząsała z ramion klientki ucięte włosy, jednym ruchem ręki zdejmowała z niej pelerynę i z uśmiechem mówiła: „Et voilà!", nasze usta rozchylały się w bezwiednym zachwycie, a z mojej piersi wyrywało się ciche: „Wow!".

Mama niemal nieustannie zmuszała nas do zabawy na świeżym powietrzu.

– Na dworze wcale nie jest ładnie! Wolimy bawić się w domu! – narzekaliśmy, ale ona była nieubłagana.

– Liczę do trzech! – oznajmiała, groźnie biorąc się pod boki. – Jak za trzy minuty ciągle tutaj będziecie, będę naprawdę zła! Raz...

Pierwszy wciągałeś tenisówki i w pośpiechu sięgałeś po kurtkę. Jeśli mama wymówiła słowo „dwa", twoje policzki czerwieniały ze zdenerwowania. W panice zapinałeś zamek i zanim ponownie rozchyliła usta, już byłeś w ogrodzie. Dołączałam do ciebie niechętnie, marudząc, że w domu byłoby fajniej.

– Kochanie, Staszek potrzebuje dużo świeżego powietrza... – wyjaśniała mi wieczorem, całując mnie do snu. – To twój przyjaciel, musisz o niego dbać, zamiast myśleć tylko o sobie.

– Dlaczego nie mogę myśleć o sobie? – westchnęłam.

– Bo masz przyjaciela. I to jest cenniejsze niż wszystkie zabawki świata.

Co miesiąc stawiała nas przy framudze i mierzyła. Pisakiem zaznaczała miejsce, gdzie kończyły się nasze głowy, i starannie kaligrafowała datę. Kiedy ją wówczas obserwowałam, miałam wrażenie, że wcale nie cieszy się tak mocno z moich postępów. Największą przyjemność sprawiało jej, gdy ty rosłeś. Klasnęła w ręce ze szczęścia, gdy przegoniłeś mnie o dwa centymetry. Ujęła wtedy twoją twarz w dłonie, spojrzała ci w oczy uszczęśliwiona i wykrzyknęła: „Będziesz pięknym, wysokim chłopcem! Obiecuję ci to!".

Chociaż akurat na tę obietnicę nie miała żadnego wpływu, właśnie ona się spełniła.

7

– Przesuń się!

– Sam się przesuń!

– Dobra, przestań, Jasmin, przecież się nagrywa!

Poważniejemy jak za dotknięciem czarodziejskiej różdżki.

– Staszek kończy dzisiaj dwanaście lat! – obwieszczam, siląc się na uroczysty ton, i wygładzam czerwoną sukienkę z tiulu. – Co oznacza, że ja dwanaście skończę za pół roku!

– Małolata...

Uderzam cię ręką w ramię.

– Na dole trwa impreza – podejmuję, wpatrzona w oko kamery, którą ustawiliśmy na biurku. – Za chwilę będzie zdmuchiwanie świeczek na torcie urodzinowym i puszczanie japońskich lampionów. Zanim jednak to nastąpi, mam pytanie do solenizanta. Jakie jest twoje życzenie na dzisiaj? – Sięgam po przygotowaną wcześniej zapaloną świeczkę. – To świeczka życzeń – obwieszczam, osłaniając płomień dłonią, żeby się nie kołysał. – Zdradź nam swoje życzenie i zgaś ją, a na pewno się ono spełni.

– Nie powiem tego na głos – oponujesz.

Sięgam po kamerę i zbliżam twoją twarz. W kadrze łapię czoło, kosmyki białych włosów spadające na policzek. Filmuję twoje ciemne rzęsy do momentu, gdy podnosisz wzrok, niepewnie, jakby obiektyw nagle zaczął cię onieśmielać.

– Tylko jedno życzenie – przypominam.

– Jedno – potwierdzasz, a potem pochylasz się i wydmuchujesz powietrze.

Gasimy lampy, ale zostawiamy włączony telewizor, więc wszystko tonie w błękitnej poświacie. Świeża poszwa szeleści, gdy się nią nakrywamy.

– Tylko do dwudziestej drugiej – szepcze mama, kiedy zjawia się, żeby po staremu wygnać karaluchy pod poduchy i pocałować nasze czoła. Kuca przy łóżku, a jej spojrzenie z czułością wędruje od ciebie do mnie. – Jak zawołam: „Marsz do łóżek!", Staszek pójdzie spać do drugiego pokoju. Już wszystko jest tam przygotowane, kochanie, nawet zapaliłam ci lampkę.

– Dlaczego nie możemy jeszcze dzisiaj spać razem? – pytasz.

– Bo dwanaście lat to za dużo, żeby spać razem... Godzina. – Mama unosi palec, na co oboje się uśmiechamy.

– Godzina – powtarzamy.

– Dobranoc.

Oplatasz jej szyję ramionami i przytulasz policzek do jej twarzy.

– Dobranoc, pchły na noc!

– Karaluchy pod poduchy! – odkrzykuję.

W taki wieczór jak dzisiaj może się zdarzyć wszystko! Możemy położyć się spać później niż normalnie, w łóżku

46

wolno nam chrupać chipsy, chociaż mamy już umyte zęby, i nie musimy gasić telewizora przed dwudziestą drugą. Mam wrażenie, jakby w moim brzuchu ze szczęścia trzepotał rój motyli!

W telewizji znajduję straszny horror. Psychopata z kosiarką morduje grupę studentów. Chrupiemy chipsy wpatrzeni szeroko otwartymi oczami w ekran. Śliczna studentka właśnie zapuszcza się do starego angielskiego domostwa, na którego terenie zaginął jej chłopak. „Moja noga!" – woła, gdy wywraca się w błocie zalegającym na trawniku. Rozlega się głośny trzask, jakby pękła jej kość. Próbuje się podnieść, ale jej łokcie ślizgają się i znowu upada, tym razem brudząc też twarz. Zza domu dobiega warkot kosiarki do trawy i na tle ciemnego nieba wyłania się wysoka, niezgrabna postać psychopaty. „Moja noga!" – woła dziewczyna, oglądając się na niego. „Ratunku! Może pan mi pomóc?... Chyba złamałam nogę!"

– Całowałeś się już?

– Co?

W niebieskawym poblasku ekranu twoje oczy błyszczą inaczej niż zwykle. Uśmiechasz się jednak w znajomy sposób.

– Nie. No co ty!

– Ja też nie – odpowiadam szeptem i zaraz dodaję: – Wszystkie dziewczyny z naszej klasy mówią, że już to robiły. A Olga Dormowicz mówi, że całowała się z języczkiem.

– Tak mówi? Że niby z kim?

– Powiedziała, że ze starszym chłopakiem. Pocałował ją podczas tańca.

Twoje spojrzenie przykleja się do moich ust.

– Na pewno kłamie.

Wzruszam ramionami.

– Pomyślałam, że może lepiej mieć to już za sobą. Może sprawdźmy, jak to jest, żeby potem nie wyszło głupio w klasie? Pocałujesz mnie?

Przytakujesz, jednocześnie marszcząc brwi, i spoglądasz na drzwi, jakbyś spodziewał się zaraz zobaczyć w nich mamę. Wiem, ja też pomyślałam, że chybaby się jej to nie podobało.

– No dobra – mówisz w końcu i centymetry prześcieradła, które nas dzieliły, znikają, a ty pochylasz się nade mną.

To pierwszy pocałunek w moim życiu. Twoje wargi są wilgotne i miękkie, a kiedy rozchylam usta, czuję twój język. To doznanie jest dziwne. Wybuchamy śmiechem i cofamy się na swoje miejsca. Horror już nas nie obchodzi. Dźwięki dobiegające z ekranu wydają się jakoś mało ważne, żadne z nas nawet nie spogląda w tamtym kierunku.

– Myślisz, że jestem ładna? – pytam szeptem, podciągając kołdrę pod brodę.

– Jesteś bardzo ładna – odpowiadasz niemal odświętnie.

8

– **M**amo, to oni?

– Nie, skarbie.

– Mamo, kiedy przyjedzie autobus?

– Zaraz będzie.

– Czy to ten?

– Nie, ich autobus zajedzie na drugą stronę ulicy...

Nabieram głęboko tchu i przytulam policzek do szyby. Teraz, kiedy Alicja się przeprowadziła i chodzimy do różnych szkół, nie mieszkasz już u nas. Widuję cię w co drugi weekend i przez to, gdy nadchodzi sobota, wyczekuję cię już od rana.

– Mamo, to oni?

Wyciera ręce w fartuch i mruży oczy:

– Jasmin, tak! Już są!

Natychmiast odrywam się od okna i jak burza wypadam z pokoju. Pędzę korytarzem do drzwi, otwieram je na oścież i już jestem w parnym, dusznym ogrodzie, gdzie brzęczą pszczoły i ćwierkają ptaki. Skaczę z radości, machając do ciebie ręką:

– Staszek, mam nowy ponton! Będziemy na nim pływać!

Trzymasz za rękę Alicję i oglądasz się na nią. Puszcza cię i wtedy już możesz do mnie podejść. Łapię cię za łokieć, ciągnę za sobą.

– Chodź, chodź! Zaraz jedziemy na plażę!

Mama wita cię w przedpokoju. Kuca, a jej spojrzenie z niepokojem obejmuje nie tylko twoją twarz, ale też dłonie i kolana. Patrzy, jakby myślała, że bez jej opieki dzieje ci się krzywda.

– Przywiozę ci go jutro – zwraca się do Alicji, zaprzątnięta wypatrywaniem czegoś w twoich oczach.

– Co planujecie?

Alicja stawia torbę z twoimi rzeczami na podłodze.

– Zabiorę ich na plażę. Jadł już śniadanie?

Ciocia przewraca oczami.

– Myślisz, że głodzę własne dziecko?

– Po prostu pytam, czy już jadł...

– Jadł, jadł! Przestań tak głupio pytać, bo nie będę go przywozić!

W samochodzie, którym jedziemy nad morze, wydajesz się taki cichy. Zamiast na nas patrzysz w szybę na miasto, oddalające się z każdym kilometrem drogi. Mama co jakiś czas obserwuje nas w lusterku wstecznym i po tym, jak zaciska usta, wiem, że coś ją martwi. W końcu włącza radio i wnętrze wozu zalewa piosenka Abby *Dancing Queen*.

– To co? Śpiewamy?

Śpiewam na całe gardło razem z nią, ale ty nie podchwytujesz utworu. Nie podzielasz też naszego entuzjazmu, kiedy rozkładamy koce na białym piasku, stawiamy na nim koszyk z jedzeniem i mama mówi, że możemy biec się kąpać. Dopiero godzinę później zgadzasz się na moją zabawę.

– Kto pierwszy znajdzie trzy muszelki?!

Nurkujemy w morzu i machając rękami, próbujemy dotrzeć do piaszczystego dna. Otwieram oczy i poprzez unoszące się wokół kawałki glonów i mętną seledynową wodę widzę ciebie. Po raz pierwszy tego dnia zaczynasz wydawać się radosny.

– Kto pierwszy przy palikach?! – wołam na brzegu.

Popełniam falstart, ale i tak z łatwością mnie pokonujesz. Przerastasz mnie już o półtorej głowy i jesteś o wiele szybszy i silniejszy. Chociaż biegnę ile sił w nogach, czując, jak piach ucieka mi spod stóp, i tak przegrywam. Wtedy próbuję cię zatrzymać, chwytając za ramiona i przewracając.

– Dzisiaj ja wygram! – krzyczę ze śmiechem, kiedy szamoczemy się, walcząc, żeby nie upaść.

Na piasku zaczyna się prawdziwa kotłowanina. Na czworakach próbuję dostać się pierwsza do palików, a ty za nogę ciągniesz mnie z powrotem. Zanosimy się śmiechem, obrzucamy piaskiem, ciągniemy za włosy. Kiedy w końcu nieruchomiejemy, zbyt zmęczeni, żeby dalej się ścigać, po prostu leżymy obok siebie, ciężko oddychając, zapatrzeni w czyste niebieskie niebo, które wygląda, jakby zaraz miało na nas spaść.

*

Popatrz na nas. Leżymy, wciąż z trudem łapiąc oddech, brudni od piasku, który przykleił się do mokrej skóry, z mokrymi, poskręcanymi przez wiatr włosami. Odwracasz głowę w moim kierunku, a ja spoglądam na ciebie.

Otaczają nas kolorowe ręczniki innych ludzi, parawany napięte od wiatru, metr od stóp mamy linię wody. Zbyt zmęczeni, żeby wstać, oddychamy ciężko, nie przestając się śmiać.

9

Obudziło mnie wrażenie, że ktoś zbliżył usta do mojego ucha i wyszeptał jakieś słowo. Otworzyłam oczy, a pod powiekami mignęły mi strzępy niespokojnego snu. Było w nim coś o stopach, nad którymi nie miałam kontroli i które przyklejały się do ściany, prowadząc mnie w głąb długiego, ciemnego korytarza. Minęło kilka minut i nagle przyszła ta świadomość. Ktoś nie żyje – przemknęło mi przez myśl.

Ty nie żyjesz.

Czułam cię w powietrzu, w ciszy uśpionego jeszcze domu, w moim oddechu, który z drżeniem opuszczał usta. Coś się zmieniło – było jakby ciszej, chłodniej. Miałam wrażenie, że jesteś obok, że towarzyszysz mi na schodach, na ganku, a potem siedzisz na tylnym siedzeniu samochodu, kiedy jechałam do dzielnicy, w której poprzedniego dnia miałeś roznieść gazety. To tylko strach – przemknęło mi przez myśl, ale coś szeptało w mojej głowie, że to nie strach, że stało się coś najgorszego.

Słońce, chociaż jeszcze nisko zawieszone nad ziemią, gorącymi promieniami rozświetlało okolicę czteropiętrowych powojennych bloków, graniczących z szerokim pasmem lasu. Zaparkowałam volvo przy przystanku autobusowym i wyszłam na zewnątrz.

Przed sobą miałam jedną z tych dzielnic, które nie były dobre, więc nie wiem, na co firma kolportażowa liczyła, instalując na klatkach stojaki. Już po widoku zdemolowanych huśtawek i po popisanych sprayem elewacjach można się było domyślić, że błyskawicznie ulegną zniszczeniu.

Moje spojrzenie przykleiło się do napisów, którymi „ozdobiono" budynki. Wszystko dzisiaj wydawało się złe, ostateczne, jak ostrzeżenie, które ktoś dla mnie zostawił. Widziałam zbitą szybę w mieszkaniu na pierwszym piętrze, spalony śmietnik na lewo od zaniedbanych ogródków, wiatr przywiał mi pod stopy ulotkę reklamową, po którą schyliłam się z nadzieją, że może to być jedna z tych roznoszonych przez ciebie. Ale ulotka dotyczyła nowo otwartego solarium. Zmięłam ją w palcach i rzuciłam na trawę. Moje spojrzenie pobiegło poza bloki, do długiego pasma lasu.

Kiedy byliśmy młodsi, kilka razy zapuściliśmy się tutaj, szukając bunkrów i tuneli, które zostały po drugiej wojnie światowej. Znaleźliśmy je w głębi lasu, położone tak daleko od drogi, że właściwie już zwątpiliśmy w ich istnienie. Pamiętałam, że jacyś chłopcy rozbili przy nich wówczas namiot, i kiedy nadeszliśmy, podgrzewali na łyżkach narkotyk, więc zamiast zagłębić się pomiędzy białe historyczne ściany, zawróciliśmy do domu.

Tędy szliśmy na plażę, niosąc torby z ręcznikami i kłócąc się na temat obejrzanego wcześniej filmu. Widziałam nas tak, jakbyśmy byli duchami: dwie mgliste postacie, które machały torbami i – zdyszane, zaciekle się kłócąc – zniknęły w pierwszych zaroślach.

Drzwi na klatki schodowe na szczęście nie były zamknięte. W półmroku holów oglądałam więc puste stojaki, do których ktoś powrzucał ulotki reklamowe.

– Przepraszam, czy był tutaj ten chłopak? Widziała go pani? – Czułam się, jak aktor grający czyjąś rolę, kiedy podsuwałam obcej kobiecie twoją fotografię.

Zdjęcie zostało zrobione na drodze wiodącej do mojego domu. Byliśmy na nim razem, ale zanim je wydrukowałam, w Photoshopie wycięłam siebie. Zostałeś więc sam: wysoki, szczupły mężczyzna z jasnymi włosami i niebieskimi oczami, ubrany w trochę już wytarte dżinsy i koszulkę z nazwą zespołu Muse. Patrzyłeś w obiektyw nieświadomy (albo świadomy?), że za kilka miesięcy to zdjęcie zostanie przedstawione policji.

– Nigdy go nie widziałam. Dlaczego pani pyta? Zaginął?

Las był rozległy i pełen ścieżek, które rozwidlały się w różne kierunki. Słońce przeświecało przez gałęzie, rodząc plątaninę światłocieni, co utrudniało dojrzenie czegokolwiek.

Znacznie oddaliwszy się od osiedla, znalazłam stary tunel, który przechodził pod nieużywanymi już torami kolejowymi. Kucnęłam przy wejściu do niego, oświetlając ściany komórką. Kilka metrów dalej wspięłam się na nasyp i pierwszy raz od czasu, gdy zniknąłeś, wykrzyknęłam twoje imię. Echo poniosło je, odbiło od drzew, a ja znowu złożyłam dłonie przy ustach i jeszcze raz cię zawołałam:

– Staszek! Staszek!

Chociaż wcześniej nie ujęłam w słowa tego, po co tu przyjechałam, teraz stało się to oczywiste. Nie szukałam śladów po tobie ani żadnych twoich rzeczy. Szukałam ciebie.

Patyk trafił na wiszącą z góry gałąź. Była ułamana w taki sposób, jakby biegł tędy ktoś wysoki i nie zdążył jej ominąć. Odruchowo poruszyłam nią, sprawdzając, jak mocno się trzyma. Mój wzrok powędrował do trawy, która wydała mi się dziwnie płaska, jakby ktoś się tu położył albo przesunął po niej coś ciężkiego...

Coś z tym miejscem było nie tak – wiedziałam o tym, jeszcze zanim się zatrzymałam. Czasem takie rzeczy po prostu się wie. Nie chodziło o to, co mogłam tu znaleźć i co być może kryło się w ziemi. Tu po raz pierwszy przeczułam nieuchronną klęskę, poczułam coś złego, wypaczonego. Miałam wrażenie, jakby hibernowało wśród drzew, obrastało mchem i wilgocią i czekało.

Znowu czułam twoją obecność. Wiatr przebiegł po moim ramieniu, dotknął rozpalonego policzka. Jeślibym użyła wyobraźni, jeślibym dość mocno tego pragnęła, uwierzyłabym, że to twoje palce, że to twój dotyk.

Las nagle zupełnie się przerzedził, między pniami mignęło szare niebo, a kiedy zbliżyłam się do krzaków, które dzieliły mnie od zewnętrznego świata, poczułam zapach morza.

Rozsunęłam gałęzie i niespodziewanie znalazłam się na niebotycznie wysokim klifie. Nie było tu żadnej barierki, która oddzielałaby drogę od przepaści. Od morza wiał silny wiatr. Słońce ukryło się za chmurami i przez to nacierające na brzeg fale wydały mi się odstraszająco szare.

W dole znajdowała się biała, bezludna przy takiej pogodzie plaża. Leżały na niej wyrzucone przez morze konary drzew. Widziałam miejsce, gdzie ziemia osypała się z klifu, tworząc coś, co przypominało duży kopiec. Na brzegu ktoś przywiązał sznurem do palika starą łódź i teraz kołysała się, rozpaczliwie pragnąc popłynąć z falami.

Następnego dnia policja uznała cię za zaginionego.

– Pracuję do późna. Czasami, jak wracam, syn już śpi. Widzimy się podczas śniadania i wtedy nie zawsze jest okazja do rozmowy. Tak, mieszkamy tu tylko we dwoje. Nie, ojciec Stasia nie jest ze mną związany, nigdy nie byliśmy małżeństwem... Nie, nie znam wszystkich jego przyjaciół. Dlaczego pani tak patrzy? Przecież syn nie przyprowadza do mnie każdego kolegi... Jezu Chryste, to dorosły człowiek!

Twoją sprawą zajęła się detektyw Monika Gorlicka, kobieta niewiele młodsza od naszych matek, niska i korpulentna szatynka o dużych oczach i trochę smutnym, zmęczonym spojrzeniu. Siedziała naprzeciwko Alicji, wpatrzona w nią bez większych emocji. Kiedy twoja mama, jąkając się, odpowiadała na pytania, Monika zaczęła się rozglądać. Poprosiła, żeby Alicja pokazała jej twój pokój.

– Czy zachowanie syna zmieniło się w ostatnich dniach? – spytała, wchodząc do środka. – Miał jakieś problemy? Coś się w jego życiu wydarzyło?

Jej uwagę przyciągnęło zdjęcie, które oparłeś o książki. Staliśmy na nim w towarzystwie Marcina i Tani, wszyscy przebrani na Halloween w demoniczne stroje i z mocnymi makijażami. Zdjęła je z półki i przyjrzała się mu dokładniej. Potem sięgnęła do twoich płyt. Przesuwała palcem po grzbietach książek, szczególnie przyglądając się horrorom i sensacjom, które czytałeś.

– Czy coś się zmieniło? – Alicja chyba dopiero teraz zaczęła analizować swoje kontakty z tobą.

Rząd obrazów, do których pewnie nie przywiązywała nigdy wagi, nagle nabrał znaczenia. Czy powiedziałeś jej coś, co powinno wzbudzić czujność matki? Czy ostatnio byłeś bardziej roztargniony? Zamyślony? Może smutny? Czy w niedzielę wykonałeś jakiś gest, który powinien ją zastanowić?

– Nie wiem – wyszeptała, krzyżując ramiona na piersiach. – Muszę się zastanowić – dodała. – Nie wiem – powtórzyła po chwili. – Nie wydaje mi się. Chyba nie.

10

Zaginął mężczyzna, lat dwadzieścia jeden.
Włosy: jasny blond
Oczy: niebieskie
Wzrost: metr osiemdziesiąt dwa.
Zaginął szesnastego września dwa tysiące dwunastego roku. W chwili zaginięcia miał na sobie szarą bluzę z kapturem, dżinsy i niebieskie tenisówki z kolorowymi sznurowadłami. Jeśli posiadasz informacje o jego losie, zadzwoń....

– Daj mi kilka.
Tania przyjechała na rowerze i od razu wzięła ode mnie część plakatów.
– Nie myślałam, że to zajdzie tak daleko, Jasmin... Od kiedy go nie ma?
Nie było cię trzeci dzień. To nie jest dużo, nie, kiedy się chce wyjechać gdzieś w Polskę albo zwiedzać świat. Ale dla kogoś, kto bez śniadania wyszedł z domu z torbą pełną gazet, podczas gdy jego laptop ściągał z netu jakiś

film... – dla takiej osoby siedemdziesiąt dwie godziny to niemal wieczność.

– Cholera, ludzie, może niepotrzebnie panikujemy? – Marcin próbował się uśmiechnąć, ale wyczułam jego napięcie. – Staszek wróci i będzie miał z nas niezły ubaw, prawda? Powie, że powariowaliśmy, robiąc mu taką reklamę!

Rozklejanie plakatów zajęło nam całe popołudnie. Ludzie zatrzymywali nas pytaniami: „Czy brał narkotyki?", „Jakiej muzyki słuchał?", „Ładny chłopak. A może pojechał gdzieś z dziewczyną?". Wszystkie czasowniki w czasie przeszłym, jakby ludzie, widząc twoje zdjęcie okraszone informacją „zaginął", wiedzieli to, co w głębi duszy podejrzewałam też ja, a czego nie chciałam dopuścić do głosu: że rocznie w Polsce znika około tysiąca osób. Niektórzy się znajdują na ulicy albo w klubach, gdzie bawią się tak dobrze, jakby w ogóle nie myśleli o swoich spanikowanych rodzinach. Ale inni nigdy nie wracają.

Klejąc plakaty, miałam w głowie właśnie te przypadki. Myślałam o rodzinach i przyjaciołach, którzy w wywiadach telewizyjnych opowiadali o zaginionej osobie tak, jakby wciąż wierzyli w jej powrót, podczas gdy zegary niezłomnie odmierzały sekundy, minuty, godziny, dni, tygodnie, miesiące, a nawet lata.

– Młody mężczyzna, lat dwadzieścia jeden, oczy niebieskie, włosy blond, wysoki... – mówiłam do słuchawki, nerwowo krążąc po kuchni. – Nie przyjęli państwo nikogo takiego na dyżur? Nie? A kogoś, kto nie miał przy sobie dokumentów... kogoś, nie wiem, z wypadku?

W szafie znalazłam twój sweter. Nie pamiętałam, że tam jest, ale kiedy z wieszaka spadła spódnica, schyliłam się i moje palce musnęły szarą wełnę. Kucnęłam. Minęły lata świetlne, nim palce ponownie wsunęły się w głąb szafy, tym razem, by sięgnąć po niego.

Nie pamiętałam, kiedy go u mnie zostawiłeś. Zresztą to nie miało znaczenia. Pamiętałam ciebie w nim. Strach, który tłumiłam, nagle doprosił się o głos. Usłyszałam swój krzyk, histerycznie wciągane powietrze.

Czy teraz już tak będzie? – pomyślałam, zakrywając usta rękami, żeby wrzask nie wydostał się na zewnątrz. Czy to jest właśnie tak, kiedy straci się ukochaną osobę?

Tej nocy przyśniło mi się, że jakaś mała dziewczynka ukłuła mnie w rękę grubą błyszczącą igłą. Ból, który mi sprawiła, był tak silny, że wykręciłam się boleśnie na łóżku. „Co mi zrobiłaś?" – jęknęłam. Zraniona skóra przybrała odcień czerwieni, a potem zaczęła puchnąć i puchnąć, aż ze środka wysnuła się końcówka błyszczącej niteczki. „Co to jest? Co mi zrobiłaś?!" Złapałam za koniec nitki i pociągnęłam. Poczułam jakiś ruch w moim ciele, jakbym w środku cała była wyłożona włóczką. Nitka wysnuwała się coraz bardziej i bardziej, mieniąc się odcieniami złota i srebra.

Rankiem na ganek naszego domu ktoś podrzucił kopertę ze zdjęciem.

11

Byłam w holu, kiedy usłyszałam krzyk. Nie był głośny. Mama raczej z jękiem wciągnęła powietrze, a kiedy w panice zbiegłam po schodach, zobaczyłam ją stojącą przy drzwiach wejściowych, opartą o ścianę, z oczami otwartymi tak szeroko, jakby zabrakło im powiek.

Alicja była szybsza. Minęła mnie i złapała ją za ramię.

– Co to jest, Reni? Co się stało?

Mama przycisnęła zdjęcie do piersi tak, jakby chciała chronić Alicję przed tym, co się na nim znajdywało, i widziałam, że oczy ma czerwone i zapuchnięte, jakby ta jedna chwila patrzenia na nie była gorsza niż długi płacz.

– Nie! – ostrzegawczo uniosła głos i pokręciła głową, kiedy przyjaciółka spróbowała je odebrać.

Chwilę później jednak wypadło jej ze zdrętwiałych palców i łagodnie, jakby prowadziła je niewidzialna dłoń, spłynęło na dywan. Stałam zbyt daleko, żeby widzieć szczegóły. W oczy rzuciło mi się tylko, że było kolorowe, ale dominował na nim kolor ciała.

Mama odepchnęła mnie, bo stałam jej na drodze, i biegiem rzuciła się do kuchni. Palcami nie trafiała w klawisze, gdy wykręcała numer na policję, więc musiała to robić kilka razy.

– Tu Renata Sochacka. – Głos miała schrypnięty, obcy. – Proszę o rozmowę z Moniką Gorlicką, ona zajmuje się sprawą Staszka Kornowicza! Pani Monika? Tu Renata Sochacka... Przed chwilą znalazłam na ganku kopertę. W środku jest zdjęcie... Tak, zdjęcie Staszka! Nie, to nie jest żadne stare zdjęcie, tylko nowa fotografia. Nigdy jej wcześniej nie widziałam... Nie, nie będę pani opowiadać, co się na niej znajduje! Pani teoria, że Staszek wyjechał, nie powiadamiając nas o tym, właśnie legła w gruzach! Nie, nie jestem w stanie się uspokoić!!

Gorlicka przyjechała niezwłocznie z dwoma policjantami, podczas gdy my czekałyśmy na nią w holu. Od progu zaczęła tłumaczyć, że nie należy dotykać przedmiotów, które mogą okazać się ważne dla sprawy, że nasze matki nie powinny były brać do ręki ani koperty, ani tym bardziej zdjęcia.

– Jak miałam nie brać go do ręki?! – krzyczała mama tak, jak jej się to nigdy nie zdarzało. – Skąd niby miałam wiedzieć, że to ma coś wspólnego ze Staszkiem? Na kopercie nie ma przecież żadnego napisu... Myślałam, że to ulotka reklamowa!

– Ktoś kładzie pani ulotki reklamowe pod drzwiami? Roznosiciele nie wrzucają ich do skrzynki na listy?

Alicja w ogóle się nie odzywała. Stała na wprost mnie, oparta o ścianę, ze wzrokiem wbitym w podłogę, a jej skóra wydawała się bielsza niż kiedykolwiek, z setką piegów, o których mówiłeś w dzieciństwie, że spadają z nieba, gdy mocno świeci słońce.

– Proszę, by spróbowały panie zachować spokój. – Gorlicka starała się wyciszyć emocje, które narastały z sekundy na sekundę. – Tak, zdjęcie wygląda przerażająco, ale na razie nic nie wiemy o jego pochodzeniu. Nasi technicy zajmą się nim, spróbują ustalić jego autentyczność, a potem ewentualnie odnajdziemy na nim szczegóły, które mogłyby naprowadzić nas na trop osoby, która być może przetrzymuje Staszka...

Zbrakło mi sił. Tak nagle. Złapałam się ściany. Poczułam, że wali się na mnie sufit.

– Nie chcę wyciągać pochopnych wniosków, ale miejsce, w którym Staszek został sfotografowany, przypomina piwnicę albo inne podziemne pomieszczenie.

Ujęłam głowę w ręce, bo stała się ciężka, jakby wypełniło ją tysiąc kamieni.

– Pani widzi, jak ktoś go skrępował? – zapytała mama, siląc się na spokój. – Nie znam się, ale to chyba fachowa robota.

– Jego ramię... – wyszeptała Alicja, a jej głos ledwie przebił się przez odpowiedź pani Moniki.

Wsunęłam głowę między kolana. Przed oczami zrobiło mi się całkiem ciemno.

– Jego ramię... To siniaki, prawda?

– Musicie coś zrobić! Proszę natychmiast działać! Jezu Chryste, on leży skatowany na podłodze w jakiejś piwnicy, związany, z ustami zaklejonymi taśmą, a wy nic nie robicie, tylko od chwili jego zaginięcia wmawiacie nam, że sam wróci do domu!

– Proszę się uspokoić. Nikt paniom niczego nie wmawia.

– Mam się uspokoić? Proszę wytrzymać pięć minut w pozycji, w jakiej go związano!

Na łóżku zwinęłam się w kłębek. Nie miałam pojęcia, w jakiej pozycji ktoś związał ciebie – moja wyobraźnia była na to za mała. Zresztą wcale nie chciałam tego wiedzieć. Byłam chora od słów, które usłyszałam w salonie. Miałam wrażenie, jakbym zobaczyła coś najgorszego. Jakbym spojrzała w jakąś wielką ciemność. Skuliłam się w najciaśniejszą bryłę, ale to wciąż było mało. W brzuchu miałam wielką dziurę. Twój brak czułam wszędzie. Byłeś jak zimno, od którego nie mogłam się uwolnić. Byłeś w dreszczach, które mną wstrząsały. Chociaż bardzo tego chciałam, nie mogłam się rozpłakać, gdyż płacz to było za mało.

– Jasmin?

Nie wiem, kiedy przyszła mama. Nie słyszałam jej kroków ani pukania do drzwi. W jakimś momencie po prostu odezwała się nade mną, a chwilę później uniosła brzeg kołdry, którą się otuliłam, i delikatnie pogładziła mnie po policzku.

– Jasmin, musimy porozmawiać. Kochanie… wiesz, jest jedna dobra wiadomość.

Poderwałam na nią wzrok.

– Skoro ktoś dał nam tę fotografię, to znaczy, że Staszek żyje.

Pomyślałam, że oszalała. Co ona mówiła? To, że na zdjęciu byłeś żywy, wcale nie musiało oznaczać, że wciąż żyłeś.

Przemknęło mi przez głowę, że ktoś zrobił ci to zdjęcie, ponieważ chciał udokumentować moment zbrodni. Ułożył cię w niewygodnej pozycji i związał. Miałeś siniaki na ramionach, byłeś pobity. Może patrzyłeś w obiektyw – ten, kto trzymał aparat, wymówił twoje imię. Powieki pewnie miałeś opuchnięte, byłeś naćpany albo półprzytomny z bólu i strachu. Ale usłyszawszy własne imię, spojrzałeś prosto w ciemne, nieruchome oko kamery.

– Teraz przynajmniej wiemy, że to nie był żaden wypadek, tylko celowe działanie.

Mama próbowała się uśmiechnąć, zupełnie jakby nie zdawała sobie sprawy z tego, jak groteskowo brzmią jej słowa.

– Pani Monika twierdzi, że to dobry znak. Skoro ktoś przysłał zdjęcie, znaczy, że chce nawiązać kontakt.

W tamtej chwili myślałam o zwierzętach trzymanych w klatkach, o motylach zakonserwowanych w gablotach, o pięknych roślinach, które się suszy, by zachować je na zawsze. Mój głos był cichy jak szept:

– Ktoś był na zdjęciu przy Stasiu?

Jej dłoń znieruchomiała. Zacisnęła usta i widziałam, że nie chce mi odpowiedzieć.

– Po prostu widać, że ktoś przy nim stoi.

Oblizałam wargi i jeszcze bardziej ściszyłam głos:

– Czy on był rozebrany?

Pokręciła głową i oczy jej się zaszkliły.

– Był bez koszulki.

– I miał siniaki na ramieniu?

Przytaknęła.

Pomyślałam o tym, jak byliśmy mali. Spadłeś z roweru i miałeś na dłoniach odbity żwir. Pokaleczył ci też kolana, a moja mama włożyła tak wiele wysiłku w to, by każdą rankę oczyścić i zakleić plastrem.

– Jak go związano?

Odpowiedziała niewyraźnie, pocierając nos:

– Ręce pod kolanami, okręcone taśmą, stopy też poklejone... Czemu o to pytasz, Jasmin? Po co ci to?

Pojawiła się ta cicha myśl, jakby nienależąca do mnie: „Myśl!" – wyszeptał jakiś głos w mojej głowie.

Zsunęłam się z łóżka, złapałam twój sweter i pobiegłam do łazienki, gdzie zamknęłam się od środka.

12

Od kiedy zaginąłeś, mamę prześladował sen, w którym gubiła nie ciebie, lecz mnie. Robiła to niemal co noc w centrach handlowych, gdzie potem w panice szukała mnie wokół regałów, znikałam w basenie, który nagle rozrastał się do niebotycznych rozmiarów, a ostatni jej niepokojący sen dotyczył lasu, gdzie nagle straciła mnie z oczu, a kiedy zaczęła biegać, wykrzykując moje imię, za jednym z pni zobaczyła ciebie – pięcioletniego, ubranego w koszulkę z rysunkiem Boba Budowniczego i spodnie ogrodniczki, z przydługimi włosami, które sięgały ci ramion. We śnie zapytała, czy mnie widziałeś, więc popatrzyłeś na nią spod grzywy jasnych włosów i ze wzruszeniem ramion odparłeś, że nie, że nie byliśmy dzisiaj razem.

Kiedy byłam mała, czesała mi włosy łagodnymi ruchami, które sprawiały mi przyjemność. Czarując wtedy dla mnie przyszłość, mówiła: „Będziesz śliczną dziewczynką", „Gdy dorośniesz, poznasz chłopca o wspaniałym sercu",

„Zobaczysz, będziesz miała wszystko, o czym zamarzysz", „Będziesz szczęśliwa".

Gdy dziecko ma cztery lata, matka dopatruje się w jego ruchach i słowach zapowiedzi przyszłych zawodów. Obserwując więc mnie, myślała, że może będę tancerką, ponieważ miałam poczucie rytmu. Albo aktorką: przecież z taką łatwością i brawurą śpiewałam do mikrofonu, kiedy zabrała mnie na karaoke. Mogłam też być lekarzem: z basenu, który dla mnie nadmuchała latem, wyławiałam półżywe owady i układałam na trawie, a one po chwili odzyskiwały władzę w skrzydłach i podrywały się w górę.

Kiedy do domu naprzeciwko nas wprowadziła się rodzina Tani, marzyła, że będę miała przyjaciółkę od serca, taką, z którą przejdziemy przez całą szkołę podstawową, gimnazjum i liceum, a może nawet studia. Ale jej marzenia się nie spełniły, ponieważ w życiu moim i mojej mamy pojawiłeś się ty.

Po urodzeniu mnie jeszcze dwukrotnie była w ciąży, ale żadne z tych dzieci nie przyszło na świat. Zamierały we wczesnych tygodniach, jeszcze zanim uwiły sobie w jej macicy bezpieczne schronienie. Lekarz na pogotowiu, który badał ją podczas pierwszego poronienia, powiedział, że na monitorze USG widzi miejsce, gdzie być może w przyszłości zawiązałby się pęcherzyk ciążowy.

– Ale na razie niczego tutaj nie ma – wyjaśnił, wycierając z krwi przyrząd do badania. – Nie mogę nawet wprowadzić pani leków na podtrzymanie ciąży, ponieważ najpierw musimy wiedzieć, czy pani w niej w ogóle jest. A ja wiem o tym tylko od pani!

Zbył ją, twierdząc, że takie poronienia zdarzają się sześćdziesięciu procentom kobiet.

– Proszę nie brać sobie tego do głowy – dodał.

Mama pragnęła dla mnie rodzeństwa, ale najbardziej na świecie chciała jeszcze raz mieć w swoim brzuchu dziecko, czuć, jak dojrzewa, widzieć na monitorze USG, jak kształtują się jego rączki, nóżki, jak zaczyna bić mu serce. Marzyła, że kiedy przyjdzie na świat, położy je przy sobie i zobaczy, że ma całkiem inną buzię niż ta, jaką sobie wyobrażała, a jednocześnie że od tej chwili już nie będzie w stanie wyobrazić sobie, by mogło wyglądać inaczej.

Zamiast drugiego dziecka dostała ciebie.

Od tamtej pory minęły całe lata. Koperta znaleziona na ganku paliła ją w palce jeszcze długo po tym, jak została oddana do ekspertyzy. Zamknęłam się w łazience i tam wypłakiwałam sobie oczy, a moja matka ciągle siedziała na łóżku, porażona tym, co się stało i co jeszcze może się wydarzyć.

Przypomniała sobie, że kiedy byłeś mały i pierwszy raz zostałeś u niej na noc, biernie dałeś się zaprowadzić do wanny z gorącą wodą. Wcześniej zapomniała sprawdzić, czy nie jest za ciepła. Kiedy cię do niej wkładała, nie protestowałeś, tylko z oczu popłynęły ci łzy. I właśnie to teraz, po latach zabolało ją najbardziej.

Przypomniała sobie, jak miałeś sześć lat i stałeś w progu mojej sypialni, podczas gdy ona całowała mnie na dobranoc. I to, jak przytuliłeś policzek do jej policzka, gdy miałeś osiem lat. Jako dziesięciolatek na Dzień Matki narysowałeś dla niej laurkę, a ona, walcząc ze wzruszeniem, odpowiedziała, że musisz ją podarować Alicji, a nie jej. W wieku dwunastu lat złamałeś nogę w kostce i kiedy lekarz ci ją nastawiał, tak mocno zaciskałeś palce na dłoni mojej matki, że jeszcze na drugi dzień miała ślady.

Na twoją twarz nałożyła się kalka i zamiast ciebie zobaczyła Alicję: wysoką, chudą dziewczynkę, której nikt nie lubił w rodzinie zastępczej w Lubaniu. Alicja w jej wspomnieniu ukryła się w szczelinie między łóżkiem a szafą i siedziała tam cały dzień, przyciskając do siebie nocną koszulkę. „Mogę posiedzieć tu z tobą?" – zapytała moja mama, a rudowłosa dziewczynka przesunęła się, robiąc dla niej miejsce.

Wspomnienie to otrzeźwiło ją. Wstała z łóżka i podeszła do drzwi łazienki. Zapukała.

– Jasmin, otwórz! – zawołała z mocą, której wcale nie czuła. – Wyjdź i porozmawiaj ze mną o tym, co się dzieje... Razem będzie łatwiej!

Co dzieje się wtedy, gdy miłości jest zbyt mało? – zastanowiła się. Kiedy miłości jest zbyt mało, rodzą się dzieci takie jak Alicja i ty.

13

Dawniej

Dłoń Tani jest lodowata ze strachu, a Olgi – śliska od potu. Podczas gdy upiornie powiększone cienie naszych postaci kołyszą się na ściankach namiotu, pochylamy się nad błyszczącą tarczą.

– Chopin?

Bierzemy pod uwagę wszystkie znane postacie, łącznie z Marilyn Monroe, Hitlerem czy Kurtem Cobainem. Olga mówi, że słyszała, iż duch Chopina jest złośliwy.

– Jak go wywołamy, nie odczepi się od nas. Podobno lubi podstawiać nogę!

Pomysł z Hitlerem nie podoba się Tani. Puszcza moją dłoń i dotyka wydatnego nosa, który wystaje spod równo ściętej grzywki czarnych włosów.

– Marilyn Monroe? – pyta z nadzieją.

– Ćpunka – stwierdza Marcin. – Będzie gadała głupoty. Pewnie zapomni, jak się nazywa!

– Będzie cud, jak w ogóle coś powie! – śmiejesz się spod kaptura bluzy, który przysłania ci oczy.

W takich chwilach jak ta wolałabym siedzieć koło ciebie. Twoja ręka pewnie nie jest ani spocona, ani koszmarnie zimna. W myślach porzucam więc dwie wystraszone
przyjaciółki i truchtem pokonuję dzielącą nas odległość.

– Dochodzi północ! Streszczajcie się, bierzemy Monroe czy jednak Hitlera? – denerwuje się Marcin.

– Wywołamy Zosię – decyduje Tania.

– Kim jest Zosia? – pytam zdziwiona, ale Tania robi
tajemniczą minę.

Tworzymy krąg z połączonych dłoni i pochylamy się
nad tarczą, a płomień świecy zaczyna się kołysać, poru-
szany naszymi oddechami.

– Zosiu, przybądź! – szepcze Tania.

Parskasz śmiechem, a Olga natychmiast przeszywa cię
oskarżycielskim spojrzeniem.

– Staszek, do diabła! Umawialiśmy się, że nikt nie będzie się śmiał!

– Okej, okej.

Naciągasz głębiej kaptur na głowę, ale twoje usta ciągle
wyginają się w uśmiechu.

– Skupiliście się? Zaczynamy? Zosiu? – głos Tani brzmi
odświętnie, ale jest wyższy o oktawę, więc domyślam się,
jak bardzo się boi. – Zosiu, przybądź! Wzywamy cię!

Zamykam oczy i wówczas wyraźnie słyszę oddechy
otaczających mnie przyjaciół i wiatr, który rozpędza się
za namiotem. Kiedy tak siedzę z odchyloną głową, zaczyna mnie ogarniać dziwne wrażenie. Jakbym weszła na
statek, którym kołyszą fale. Zatapiam się w tej fantazji,
a fale unoszą mnie wyżej i wyżej. Wyraźnie też słyszę podmuch, który wtargnął do namiotu i właśnie przemieszcza
się po wnętrzu...

– Ktoś wstał?

Podrywam powieki, a w namiocie zapada wielka cisza.

– Ktoś wstał? – powtarza głośniej Olga, a Tania wychyla się z kręgu i pyta:

– Zosiu? Zosiu, jesteś tutaj? Jeśli jesteś, to daj nam jakiś znak!

Mam wrażenie, jakby między nami przebiegł jakiś prąd. Spoglądam na nasze złączone dłonie i dziwi mnie, że wszyscy inni zachowują się tak, jakby tego nie poczuli.

– O nie! – wyrywa się Marcinowi.

Wtedy przenoszę wzrok na tarczę i jeszcze zanim zobaczę to na własne oczy, wiem, po prostu wiem, że strzałka się poruszy i nie będzie to wina nikogo z nas. Tak też się dzieje: duża biała trójkątna wskazówka raptownie wyrywa się do przodu i biegnie do litery G, a potem szybko schodzi na U.

– To niemożliwe! – szepczę i natychmiast zasycha mi w gardle.

– Co ona mówi?

Olga puszcza mnie, a ja czuję, jakby między nami zrobiło się strasznie dużo zimnego miejsca.

– Jezu, niech ktoś to zapisuje! Widzicie to? To się dzieje naprawdę!

Długopis drży w dłoni Tani, kiedy dziewczynka zapisuje litery w zeszycie, a strzałka porusza się dalej i dalej, skokowym ruchem, który nie chce ustać. Kiedy nieruchomieje, Tania upuszcza długopis na podłogę namiotu i cofa się pod jego ścianę, osłaniając rękami twarz.

– Zabierzcie to coś! – woła histerycznie. – Niech ktoś to odpędzi!

– Odpędźcie to! – krzyczy Olga.

– Odpędźcie! – podchwytuje Marcin.

Pochylasz się nad świeczką i zdmuchujesz płomień, wymawiając regułę, którą wcześniej ustaliliśmy:

– Kimkolwiek jesteś, odejdź.

Zdumiewa mnie, jak spokojnie brzmi twój głos.

Płomień jeszcze przez chwilę się kołysze, a potem gaśnie i w górę ulatuje dym. Marcin natychmiast włącza latarkę.

– Jezu, co to było? – szepcze, oglądając się na Tanię, która przylgnęła do Olgi.

Mija trochę czasu, gdy przypominamy sobie, że Tania zapisała litery dyktowane przez strzałkę.

– Przeczytaj! – namawiam, a ona wyciera rękawem nos, pochyla się nad zeszytem, podnosi go i nagle jej oczy tak się rozwierają, że szerzej się już nie da, a usta zaczynają drżeć. Olga spogląda jej przez ramię. Czyta na głos, zdziwiona:

– Gu... gu? Co to ma niby znaczyć? „Gugu"? Co to jest?! To jakiś szyfr?

– Gugu? – zaczyna się śmiać Marcin. – Przecież to jakaś bzdura! Co to było? To nie umie mówić?

Ale Tania nie ulega śmiechowi, który nas ogarnia. Przyciska ręce do ust i podczas gdy oczy robią się jej mokre od łez, odpowiada drżącym głosem:

– Zosia była moją młodszą siostrą. Zmarła, kiedy nie umiała jeszcze mówić!

– Jasmin?

Pierwszy raz widzę mamę Olgi Dormowicz nieumalowaną, bez starannie uczesanych włosów i eleganckiej garsonki, w jakiej ją widuję, gdy wraca do domu po pracy w szkole muzycznej, gdzie prowadzi klasę fortepianu.

Kiedy się tak nade mną pochyla, zauważam, że farbuje henną brwi, ma całkiem białe rzęsy i wcale nie jest taka młoda, jak zawsze myślałam.

– Dzwoniłam już do twojej cioci. Powiedziałam jej, że zasłabłaś i że to nic takiego, mimo to uparła się po ciebie przyjechać.

– Alicja tu jedzie? – Mój głos nie ma mocy, brzmi jak szept. – Zabierze mnie do domu?

– Chyba tak. Tak powiedziała.

Z trudem unoszę się na łokciach, a w głowie natychmiast odzywa się tępy ból i z powrotem muszę opaść na sofę. Zdążam zauważyć, że leżę w salonie, a ty i Olga siedzicie na schodach prowadzących na piętro i obserwujecie mnie z poczuciem winy w oczach.

Światła samochodu rozjaśniają okna, na podjeździe cichnie silnik i pani Dormowicz stwierdza, że to na pewno Alicja.

To naprawdę ona. Jest koło pierwszej w nocy, a twoja matka wpada do salonu jak bomba i bez słów powitania, kierowana jakimś wewnętrznym instynktem, biegnie prosto do mnie, pochyla się i patrzy tak, jakbym ja też była czemuś winna.

– Gdzie jest Staszek?

Pani Dormowicz łagodnie perswaduje, że zasłabłam, ale nie stało się nic wielkiego. Mówi, że dziewczynki w wieku dojrzewania często mdleją. Jasmin po prostu strasznie się zdenerwowała, podobno wcześniej wywoływali duchy...

– Duchy?

Ciocia odrywa ode mnie wzrok i obraca się do niej. Jej pełne niedowierzania spojrzenie prześlizguje się po niebieskim atłasowym szlafroku, puszystych klapkach na obcasach i w końcu trafia na bladą, nieumalowaną twarz.

– Czy pani oszalała? Pod pani opieką zostawiłam syna i jego przyjaciółkę, a pani mi mówi, że wywoływali duchy?

– Nic się nie stało. – Matka Olgi splata dłonie na brzuchu, a jej łagodny sposób bycia ustępuje bardziej stanowczej postawie. – Tłumaczę pani, że Jasmin szybciutko odzyskała przytomność. Po prostu bardzo się wystraszyła.

Ale ciocia już jej nie słucha. Zauważa teraz całą resztę wnętrza: kryształowy żyrandol, fortepian i długie jasne zasłony. Chyba dopiero teraz uświadamia sobie, że wtargnęła do salonu w butach. Spogląda na biały dywan i robi krok w tył, żeby z niego zejść. Odruchowo naciąga na ramiona i tak rozmemłany sweter, który prawie nie kryje góry od piżamy, a jej policzki zaczynają różowieć. W końcu dostrzega ciebie i patrzy tak, że na twoim miejscu chybabym wolała być wszędzie indziej, tylko nie tutaj.

– Bierz swoje rzeczy i do samochodu! Ty, Jasmin, też!

Po chwili, która zdaje się trwać całe wieki, podnosisz się, a Olga przesyła mi przepraszający uśmiech i wymawia bezgłośne „Sorry!".

W samochodzie żadne z nas się nie odzywa. Siedząc z tyłu, obserwuję wasze głowy, skierowane każda w inną stronę. Alicja nie włączyła radia, więc cisza wypełnia auto od maski po bagażnik.

– Podaj mi papierosa!

Sięgasz do schowka po paczkę marlboro.

– Zapalniczka! Przypal mi! Przecież widzisz, że mam zajęte ręce!

Robisz to bez protestu, ale ona i tak rzuca ci krótkie spojrzenie, jedno z tych, których nigdy nie chciałabym na sobie poczuć.

– Myślałam, że jesteś mądrzejszy, wiesz?!

Odwracasz się w drugą stronę i spoglądasz na uśpione miasto rozciągnięte za oknem. Resztę drogi pokonujemy w całkowitym milczeniu. W mieszkaniu Alicja od razu każe nam iść spać. Mówi, że położę się w jej sypialni, a rano odwiezie mnie do domu.

– Twoja matka i tak wróci z imprezy dopiero po śniadaniu.

Jest tak zdenerwowana, że wieszak na nodze zaczyna się chwiać, kiedy zarzuca na niego sweter.

– Czemu tu jeszcze stoicie? – Odwraca się i chyba my dwoje, to ostatni widok, na jaki ma ochotę. – Do łóżek, już!

Mamy po czternaście lat. To nie jest dużo, ale dość dużo, żeby nie zwracała się do nas w ten sposób. Moja mama nigdy tak nie robi. Mimo to żadne z nas nie zamierza się z nią kłócić ani w ogóle protestować. Rozchodzimy się bez słowa do pokojów.

Rano, kiedy wracam z łazienki, zauważam ją siedzącą przy stole w zmiętym szlafroku, z rozkudłanymi włosami i zmęczoną twarzą, podczas gdy ty przygotowujesz dla nas herbatę. W kuchni panuje tak wielka cisza, że głos twojej matki – nawet tak cichy, jak słowa wypowiadane niewyraźnie, gdy ręka podpiera brodę, a usta ledwie się otwierają – brzmi jak krzyk.

– Wiesz, że wieczorem miałam się uczyć do egzaminu? Zdajesz sobie sprawę z tego, jak ważne jest to, żebym skończyła kurs i mogła dostać lepszą pensję?

Nie powinnam tu stać i tego słuchać, ale coś w jej słowach, w twarzy, która wydaje się tego ranka dziwnie zmyta, w tej dłoni zaciśniętej w pięść pod brodą – jest w tym coś takiego, że nie mogę się cofnąć.

– Nie pomagasz mi. W twoim wieku zajmowałam się gospodarstwem, a ty zachowujesz się jak rozpuszczony dzieciak i nie mam w tobie żadnego oparcia!

Nalewasz do kubków wody, sięgasz po cytrynę. Twoje ręce nie drżą. Nie rozchlapujesz herbaty. Nie dzieje się nic, co mogłoby wskazywać, że dociera do ciebie, co mówi twoja matka, a przecież nawet mi robi się strasznie.

– Przez ciebie nie przygotowałam się do dzisiejszych zajęć. Przez ciebie i przez nią, bo uparliście się, że akurat tej nocy wywołacie duchy! Jeśli obleję ten kurs, będziemy musieli przeprowadzić się znowu do mniejszego mieszkania. O to ci chodzi? Tego właśnie dla nas chcesz?

Być może działasz jej na nerwy swoim milczeniem, bo raptownie szturcha cię w plecy.

– Rozumiesz w ogóle, co mówię?

Odwracasz do niej twarz i wtedy widzę twój blady policzek i spojrzenie, które przykleja się do Alicji z niezrozumiałą dla mnie obojętnością.

– Dzisiaj muszę zrobić zakupy na cały tydzień – informuje cię po chwili i zmienia pozycję. Prostuje nogi, opiera głowę o ścianę. – Będę miała dużo ciężkich siatek. Ale ty pewnie umówiłeś się już ze znajomymi, tak?

Nie odpowiadasz.

– Nigdy nie mogę na ciebie liczyć. – Alicja sięga po zapalniczkę i papierosy.

– Pojadę z tobą – mówisz tak cicho, że ledwie cię słyszę.

Sięgasz po nasze kubki i kierujesz się do wyjścia, a Alicja odprowadza cię niewyspanym spojrzeniem.

Wysiadamy z autobusu niemal trzy kilometry przed moim domem i resztę drogi pokonujemy piechotą. Macham plecakiem, w który byłam spakowana, a ty kopiesz puszkę po piwie. Tak bardzo chcę cię rozweselić, że w końcu rzucam plecak na ziemię i próbuję ci zabrać puszkę spod buta.

– Napastnik Jasmin przystępuje do akcji! – wołam.

Z puszką mi się nie udaje, bo obracasz się do mnie plecami, więc staram się cię ominąć i wydostać ją bokiem.

– Czterdziesta minuta meczu przebiega bez większych ekscesów! – śmieję się. – Ale oto nagle zawodnik, na którego nikt nie stawiał, wykazuje się doskonałym wyczuciem sytuacji...!

Podchwytujesz zabawę i już po chwili rozgrywamy całkiem dobry mecz, wzbijając w upalne powietrze pył i piach.

– Pięćdziesiąta minuta meczu!

Wykopujesz mi puszkę w chwili, w której udaje mi się ją przejąć.

– Oto obrońca drużyny przeciwnej, która w tym sezonie zdobyła tylko trzy punkty, wychodzi na prowadzenie!

Znów zabieram ci „piłkę". Przychodzi mi to właściwie bez trudu i naturalnie, a ty musisz porządnie się natrudzić, żeby ją odzyskać.

– Niezła jesteś! – śmiejesz się, kiedy znowu masz ją przy nodze.

*

Nie znałam dziewczęcego świata, nie miałam pojęcia, jak bawią się dziewczyny. My dawniej bawiliśmy się w wojnę i terrorystów, zdarzało się, że siłowaliśmy się na dywanie, nie zważając na to, że jesteśmy już w wieku, kiedy nie powinniśmy dotykać się ciałami w taki sposób. Raz, podczas zabawy w porywaczy, odgrywałam rolę ofiary, a ty związałeś mi ręce i nogi. Użyliśmy do tego liny, którą tata przywiózł z rejsu. Szarpałam się i krzyczałam jak na wojennych filmach i później, po zabawie, ze zdziwieniem oglądaliśmy moje dłonie: dziwnie poszarzałe, z sinymi końcówkami.

– Przepraszam – powiedziałeś zmieszany.

– Przecież to nie twoja wina – odrzekłam równie zakłopotana. – Nie czułam, że jest za mocno.

Tania i Olga czesały lalki albo zapraszały się na noc, myły zęby w jednej umywalce, a potem robiły sobie sesje fotograficzne z makijażami podpatrzonymi u gwiazd Hollywood. Jeśli opowiadały o tym w szkole, przyglądałam się im z przejęciem i niepewnością. Dziewczęcy świat kojarzył mi się z jakąś wielką tajemnicą, której miałam nigdy nie rozwikłać. Z zapartym tchem oglądałam na komórce Olgi filmiki, na których obie przyjaciółki tańczyły na łóżku, przebrane w dorosłe sukienki. Przyglądałam się im zaintrygowana, kiedy opowiadały o tym, jak podglądały kuzyna Olgi, kiedy brał kąpiel. Intrygowały mnie też te wszystkie dziewczęce szepty, te długopalczaste dłonie, którymi osłaniały ucho koleżanki, żeby zbliżyć do niego usta i powiedzieć coś, co wywoływało na buziach uśmiechy. Po szkole obserwowałam, jak szły, trzymając się za ręce albo pod łokieć. Jeśli padał deszcz, jedna z nich rozpościerała nad obiema parasolkę.

– Czemu tak na nie patrzysz? – zapytałeś, przystając koło mnie.

– Nie wiem – odpowiedziałam ze wzruszeniem ramion i zdziwił mnie smutek w moim głosie.

Nasunęliśmy kaptury na głowy i ruszyliśmy w przeciwną stronę, rozchlapując kaloszami kałuże.

14

– Uważaj do licha! – Alicja syczy tak wściekle, że mama, która akurat wyszła z klatki schodowej, ogląda się na nią ze zdumieniem.

– Co się dzieje, Ali? – pyta, ale jej ton nie wróży nic dobrego.

Znam te jej tony: wyższe i niższe. Im ciszej zaczyna mówić, tym bardziej jest zdenerwowana. Prawdziwa złość zaczyna się jednak dopiero na etapie szeptu.

– Czemu go popchnęłaś? Co ci zrobił?

– Przestań bawić się w jego adwokata! Po prostu nie stać mnie na nowe lampy!

Złość Alicji wciąż jest dla mnie enigmą. Krzyczy albo szepcze, ale tylko raz widziałam, żeby jej oczy straciły emocje. Patrzyły wtedy pusto, dziwnie, aż przeszedł mnie dreszcz.

– Daj mu lepiej klucze i niech zamknie mieszkanie!

Przeprowadzacie się do starego bloku na Pogórzu, blisko nas, więc od tygodnia nie robimy nic innego, tylko owijamy szkła w gazety i pakujemy do kartonów, a kartony zaklejamy taśmami.

– Jak już zamkniesz drzwi, wrzuć klucz do skrzynki na listy – mama kapituluje i wkłada ci klucz do ręki.

– Pójdę ze Staszkiem! – ofiaruję się i zanim nasze matki znajdą dla mnie jakieś inne zajęcie, po trzy schody wbiegamy na górę.

Pokoje pozbawione waszych rzeczy sprawiają wrażenie obcych, jakby przestały już należeć do kogokolwiek. Przez ostatnie godziny sprzątaliśmy mieszkanie, więc podłoga jest zamieciona, a meble umyte i wszystko dodatkowo świeci blaskiem, który jeszcze bardziej podkreśla pustkę. Łapię cię za łokieć:

– Trzeba pożegnać twój pokój! Chodź!

Dotykasz swojej tapety podziurawionej szpilkami. Wcześniej wisiały tu nasze zdjęcia, teraz widać tylko jaśniejsze prostokąty, po których wędruje twój palec. Na blacie biurka zauważam wyryty w drewnie niewielki tag oznaczający twoje imię.

– Ktoś kiedyś go znajdzie i będzie się zastanawiał, kim byłeś! Może dziewczyna?

Mierzę cię rozbawionym spojrzeniem, próbując oszacować, czy byłaby zadowolona, czy raczej rozczarowana, gdyby w końcu cię odnalazła po długich poszukiwaniach.

Po raz ostatni otwieramy twoje szafki, sprawdzamy w łazience, czy nie zostały jakieś kosmetyki, z kuchni zabieramy zapomnianą puszkę herbaty, a w drzwiach wyjściowych oglądamy się za siebie. W końcu zamykasz je kluczem i wrzucasz go do skrzynki na listy.

GPS informuje nas, że za sto metrów mama musi skręcić w prawo, za kolejnych sto znowu w prawo i że jesteśmy na miejscu. Mama spuszcza okulary na czubek nosa, a my wychylamy się z tylnego siedzenia. I żadne z nas nic nie mówi.

Znajdujemy się na niewielkim blokowisku, w którym wszystkie kamienice mają po cztery piętra i długie metalowe balkony. Mój wzrok wędruje od zadaszonego, popisanego sprayem śmietnika, do niewielkiego baraku, który jest chyba domem jednorodzinnym, lecz sprawia wrażenie, jakby w pierwotnej wersji był z dykty i ktoś go po prostu podmurował, powiększył i stworzył coś, co jedynie przypomina budynek mieszkalny.

– Ona chyba żartuje! – z niedowierzaniem wychylasz się z tylnego siedzenia. – Ciociu, to chyba nie tutaj!

Wysiadamy z samochodu i oparci o rozgrzaną karoserię czekamy na przyjazd Alicji. Twoja matka parkuje po drugiej stronie ulicy.

– Skarbie, nie pomyliłaś się? – Moja mama od razu do niej rusza, opiera się o okno w jej samochodzie i z troską zagląda do środka. – To na pewno tutaj, Ali?

Alicja rzuca jej jedno ze swoich lodowatych spojrzeń, po czym bez słowa wysiada i z hukiem zamyka za sobą drzwiczki.

Na klatce schodowej czuć kocie odchody, ktoś zostawił otwarte drzwi do piwnicy i od wejścia wita nas gigantyczny rysunek penisa. Nikt tego nie komentuje, w milczeniu, wymieniając jedynie spojrzenia za plecami twojej matki, wspinamy się – każdy obładowany kartonem – po drewnianych trzeszczących schodach. Okazuje się, że mieszkanie wygląda jednak o wiele lepiej niż klatka schodowa, chociaż kształtem przypomina hotel, gdzie wzdłuż jednego korytarza znajdują się drzwi do różnych pokoi. Mama po wejściu do salonu odzyskuje humor i od razu z podziwem dotyka kominka, a nawet zaczyna żartować:

– No, no! Kto by pomyślał, że czekają nas tu takie wygody.

Szukamy pokoju, w którym moglibyśmy postawić kartony, i w końcu porzucamy je w holu.

– Tam jest twój pokój! – Alicja wskazuje jedne z drzwi, więc zrywamy się do biegu.

– Wow! Piętrowe łóżko!

Od razu wspinam się po drabince na górę, a ty podążasz za mną. Siadamy blisko siebie, pod sufitem. Jeśli nawet wcześniej atmosfera przeprowadzki się psuła, teraz wszyscy już o tym zapomnieliśmy. Spoglądamy na siebie i oboje czujemy to samo: jesteśmy najszczęśliwsi na świecie, ponieważ dzięki temu łóżku nareszcie będę mogła zostawać u ciebie na noc nie w innym pokoju, ale w tym samym!

Rzucam się na materac i leżąc na wznak, zauważam całkiem ładny rysunek nocnego nieba, zrobiony tuż pod sufitem. Obok ktoś napisał: „ Dobrych snów!". Kładziesz się przy mnie i stopami dotykamy napisu, przy czym tobie przychodzi to o wiele łatwiej, a ja muszę zsunąć się niżej, aż głowę mam na wysokości twojego ramienia.

Głos mojej mamy przebija się przez ścianę:

– Gdzie są kaloryfery, Ali? Nie widzę tu kaloryferów! Chyba nie chcesz mi powiedzieć, że ten jeden kominek ma ogrzewać całe mieszkanie?!

Wieczorem włóczymy się po osiedlu, krążąc między moim domem a twoim nowym mieszkaniem. Im bliżej jesteśmy twojego bloku, tym więcej napotykamy podpitych gości niosących brzęczące w siatkach butelki, słyszymy, jak w domach ludzie się kłócą albo słuchają na cały regulator telewizji, a co jakiś czas mija nas patrolujący ulicę wóz policyjny.

Z daleka przyglądamy się dziewczynom, które oblegają boisko do gry w kosza i wyraźnie czekają, aż zainteresują się nimi chłopacy rozgrywający mecz.

– Która ci się podoba? – pytam, łapiąc cię za ramię.

– Właściwie to każda! – przyznajesz ze śmiechem.

Mijamy też chłopaków, którzy piją piwo przy drabinkach blisko twojego bloku. Trzymany przez jednego z nich pies – masywny pitbull – zaczyna groźnie warczeć, gdy się zbliżamy, a właściciel obraca się przez ramię i jego spojrzenie trafia na mnie. Prześlizguje się po mnie jak wąż, czuję, jak wsuwa się nogawkami dżinsów, zagląda pod koszulkę i maca moje dopiero niedawno rozkwitłe piersi.

– Ej, chcesz wypić z nami?

Jego koledzy wybuchają śmiechem, a twoja ręka odnajduje moją i splatamy palce. Zauważam, że siedzi z nimi chłopak, z którym chodziliśmy do szkoły podstawowej. Już nie pamiętam, jak miał na imię, ale dokładnie przypominam sobie dzień, w którym nikt po niego nie przyszedł po lekcjach i tkwił przy furtce z tornistrem u stóp. Mama zabrała go do nas na obiad. Pod wieczór przyjechał po niego ojciec i zamiast nam podziękować, okrzyczał moją matkę, że wtrąca się w cudze sprawy. Teraz, kilka lat po tamtych wydarzeniach, chłopak dostrzega nas i dałabym sobie głowę uciąć, że przypomina sobie tamten dzień. Być może go to zawstydza, bo spuszcza wzrok i kopie czubkiem buta w piasku.

– Jak nie chcesz, to spierdalać! – krzyczy właściciel pitbulla.

Przytulam policzek do twojego ramienia i odchodzimy, starając się nie oglądać za siebie. Za naszymi plecami rozlega się jeszcze głośniejsza salwa śmiechu, a potem niemal wesołe:

– Kurwa mać! Co to za nowa dupa? Eeeej, mała!!!

Kilka dni później zauważam właściciela pitbulla na chodniku pod twoim domem ubranego w krótkie spodnie i koszulkę, chociaż zdecydowanie jest już za zimno na taki strój. Na łydki naciągnął białe skarpetki wystające z adidasów i krzyczy. Krzyczy do telefonu o jakichś pieniądzach, które pożyczył i które nie zostały mu zwrócone. Drze się tak, że słyszymy go nawet w pokoju przez zamknięte okno. Rozchylam zasłonkę, którą twoja mama rozwiesiła z rana, i szeroko rozwartymi oczami, z jakimś rodzajem fascynacji patrzę, jak jego umięśnione ciało napina się coraz mocniej, aż na szyi pojawiają się dwie potężne żyły.

– Zrobię ci test.

Podpierasz głowę na ręce.

– Okej.

– Twój ulubiony kolor?

– Nie wiem. Czekaj… – Pocierasz oko. – Niebieski?

– Dobrze. – Odznaczam odpowiedź i obok podaję własną. – Twoje ulubione miejsce?

– Nie chodzi chyba o miejsce, które znam, tylko o takie, do którego chciałbym pojechać?

– Uhm. Chyba tak. Nie wyjaśnili tego.

– Eee, no to Wielki Kanion.

– Wielki Kanion? – Spoglądam na ciebie tak, jakbym widziała cię pierwszy raz w życiu. – Skąd ci się to wzięło?

Śmiejesz się.

– Kiedyś mi się śnił i...

– Jak ci się śnił?

Znowu się śmiejesz, teraz trochę zakłopotany. Za ucho zakładasz kosmyk.

– Nie powiem ci, bo będziesz się nabijała.

– Nie będę! – Kładę dłoń na sercu. – Słowo harcerza.

Mierzysz mnie rozbawionym spojrzeniem.

– Nie jesteś harcerzem.

– No, mów! – Szturcham cię długopisem.

– No, dobrze. – Pochylasz się nad biurkiem i turlasz po nim ołówek. – Śniło mi się, że był pod moim łóżkiem. Był niesamowity, cały czerwony! Chciałbym tam kiedyś pojechać.

Uśmiechamy się do siebie i przez chwilę żadne z nas nie wie, co powiedzieć. Spoglądam więc na test, którego nie zdążyliśmy dokończyć.

– Osoba, przy której czujesz się bezpiecznie?

– Ty.

Długopis nieruchomieje.

– Ja – powtarzam, żeby zyskać na czasie. – Napiszę, że przyjaciółka, tak?

Nie odpowiadasz i wtedy decyduję się jednak na ciebie spojrzeć. Zauważam, że przyglądasz się moim piersiom, które z każdym dniem wyraźniej odznaczają się pod opiętymi koszulkami. Odruchowo garbię ramiona.

– To nie był duch, Jasmin – odzywasz się, podnosząc wzrok na moją twarz. – Tam, w namiocie w ogrodzie Dormowiczów. To ja przesunąłem strzałkę na tarczy.

Odkładam długopis, właściwie to rzucam nim, a on toczy się z łoskotem po blacie biurka.

– O czym ty mówisz? Jak to „nie był duch"?

Kręcisz głową.

– Nie.

– Co ty gadasz? – ściszam głos, żeby nie zacząć krzyczeć.

– Tam niczego nie było, Jasmin. Tania opowiadała mi kiedyś o tej dziewczynce, która zmarła, jak miała kilka miesięcy, i… przepraszam. Powinienem był wiedzieć, że tak bardzo się wystraszysz.

W przymierzalni naciągam na stanik bluzkę, ale piersi wyraźnie się pod nią odznaczają, więc obracam się bokiem i garbię ramiona.

– Wybrałaś już, skarbie?! – woła mama z głębi sklepu, na co odkrzykuję, że jeszcze chwila.

Próbuję rozciągnąć koszulkę z przodu, ale piersi nadal widać. Jeszcze rok temu przed lustrem wpychałam sobie za dekolt watę i udawałam, że jestem dorosła. Teraz jednak, kiedy mam kupić pierwszy w swoim życiu stanik, ogarniają mnie same wątpliwości.

– Przyniosłam Staszkowi lekcje! – informuję twoją mamę w progu waszego mieszkania i przekładam do przodu torbę z zeszytami.

– Świetnie, dzięki, Jasmin! – wzdycha, jakbym działała jej na nerwy.

Denerwuje ją, że otulamy się jednym kocem, że zamykamy przed nią drzwi i czasem słuchamy muzyki z odtwarzacza, ty z jedną słuchawką w uchu, a ja z drugą, połączeni krótkimi kabelkami.

W twoim pokoju wykładam zeszyty na łóżko między tobą a mną.

– Nie zamykajcie drzwi! – woła Alicja, na co wzdychasz z niechęcią.

– Przymknij je trochę – mruczysz, naciągając głębiej koc na ramiona, bo w mieszkaniu jest dzisiaj wyjątkowo zimno.

Waham się chwilę i nie wytrzymuję:

– Staszku, mam na sobie stanik.

Twoje spojrzenie wystrzeliwuje znad kartek i trafia prosto w napis na mojej bluzce. W pokoju zapada cisza jak makiem zasiał. Pochylam głowę, czując, jak płonie mi twarz.

– Chcesz zobaczyć?

Opieszale podciągam koszulkę i nakrywam piersi dłońmi. Nie mogę się zmusić, żeby spojrzeć ci w oczy. Opuszczam ręce i dopiero wtedy podnoszę wzrok.

Nie patrzysz jak tamten chłopak na ulicy. Patrzysz tak, jakbym była najpiękniejsza na świecie.

– Podoba ci się? – Dotykam kwiatka między piersiami.

Kiwasz głową.

– Tak, bardzo.

– Podobał mi się kolor – wyjaśniam, wskazując niebieską koronkę.

W korytarzu rozlegają się kroki, więc pospiesznie opuszczam koszulkę i cofam się pod ścianę.

– O coś chyba prosiłam, prawda?

Twoja mama popycha drzwi i patrzy na nas tak, jakbyśmy zrobili coś złego.

– Jeśli proszę, żebyście nie zamykali drzwi, to chciałabym, abyście faktycznie tego nie robili! Mają zostać otwarte.

Nasze milczenie i dwie pary błyszczących dziecięcych oczu, które się w nią wpatrują z głębi łóżka, chyba wprawiają ją w nagłe zmieszanie. Podnosi z podłogi twój sweter, mamrocze, że powinieneś wszystko chować do szafek, i wychodzi, zostawiając drzwi otwarte.

Wiosną woda jeszcze nie miała okazji się nagrzać, więc kiedy się na niej kładziemy, czuję, jak od dna ciągnie ziąb. W zimnej wodzie organizm wychładza się w kilka chwil. Ta nie jest aż tak zimna, ale dość, by zabrać mi oddech i wprawić moje ciało w drżenie. Mimo to decyduję się płynąć za tobą, a refleksy światła na morzu sprawiają, że stara torpedownia, do której pragniemy się dostać, wygląda jak ruchoma wyspa, uparcie się od nas oddalająca.

Kiedy do niej docieram, jestem zmęczona tak bardzo, że nie daję rady wejść na górę, tylko chwytam się nagrzanego betonu. Podciągam się trochę i gdy zaczynam czuć się bezpiecznie, dotykasz ustami moich warg.

W pierwszym odruchu chcę się cofnąć, ale nie mam dokąd, więc zostaję tam, gdzie jestem. Spoglądam ci w oczy. Drżą mi palce, a strach łaskocze opuszki, kiedy delikatnie dotykam twojej skóry. Rozgarniam ci mokre pasma włosów, przesuwam palcami wokół twoich brwi, ust. Woda kołysze nami tak, że co chwila nas od siebie oddziela, a moje piersi raz po raz ocierają się o twój tors.

– Co chcesz zrobić? – pytam szeptem.

– Nie wiem.

Ja też nie bardzo wiem, czego chce moje ciało. Jest teraz jakieś inne, łaskoczące, rozedrgane.

– Jasmin?

Sięgasz pod moje włosy i znajdujesz twarz, a potem otulasz ją dłońmi.

– Jasmin, kocham cię.

Uśmiechasz się, a w moim brzuchu szaleją motyle.

15

Telefon komórkowy zatoczył w powietrzu łuk i spadł z klifu na kamienistą plażę. Roztrzaskał się na kawałki, z których kilka wpadło w szczeliny pomiędzy kamieniami, a jeden zanurkował w wodzie.

Minęło pięć dni, nim do wody w tym miejscu weszły dzieci turystów. Dziewczynka skaleczyła sobie stopę o wyszczerbioną plastikową część.

– Pokaż, co się stało? – zaniepokoił się jej ojciec, kiedy wybiegła na plażę z płaczem.

Jej matka zanurzyła dłoń w piasku i namacała obudowę telefonu. Wyjęta na światło dzienne wyglądała jak przedmiot należący do innego świata. Drugie dziecko znalazło kartę SIM.

– Mamo, mamo, to też część od telefonu!

Kilka chwil później na koc trafił też fragment obudowy, na którym znajdywały się klawisze. Litery ABC były starte od częstego używania. Wtedy kobieta przypomniała sobie o plakatach, które wisiały na mieście. Jej synek właśnie wyruszył na głazy pod klifem i skacząc z kamienia na kamień, przemieszczał się pod osuwisko. Znalazł klapę od telefonu i kilka wizytówek, z których większość zdążyła rozmoknąć i stała się nieczytelna. Przyniósł to wszystko mamie, a ona wstała z koca, bo teraz już każda kolejna znaleziona rzecz zaczęła wywoływać w niej coraz większy niepokój.

– Zbieramy się, dzieciaki! – zadecydowała.

Męża poprosiła, żeby zatrzymał się przy najbliższym komisariacie.

16

Gorlicka, przygotowując obiad w mikrofalówce, złapała się na tym, że myśli o nas. Jej córka miała tyle samo lat, ile my, i właśnie stała przy bramie wjazdowej na osiedle, oparta o nią z lekkim lekceważeniem, a wysoki rudzielec, którego widywała w jej towarzystwie od kilku tygodni, na pożegnanie pocałował ją w usta.

– Cześć! – zawołała dziewczyna, wchodząc do domu.

– Jest już obiad?

– Zaraz będzie – odpowiedziała Gorlicka, oglądając się na nią.

Twoje zdjęcie ciągle było w jej myślach, kiedy nakrywała do stołu i potem, gdy jadła posiłek w towarzystwie córki.

– Wiem, idziesz pracować. Jak zawsze – rzuciła dziewczyna z lekkim rozczarowaniem, kiedy wszystkie talerze znalazły się już w zmywarce, a matka ruszyła do pokoju, który stanowił jej biuro.

Twoje zdjęcie, wydrukowane ze skanu, położyła przed sobą i sięgnęła po szkło powiększające. Archaiczne metody, jak śmiali się jej koledzy z pracy. Ale ona właśnie tak pracowała. Uważnie oglądała szczegóły, skupiając się na twoim otoczeniu. „Bunkier?" – zapisała na kartce. Leżałeś na betonowej podłodze, mimo to twoje włosy zlepiło błoto. A więc cokolwiek się stało, musiało rozpocząć się w plenerze. W wyobraźni mignął jej obraz, który widziała już nieraz: chłopak kopany i bity na chodniku, blisko budynków mieszkalnych...

Dotychczas na policję nie zgłosił się nikt, kto słyszał krzyki albo widział coś niepokojącego w zeszły poniedziałek. To jednak nie musiało oznaczać, że nikt naprawdę niczego nie widział. Z doświadczenia wiedziała, że ludzie niechętnie dzwonią, kiedy dzieje się coś naprawdę złego. Od lat w pracy borykała się z brakiem świadków zdarzeń, które rozegrały się w biały dzień. Przypomniała sobie historię, jaka poruszyła ją dawno temu, gdy kilku młodych ludzi wyrzuciło z pędzącego pociągu trójmiejskiej SKM studenta medycyny. Poniósł śmierć na miejscu, a osoby zeznające przeciwko jego oprawcom przez lata musiały mierzyć się z agresją: nocami ktoś wybijał im szyby, w dzień były dręczone przez nastolatki, które prawdopodobnie przyjaźniły się ze skazanymi.

Scenariusz twojego zaginięcia mógł być podobny. Na zdjęciach, jakie jej przedstawiłyśmy, nie wyglądałeś na osobę, która – zaatakowana przez kogoś – odpowie agresją. Ale Gorlicka wiedziała, że pozory mylą, a spirala przemocy często nakręca się sama. Początek mógł być trywialny: proste zapytanie o cokolwiek, choćby o papierosy. Twoja odpowiedź, pewnie przecząca, i maszyna zaczyna się obracać. Kolejne pytania i kolejne złe odpowiedzi. Znalezienie u ciebie paczki papierosów może być powodem do zadania pierwszego ciosu. A potem wszystko już wymyka się spod kontroli...

Ale od chwili, kiedy zobaczyła tę fotografię, wykluczała myśl o przypadku. Ktoś cię rozebrał z koszulki i tenisówek, ktoś zadał sobie tyle trudu, żeby zakleić ci usta taśmą, związać ręce i nogi, a potem uniósł aparat fotograficzny i zażądał, byś spojrzał w obiektyw. „Ukryty" – napisała na kartce.

Jeśli to prawda, to liczyła się każda sekunda. Ukrycie ciała bowiem otwierało dla przestępcy trzy możliwości i wszystkie brzmiały źle: ukrytą przed światem osobę można zabić; można też zadawać jej ból. Albo ją ukryć i więcej w to miejsce nie wrócić.

17

Pojechała tam jeszcze tego samego wieczoru, chociaż nad dzielnicą powoli zapadał zmierzch. Zanim wysiadła z auta, sięgnęła do schowka po latarkę i sprawdziła, czy działa.

Bunkry znajdywały się daleko od drogi i pamiętała je jeszcze z czasów, gdy sama była mała. Każdy je znał: zabawy w wojnę, piratów, więzienie, pierwsze miłości i pierwsze cielesne doświadczenia. Przyszło jej do głowy, że pewnie my też się tu zapuszczaliśmy.

Zapaliła latarkę i snop światła wyłowił z ciemności zdeptaną trawę. Maszerowała już dobre pół godziny, gdy dostrzegła kulącą się przy ścianie bunkra postać.

– Hej! – zawołała, ale postać poderwała się i uciekła w las, podczas gdy na popisanej sprayem ścianie zarysował się jej cień z pajączkowatymi nogami.

Bunkry tworzyły sieć pomieszczeń połączonych z sobą korytarzami, z których większość zawaliła się w trakcie wojny albo w kolejnych latach. Od dawna wyżywali się na nich grafficiarze. W oczy Gorlickiej rzuciło się więc mnóstwo napisów, w tym jeden wykonany jaskrawym czerwonym sprayem: „Zabij sukę!".

– Hej! – zawołała, rozświetlając wejście do bunkra.
– Jest tu ktoś?

Ostrożnie, trzymając się ściany, zeszła po stopniach, a światło latarki zatoczyło łuk, biegnąc po betonowej podłodze i murach. Napisów było tu jeszcze więcej niż na zewnątrz, część z nich układała się w całe długie teksty, być może hiphopowe piosenki, które ktoś przepisał. Rysunki kochających się par. Dziecięce, uproszczone rysunki kwiatów. Lista imion. H.W.D.P., tagi grafficiarzy i rozrysowana historia inwazji kosmitów. W jednym z bunkrów na ziemi leżał jakiś skulony człowiek. Kiedy latarka oświetliła jego skołtunione jasne włosy, przez krótką chwilę Gorlicka pomyślała, że to ty.

– Staszek?

Przyspieszyła kroku, a każde stąpnięcie powieliło echo. W ciele zaczęła krążyć adrenalina.

– Staszek? W porządku, zaraz...

Kudłata głowa uniosła się, jednocześnie ręką osłaniając światło latarki, i ciszę rozciął schrypnięty głos:

– Co to, kurwa?! Gestapo?!

Opuściła latarkę, wyszła. Jej pojawienie się na zewnątrz przepłoszyło parę, która całowała się przy ścianie koło kolejnego bunkra.

– Byliście tu w poniedziałek?! – zawołała za nimi.
– Hej, do was mówię! Byliście tu wczoraj albo w poniedziałek?!

Zatrzymali się kilka metrów dalej, wyraźnie zdezorientowani. Usłyszała, jak dziewczyna szepcze:

– To chyba glina.

Wykorzystała, że stanęli, i podeszła do nich.

– Wydarzyło się tu coś w ostatnich dniach? – zapytała, a dziewczyna zdecydowała się burknąć:

– Samochód tu parkował.

– Gdzie?

– Tu – wskazała na niewielką polankę blisko wejścia do jednego z lepiej zachowanych bunkrów.

– Co za samochód? Pamiętasz markę?

Dziewczyna potarła nos, popatrzyła na swojego chłopaka, a on wzruszył ramionami, jakby chciał spytać: „I po co jej o tym gadasz?".

– Bo ja wiem? Czarny. Może audi. Audi? – Znowu spojrzała na niego, ale nie zareagował. – Po prostu tu stał. Nie widziałam, co się działo ani kto był w środku.

Do bunkra położonego najbliżej miejsca, które wskazała dziewczyna, podchodziła powoli, uważając, by nie zatrzeć ewentualnych śladów. Snop światła prześlizgnął się po wejściu, zobaczyła wyschnięte błoto, które ominęła, czując już, jak jej serce przyspiesza.

Błoto. Błoto na twoich włosach. Błoto przy wejściu do bunkra.

Przed nią rozpościerał się ciemny betonowy pustostan. Wstrzymała oddech, spróbowała wychwycić jakiś dźwięk, jakikolwiek, ale w środku panowała cisza.

Latarka wyłowiła z mroku popisane sprayem ściany. Oświetliła podłogę... Pusto.

Kucnęła, a światło zatrzymało się na porzuconych na ziemi kapslach, niedopałkach papierosów, zdeptanej puszce piwa. Jego krąg zawęził się do metalowego zacisku. Był tak mały, że sama się zdziwiła, iż w ogóle go zauważyła. Ale kiedy już go dostrzegła, uświadomiła sobie, że wie, co to jest i do czego służy. Zacisk od sznurowadła.

– No tak – usłyszała swoje westchnienie.

Co można zrobić ze sznurowadłami? Po co ktoś miałby wyjąć je z butów?

Odpowiedź była prosta, wręcz banalna. Ludzie, z którymi miała do czynienia, często używali sznurowadeł z braku innych narzędzi, jakimi mogliby związać komuś ręce, nogi albo udusić swoją ofiarę.

Jej uwagę przykuł wypisany na ścianie tekst. To była dołująca rymowana piosenka, dzieło dzieciaków z osiedla, które pewnie każdego dnia mierzyły się z szarą, smutną dla nich rzeczywistością.

Popatrz na obrazy, które są słowami,
a słowa obrazami,
te obrazy są myślami
błądzącymi po głowie dzieciaka
brak dzieciństwa,
nieraz by płakał...[**]

Tak jest każdego dnia – pomyślała, prostując się i zamykając palce wokół zacisku. Każdego dnia, gdy ludzie surfują w necie, spotykają się w kawiarniach i spacerują, z dala od ludzkich oczu znajdują takie miejsca, gdzie kogoś dręczą, molestują, znęcają się nad kimś.

[**] http://nafi-photography.bloog.pl/id,4189240,title,Scenariusz--zycia,index.html.

18

Zapadł zmierzch, a w moim domu wszystko się zmieniło. Jakby ktoś spuścił na nas ciemną zasłonę przesiąkniętą strachem. Wszystko, co każda z nas w głębi duszy wiedziała na temat porwań i zbrodni, teraz wracało w całej jaskrawości. Nasze matki mijały się tak, jakby chciały siebie uniknąć. Siadały w kuchni albo w salonie osobno, Alicja kryła twarz w dłoniach, a moja zagryzała usta, hamując płacz.

– Żyjemy w Polsce! – krzyknęła w jakimś momencie. – Tu nie działają psychopatyczni zabójcy, to nie Ameryka! Tu motywy zbrodni są proste i przewidywalne! Tu nikt nie robi zdjęć swojej ofierze i nie wysyła rodzinie!

Jeśli wcześniej uważałam, że jest jakiś prosty i niedramatyczny powód twojego zniknięcia, w tamtym momencie przestałam w to wierzyć. Zdjęcie, które otrzymaliśmy, sprowadziło nas do parteru i zmusiło, by stanąć oko w oko z najgorszym mrokiem. Koszmar się ziścił. Miałyśmy dowód na twój dramat.

Nie mogłam nic jeść ani pić, nie mogłam nawet usiedzieć w miejscu, ponieważ w moich myślach trwałeś zawieszony w momencie, gdy migawka aparatu fotograficznego opadła. Nie mieściło mi się to w głowie, żadnym sposobem nie umiałam tego pojąć. Nasze matki nieustannie zadawały pytania: dlaczego ktoś chciał ci zrobić coś takiego? Dlaczego akurat tobie? Dlaczego zdjęcie podrzucono nam?

– Kto? – wyszeptała Alicja, kiedy minęłam ją w kuchni. Pustym wzrokiem celowała w podłogę, opierała ciężko głowę na dłoniach, a brwi miała zmarszczone tak bardzo, że zlały się w jedną kreskę. – Kto? Dlaczego? Po co?!...

Przez całe lata, gdy mówiłeś mi o swoich problemach z koncentracją, wyobrażałam sobie twoje myśli jako nitki. Gmatwały się albo urywały, a ja byłam przekonana, że można je bez większego trudu na nowo połączyć. Tamtego jednak dnia moje myśli przypominały strzępy i nareszcie rozumiałam twoje rozdrażnienie, gdy nie mogłeś się skupić na lekcji czy na filmie. Myślałam: skoro zdjęcie trafiło na wycieraczkę naszego domu, to znaczy, że ten ktoś nas zna, wiedział, że nasze rodziny się przyjaźnią...

Myśl jednak się rwała, gdy próbowałam się jej przytrzymać. Było coś niedobrego w tym, że zdjęcie trafiło do nas, a nie do Alicji. Ktoś musiał nas obserwować.

Opuszczałyśmy rolety, zaciągałyśmy zasłony, aż dom został odcięty od ludzkich spojrzeń.

Nasza dzielnica, kiedy tu zamieszkaliśmy, dopiero powstawała. Wszędzie leżały pokłady błota, nie było dróg ani ulicznych latarni, mieliśmy też nieograniczony widok na morze. W ostatnich latach jednak pejzaż się zmienił. Położono chodniki i każda przecznica dostała swoją nazwę. Nasza była Słoneczna, więc lubiłam żartować, że mieszkamy po słonecznej stronie ulicy, jak z piosenki Louisa Armstronga.

Ale tamtego wieczoru spojrzałam na domy sąsiadów w nowy sposób. Gorlicka powiedziała, że zdjęcie podrzucił prawdopodobnie ktoś, kto mieszka w pobliżu, więc przypominałam sobie właścicieli wszystkich otaczających nas posiadłości i we wspomnieniach szukałam zdarzeń, które mogłabym powiązać z twoim zniknięciem. Ale pamiętałam jedynie, że kiedy byliśmy dziećmi, niecelnie kopnąłeś piłkę i wpadła na posesję sąsiada spod piątki, a on wziął ją pod pachę i oznajmił nam kategorycznym tonem, że skoro nie umiemy się bawić, z piłką możemy się pożegnać.

Kobieta spod trójki wzięła cię kiedyś za narkomana, bo w szarym swetrze i z rozpuszczonymi włosami czekałeś na mnie pod płotem. Krzyczała, że wezwie policję, jeśli zaraz stamtąd nie odejdziesz. Inna sąsiadka twierdziła, że ją okradłam z kilku złotych, które ponoć zostawiła na trawniku na kocu...

Chociaż bardzo próbowałam znaleźć w przeszłości coś naprawdę ważnego, nie umiałam. Nikt z sąsiadów nie przygotowałby dla ciebie piwnicy, a w niej taśmy klejącej i aparatu fotograficznego. Nikt z nich nie mógł zrobić ci krzywdy!

Nocą w ramionach trzymałam twój sweter, w myślach szeptałam modlitwę. Jeśli żyłeś, jeśli leżałeś gdzieś na zimnym betonie i czekałeś na to, co się wydarzy, to chciałam, żebyś wiedział, że cię szukamy. W myślach obiecywałam, że cię znajdziemy i że nie stanie się nic złego. Wysyłałam te myśli jak najdalej, wyobrażając sobie, że opuszczają moją głowę, wysmykują się przez luft i jak latawce szybują pod gwieździstym niebem. Szukały ciebie w chaosie ulic, trawników, w gąszczu lasu, wśród białych bunkrów i tuneli, leciały nad linią spienionych fal rozbijających się o brzeg i trafiały gdzieś tam, w miejsce, o którym nie miałam pojęcia. W końcu cię odnajdywały i przebijały przez twój niespokojny sen.

Chciałam wierzyć, że twoje powieki zaczynają trzepotać, że skupiasz spojrzenie na jakimś punkcie w ciemności.

Kocham cię... – szeptałam prosto do twojego ucha. Słyszysz mnie? Ale strach podpowiadał, że nie słyszysz. Że nie otwierasz oczu. Że nie czekasz.

On nie żyje – wyszeptał obcy zły głos w mojej głowie.

Tej nocy wstałam z łóżka jak we śnie, moje stopy dotknęły podłogi i zaraz się cofnęły. Była zimna i wilgotna, woda drżała na deskach. Poderwałam wzrok na sprzęty. W tej dziwnej rosie tonęło moje ruchome lustro, które zdobiło toaletkę. Woda kapała ze zdjęć, które wisiały na ścianach, spływała po książkach, długopisach wetkniętych w kubek, jedna kropla kołysała się na kablu laptopa...

Namacałam włącznik światła i nagle było tak, jakbym jeszcze raz tej nocy otworzyła oczy. W pokoju nie było żadnej wody, na ścianach i podłodze kołysały się tylko cienie drzew.

19

Gorlicka przyjechała z samego rana w towarzystwie młodego detektywa. Moje spojrzenie przyciągnęła duża żółta koperta, którą trzymała. Przełożyła ją do przodu i wręczyła mojej mamie.

– Uważamy, że zdjęcie zostało zrobione telefonem komórkowym – oznajmiła.

Mama i Alicja pochyliły się nad nim. Zostało powiększone do formatu A3, a ja nawet ze swojego miejsca przy schodach widziałam strzałki i kółka, którymi policja pozakreślała wybroczyny na twoim ciele.

– Co to znaczy, że telefonem komórkowym? Więc to zrobili jacyś gówniarze?

– Odrzucamy taką możliwość. Przypadkowe osoby zostawiłyby go, okradłszy z pieniędzy albo zabrawszy mu dokumenty. Tu jednak działania poszły znacznie dalej. Moi technicy założą w telefonie podsłuch – wyjaśniła. – Wasze rozmowy będą nagrywane w razie, gdyby skontaktował się z wami sprawca przemocy.

Widząc nasz niepokój, wyjaśniła, że policja zakłada, iż zdjęcie było pierwszym kontaktem, a teraz powinien nastąpić drugi.

– Pracujemy też nad apelem dla mediów, który powinna wygłosić pani Alicja. Chodzi nam o formę wypowiedzi po części skierowaną do osoby, która przekazała nam fotografię, a po części do ludzi, którzy jeszcze nie zgłosili się do nas, a byli świadkami zdarzeń. Być może uda się nagrać ją jeszcze dzisiaj wieczorem, więc, pani Alicjo, proszę się na to przygotować.

– Pani myśli, że apel pomoże?... – zaczęła Alicja i urwała, jakby przeraziło ją to, co miała dodać.

Gorlicka skupiła na niej spojrzenie jasnych smutnych oczu.

– Nie wiem – odpowiedziała bez kokieterii. – Nie chcę stawiać żadnych hipotez ani mydlić paniom oczu, ponieważ po prostu nie wiem.

– Gotowa?

Dziennikarka o imieniu Barbara zajrzała do garderoby. W rękach trzymała jakieś notatki, które teraz rozchyliła, tłumacząc:

– Drugim gościem poza panią Kornowicz jest matka zaginionej przed ponad czterema laty Kamili Jamroz. Zrobimy tak, że najpierw porozmawiam z nią i przypomnimy zdjęcia jej córki, a później przejdę do pani. Na koniec wygłosi pani apel.

Alicja skinęła głową.

– Ma pani spisany apel?

– Tak.

Twoja matka zagłębiła rękę w torebce i wyjęła złożoną na pół kartkę.

– Mam. Pomogła mi psycholog z policji...

Ale dziennikarka nie była zainteresowana wysłuchaniem go teraz.

– Widzimy się na planie za dwie minuty – powiedziała, cofając się do drzwi i unosząc dwa palce.

– Witam w programie „Trudne rozmowy". Jest z nami dzisiaj matka zaginionego Staszka Kornowicza oraz mama zaginionej przed czterema laty Kamili Jamroz, studentki, o której na pewno większość z państwa już słyszała…

Na dużym ekranie pojawiło się zdjęcie dziewczyny i twoje. Dziennikarka zaczęła od rozmowy z matką Kamili, zapytała, czy rodzice uważają, że dziewczyna mogła uciec z domu – właśnie takim tropem szła gdyńska policja w pierwszych tygodniach jej poszukiwań.

– Kamila zawsze była ze mną bardzo zżyta – opowiadała pani Jamroz, szczupła brunetka w jasnym, dopasowanym kostiumie i wysokich szpilkach. Dłonie ułożyła płasko na kolanach, ale podczas wypowiedzi zaczęła gestykulować w wyważony sposób, podkreślający sens słów. – To nie jest ktoś, kto nagle zdecyduje się pojechać gdzieś daleko w świat i nie powiadomi o tym rodziny. Znam ją, przecież ją wychowałam. Gdyby Kamila chciała gdziekolwiek pojechać, zaplanowałaby to w najdrobniejszych szczegółach i włączyła mnie i męża w te przygotowania. Kiedy miała szesnaście lat, zaczęła pomagać w hospicjum, a na rok przed swoim zaginięciem wyjechała na trzymiesięczny wolontariat do Afryki. Na uczelni brała wysokie stypendium, miała tyle planów na życie, tyle marzeń związanych z nauką i wolontariatem! To, co się stało, jest dla nas wszystkich zdumiewające. Może się wydawać, że cztery lata to dość czasu, by pogodzić się z sytuacją… ale tak nie jest!

Dziennikarka sprawnie przeszła do kolejnego punktu rozmowy:

– W czerwcu zorganizowała pani marsz milczenia ulicami Gdyni, powtarzając ostatnią drogę pani córki.

– Tak, to prawda – podchwyciła pani Jamroz. – Zrobiliśmy to, aby przypomnieć ludziom nie tylko o Kamili, ale w ogóle o problemie zaginięć. To niewyobrażalne, jak wielka jest skala tego zjawiska! Poza tym czas najwyższy, żebyśmy rozpoczęli rozmowy o kulejącym systemie alertu w naszym kraju...

– Uważa pani, że system nie jest doskonały?

Mama poczuła na sobie wzrok dziewczyny ubranej w szeroką szarą bluzkę spadającą z jednego ramienia. Stała z tyłu planu zdjęciowego, oparta plecami o ścianę i ściskała w rękach jakieś papiery. Kiedy na nią spojrzała, dziewczyna uśmiechnęła się do niej bladymi ustami.

– Oczywiście! – podjęła pani Jamroz stanowczym, pewnym siebie głosem. – Jeszcze w przypadku dziecka alert jest szybki i często skuteczny, ale kiedy znika osoba pełnoletnia, policja wszczyna śledztwo po czterdziestu ośmiu godzinach, co bardzo utrudnia późniejsze działania! Tak było w przypadku Kamili i, jak podejrzewam... – tu popatrzyła na Alicję – ...w przypadku pani dziecka.

– Czy tak właśnie było? – podchwyciła dziennikarka. – Poszukiwania Staszka rozpoczęły się po proceduralnych czterdziestu ośmiu godzinach?

Alicja przytaknęła, ale jakoś niepewnie. Jej zagubione spojrzenie pobiegło poza plan zdjęciowy do miejsca, gdzie stała moja matka.

– Mój syn zaginął sześć dni temu – odezwała się cichym, wystraszonym głosem. – Wczoraj otrzymałam zdjęcie, które...

Mama wyczuła ruch koło siebie. To jakaś kobieta przysunęła się do niej i wstrzymała oddech.

– ...które pokazuje go związanego i pobitego. Chciałabym zaapelować do osoby, która zna los mojego syna. – Pochyliła się do przodu, a cienie pod jej oczami się pogłębiły. Poruszyła wargami, powoli powtarzając przygotowany wcześniej tekst. – Staszek jest moim jedynym dzieckiem. Kocham go i bardzo za nim tęsknię. Chcę, żeby wrócił. Czekam na niego i nie wyobrażam sobie życia, w którym jego miałoby zabraknąć. Dlatego zwracam się do osoby, od której zależy jego los. Proszę, nie rób mu krzywdy. Pozwól mu wrócić do domu, do rodziny!

W łazience, w kabinie mama spuściła wodę, a drzwi zewnętrzne otworzyły się i do środka weszły dwie osoby.

– Pozbiera się – powiedział kobiecy głos. – Za kilka tygodni będzie już wyrobiona w kontaktach z mediami i o wiele lepiej wypadnie na szklanym ekranie.

– Dobrze by było, bo na razie popełnia wszystkie błędy! – odezwała się druga, uruchamiając kran. – Nie patrzy w kamerę, zaciska dłonie w pięści. Ludzie jej nie polubią, nie będą jej współczuć... Przez to, że nie patrzy w kamerę, zaczną spekulować, że miała coś wspólnego z jego zaginięciem!

Ręka zawisła nad klamką. Spojrzenie mamy powędrowało do szpary, przez którą zobaczyła dziewczynę w bluzce spadającej z ramienia oraz dziennikarkę prowadzącą spotkanie z Alicją.

– Co to w ogóle za chora historia z tym chłopakiem? – zapytała dziennikarka, poprawiając kosmyki włosów i jednocześnie prostując się przed lustrem. – Widziałam to zdjęcie, które dostała rodzina... Nie podejrzewają, że zostało jakoś przerobione komputerowo? Może to w ogóle jakiś fake?

Wyszły z łazienki, a mama jeszcze przez chwilę stała za drzwiami kabiny, porażona tym, co usłyszała. Kiedy w końcu zdecydowała się wyjść, nigdzie nie mogła znaleźć Alicji. Zobaczyła ją dopiero na zewnątrz, na parkingu, gdzie stała w towarzystwie matki Kamili Jamroz. Kiedy się do nich zbliżyła, pani Jamroz właśnie szukała czegoś w portfelu.

– Moja wizytówka – podała ją Alicji i ze współczuciem położyła dłoń na jej ramieniu. – Przykro mi, naprawdę. Wiem, przez co przechodzicie. Przeżywałam to wszystko cztery lata temu, kiedy moja córka nie wróciła do domu. Policja wmawiała mi, że dziewczyna pojechała gdzieś na wakacje, nie informując nas o tym. – Pokręciła z niedowierzaniem głową. – Nie widzieli oczywistych rzeczy, nie słuchali mnie. Od początku czułam, że stało się coś złego. Takie rzeczy matka przecież wie!

Alicja skrzyżowała ręce na piersiach, jakby było jej zimno.

– Gdybyście potrzebowały porady, zadzwońcie do mnie – podjęła pani Jamroz. – Współpracuję z Itaką, mamy własne ścieżki działań, często różne od policyjnych...

– Dziękuję – odezwała się moja mama, obracając wizytówkę w palcach.

Pani Jamroz odeszła i nasze matki zostały same. Twoja wciąż patrzyła za jej samochodem, a na jej twarzy malowała się coraz większa determinacja.

– Reni, w poniedziałek, kiedy Staszek zaginął, byłam w Monarze i przypinałam rysunki podopiecznych do korkowej tablicy... – Zmarszczyła brwi, jakby sama nie rozumiała tego, co chciała opowiedzieć. – Do kantorka wpadł przeciąg, wyrwał mi rysunek z ręki. Na szybie coś błysnęło i poczułam taki ziąb, taki straszny ziąb... – Podniosła wzrok na moją matkę, a w jej oczach pojawił się strach. – Tak teraz myślę, że jeśli cokolwiek złego się stało, stało się wtedy.

– „Przed chwilą dostaliśmy informację, że matka zaginionego przed pięcioma dniami dwudziestojednoletniego Staszka Kornowicza wygłosiła dzisiaj apel do sprawcy przemocy..." – Na ekranie telewizora młoda dziennikarka dotknęła ucha, jakby właśnie otrzymała jakąś informację. – „Mamy już potwierdzenie tej informacji. Za chwilę połączymy się z Agnieszką Domańską, która jest pod domem mężczyzny i która opowie nam więcej o całej sprawie".

Za plecami dziennikarki pojawiła się mapa Polski, na której pulsującym punktem była Gdynia. Po chwili kamera stała na ulicy pod twoją kamienicą, na wprost korespondentki, odwróconej plecami do wejścia do bloku.

– „Za moimi plecami znajduje się mieszkanie, które Staszek Kornowicz opuścił sześć dni temu. Do tej pory młody mężczyzna nie został odnaleziony, natomiast wczoraj rano na wycieraczkę domu przyjaciół jego rodziny trafiła wstrząsająca fotografia..."

Kamera zbliżyła kuchenne okno w domu Alicji.

– „...Tym, którzy dopiero teraz zaczęli oglądać nasz program, wyjaśnię, że młody mężczyzna zaginął w drodze do pracy sześć dni temu. Wczoraj rodzina otrzymała jego zdjęcie, z którego wynika, że został pobity, związany i być może obecnie jest przetrzymywany siłą. Policja próbuje ustalić, kto stoi za wstrząsającą fotografią. Na razie jedyną odpowiedzią, jaką udało nam się uzyskać od policji, jest powód, dla którego zdjęcie trafiło do domu rodziny zaprzyjaźnionej z Kornowiczami. Policja uważa, że stało się tak z powodu monitoringu, jakim objęta jest ta dzielnica, a dom, gdzie podrzucono tę fotografię, znajduje się na osiedlu jeszcze wolnym od monitoringu..."

20

– Opowiedz mi o nim – zwróciła się do mnie Gorlicka, kiedy przyniosłam jej na komisariat listę, o którą prosiła, obejmującą nazwiska naszych znajomych oraz nazwy firm, w jakich pracowałeś. – Nie chodzi mi o to, co mówią wasze matki, bo to już doskonale wiem. Opowiedz mi o nim tak, żebym zobaczyła go jak człowieka.

Usiadłam na krześle, które mi wskazała, i spróbowałam na szybko poskładać w głowie to, co było ważne dla mnie i opisywało ciebie. Ale dla mnie ważne były rzeczy, które raczej na pewno nie miały znaczenia w śledztwie. Dla mnie istotne były drobiazgi: kiedy znalazłeś na ziemi jakąś monetę, jakąkolwiek, nawet bez wartości, podnosiłeś ją i chowałeś do kieszeni. Przypomniałam sobie twoje zaśmiecone kieszenie w kurtkach, te wszystkie skasowane bilety, miedziaki i inne szpeje, które wkładałeś mi do rąk, kiedy nie mogłeś znaleźć czegoś ważnego. Albo to, że mrugałeś, kiedy miałeś problem z zebraniem myśli. Przypomniałam sobie pochylenie twoich pleców nad książkami, które sprawiały ci kłopot, oraz jakiś obraz, gdy zimą usiadłeś na parapecie okna, nieświadomy, że na ciebie patrzę, i obserwowałeś zadymkę na zewnątrz, raz po raz pocierając szybę w miejscu, gdzie zaparowała od twojego oddechu.

– Pani myśli, że go znajdziemy? – zapytałam cicho, pełnym obaw głosem.

– Zakładasz, że nie?

– Minęło sześć dni. To dużo, prawda? Gdyby go gdzieś trzymano… – urwałam, odpędzając od siebie wizję, która zawierała w sobie wszystko to, co wyniosłam z filmów; wszystko, co w głębi duszy wiedziałam na temat twojego zaginięcia.

Pochyliłam głowę i milczałam, a Gorlicka oparła dłonie o biurko, nie spuszczając ze mnie oczu.

– Jasmin, odnajdywałam już ludzi po dłuższym czasie.

„Kogo?" – chciałam zapytać, ale nie przeszło mi przez gardło. Kogo odnalazła? Starszych ludzi, którzy stracili pamięć i zapomnieli, gdzie mieszkają? Dzieciaki, które wiały na ulicę, żeby nacieszyć się narkotykami, seksem i wolnością? Czy odnalazła kiedykolwiek osobę, której ktoś zrobił takie zdjęcie, jakie znaleźliśmy na ganku?

– Kilka dni temu otrzymaliśmy zgłoszenie od starszej kobiety mieszkającej gdzieś za Gdańskiem – odezwała się. – Twierdziła, że z rana zapukał do niej młody mężczyzna. Był bez butów, ale w bluzie i dżinsach. Powiedział, że nie wie, gdzie jest jego dom, i poprosił, żeby mu pomogła. Bała się go wpuścić do środka, więc kazała mu poczekać na zewnątrz i zadzwoniła po policję. Kiedy przyjechał patrol, pod domem nie było nikogo. Mówię ci o tym, ponieważ twoja matka wspomniała, że Staszek miał problemy z koncentracją. Chciałabym zobaczyć raport medyczny dotyczący tych problemów.

Kiwnęłam głową, ale zła myśl znowu wróciła, odpędzając złudną nadzieję.

– Jasmin, bierzemy pod uwagę wiele możliwości – podjęła. – Codziennie dzwonią do nas ludzie z informacjami na jego temat. Obecnie badamy wiele tropów.

Nie wyjaśniła jednak jakich. Widziałam po niej, że coś ją gryzie. Sięgnęła do szuflady biurka i wyjęła z niej twój notes, który zawsze nosiłeś przy sobie niezależnie od tego, czy szedłeś do pracy, czy na spacer. Był wygnieciony i miał pozaginane rogi. Przesunęła go do mnie po blacie.

– Zabrałam to z jego pokoju. To są jego rysunki?

Skinęłam głową, a palce delikatnie pogładziły okładkę. Pod spojrzeniem policjantki zmusiłam się, by przejrzeć kilka stron. W środku znajdowały się twoje szkice, rysunki, które uważałeś za skończone, i te, które według ciebie były dobre. Dobry był portret dziewczynki przebranej za myszkę. Wykonałeś go tak, jakby mała została owinięta w bandaże, jakby próbowała zatuszować tym strojem siniaki i zadrapania. Inny rysunek przedstawiał chłopca przebranego za misia pandę – i tu znowu czarny makijaż oka był kamuflażem, pod którym kryło się całe zło.

– Zaskoczyły mnie jego rysunki – głos Gorlickiej złagodniał. Podparła brodę na ręce, jakby nagle poczuła się zmęczona. – Są bardzo dobre. To wyjaśnia, dlaczego zmieniał tak często pracę. Powinien był pójść na jakieś artystyczne studia, prawda?

Przytaknęłam, wpatrzona w rysunek chłopca.

– Ale zdziwiło mnie to, co rysował. Skąd u niego zainteresowanie tematyką przemocy?

21

Dawniej

Alicja teraz codziennie wychodzi do pracy zadbana, z umalowanymi ustami i ułożonymi włosami. W waszej łazience pojawia się flakon perfum, który rozchylam, gdy nikt nie patrzy, i wącham, zdziwiona, że to taki delikatny, niemal dziewczęcy kwiatowy zapach.

– W niedzielę, Jasmin, możesz przyjść na obiad. Będę miała gościa – informuje nas i całą sobotę poświęca na porządkowanie waszych rzeczy. Przesuwa wiklinowe fotele z jednej strony salonu na drugą i zmusza cię, żebyś zajął się też swoim pokojem. – Pościągaj plakaty – decyduje, krytycznym okiem obrzucając ściany, które zagospodarowałeś po swojemu. – A Pandę na niedzielę daj do Jasmin!

– Mama się nie zgodzi! – oponuję natychmiast. – Ostatnio powiedziała, że nie chce tego kota u siebie!

Panda, jakby słysząc, że o niej mowa, unosi głowę i prostuje wszystkie cztery łapki. Jesteś najbliżej niej i w dodatku leżysz, więc wchodzi ci na klatkę piersiową i rozpoczyna powolne udeptywanie cię puszystymi podeszwami.

– Zejdź, przestań! – śmiejesz się, ale jej nie zrzucasz.

Jest z wami już prawie pół roku. Po wyleczeniu przez weterynarza nabrała sierści i teraz ma piękne futro w pasy. Niestety w okresie letnim jej sierść znajduje się dosłownie wszędzie: wbija się w dywan, przywiera do ubrań, obłażą nią koce, pościel i wszystkie narzuty.

– Kup mu jakieś witaminy, przecież chyba można coś z tym zrobić! – odzywa się Alicja, ale bez niechęci. Przygląda się twojej dłoni, kiedy gładzisz pasiaste futro. Kapituluje jak rzadko kiedy: – Zresztą sama to zrobię, poszukam jakichś preparatów.

Kilka minut później idę do kuchni po colę i widzę ją w salonie, gdzie mokrą gąbką trze fotele, pewnie dokładnie wiedząc, że to nic nie da, ponieważ do niedzieli i tak wszystko znowu pokryje się białawym puszkiem. Kiedy udaje się jej sprzątnąć kanapę, kocur z wyprężonym grzbietem mija ją dostojnym krokiem i sunie do balkonowych drzwi. Mówiłeś matce tysiąc razy, że na dworze ktoś rozsypał trutkę, więc ma uważać na Pandę i nie dać jej wychodzić na zewnątrz. Ale kiedy kot sunie do drzwi, Alicja tylko na niego patrzy i nic nie robi, więc w końcu to ja muszę pokonać dzielącą nas odległość i zawrócić zwierzę.

– Nie wychodź! – wołam, a on prycha na mnie niezadowolony.

– No, nareszcie cię widzę, chłopaku!

Gość twojej mamy obrzuca wzrokiem twoje ubranie i jest wyraźnie zawiedziony, że ubrałeś się w T-shirt z wizerunkiem „Ludzi Cienia" Sweet Noise i dżinsy ucięte za kolanami. Chyba spodziewał się koszuli i długich spodni.

– No, no, dzisiejsza młodzież nie ma szacunku dla tradycji!

– Dla tradycji? – podchwytujesz trochę zdezorientowany tym, że nie podał ci ręki.

Wymieniamy się szybkimi spojrzeniami i w końcu popycham cię, żebyś wszedł do pokoju.

– Alicjo, podłożysz mi jakiś czysty koc? – pyta Janusz, kiedy już siedzimy przy stole. Uderza palcami w blat, jakby wybijał rytm na bębnach albo się gdzieś spieszył. – Wszędzie tu pełno kociej sierści. Trzymacie tu kota?

Rozglądamy się po pokoju, ale Panda na szczęście gdzieś się ukryła. Twoja matka woła z kuchni, żebyś podał koc Januszowi.

– Weź ten z szafy, leży na górnej półce!

Przyglądam się mu z zaciekawieniem. Jest wysoki, ma jasne włosy ścięte na siedem, osiem centymetrów i wygląda trochę jak amerykański dziennikarz z okresu Watergate, o którym niedawno oglądałam zwiastun filmowy. Bajerancki krawat z polującymi chartami oraz tweedowa marynarka z poprzecieranymi łokciami i okulary w drucianej oprawce dopełniają tego wizerunku.

– Podasz mi pieprz? – zwraca się do twojej matki. – Trochę mało pikantna ta zupa...

Na ustach cioci pojawia się nieobecny uśmiech jak zawsze, gdy sprawy wymykają się jej z rąk. W kuchni prosi, żebym zamieszała gulasz, ale kiedy informuję ją, że coś tu się już przypaliło i przykleiło do dna, nie słucha mnie, tylko pocierając ręką kark, zbliża się do okna i wygląda na zewnątrz.

– Ciociu? Przypaliło się. Co mam robić? Mam to z dna wyłowić i wyrzucić?

Patrzy na mnie zamglonym wzrokiem, ale szybko pojawia się w nim złość. Wyjmuje mi łyżkę z ręki.

– Jezu, Jasmin! Renata nie nauczyła cię gotować? Jaka kiedyś będzie z ciebie gospodyni, skoro nie radzisz sobie ze zwykłym gulaszem?

Za każdym razem, gdy mija przedpokój, odwraca się plecami do lustra i ogląda swoją sukienkę, jakby panicznie się bała, że jest wygnieciona albo że ma tam przyczepione kocie kłaki.

– W której jesteście klasie? – pyta Janusz, więc odpowiadam, że w tym roku dostaliśmy się do liceum.

– Pewnie dobrze się uczysz, co, Jasmin? Wyglądasz na taką dziewczynę, która doskonale radzi sobie w szkole!

Odpowiadasz na wpół żartobliwie, żeby mnie trochę wkurzyć:

– Jasmin jest naszą klasową kujonką!

Uderzam cię w ramię.

– Przestań. Wcale nie!

– Jasne, że tak! Co powiedziała na koniec roku dyrektorka?

– Przestań! Nic nie powiedziała!

– Oczywiście, że powiedziała o tobie „prymuska"...

– Prymuska to nie kujonka!

– To dokładnie to samo, tylko ładniej powiedziane!

On też się śmieje, a Alicja podpiera brodę na ręce, jakby zaczęła się nudzić.

– Jasmin? Rozmazała ci się szminka – przerywa nam, więc zdziwiona dotykam palcem ust, a na opuszce faktycznie zostaje mi rudy ślad. – Nie powinnaś się malować w tak młodym wieku – dodaje jeszcze, na co wzruszam ramionami i odpowiadam, że przecież są wakacje.

– To nie jest żaden powód. – Patrzy na mnie zmęczonymi oczami, a w jej ton wkrada się jakaś zaczepna nuta. – Twoja matka za dużo ci pozwala. Usiądź chociaż jak człowiek.

Nie rozumiem, o co jej chodzi. Przecież siedzę normalnie, nawet złączyłam kolana jak zawsze, gdy jestem w spódnicy, a naprzeciwko mam gości. Spoglądam na ciebie, a ty na mnie i wtedy myślę, że może chodzi jej o to, że siedzę tak blisko ciebie.

– A jak siedzi człowiek? – odpowiadam, na co mężczyzna Alicji wybucha śmiechem.

Ciocia z wyraźnym zniecierpliwieniem wstaje od stołu i zaczyna zbierać talerze. Mówi, że jeśli już zjedliśmy, możemy iść do twojego pokoju.

– Albo na spacer – dodaje, nie patrząc na nas.

Talerze z łoskotem lądują w zlewozmywaku.

– Wrócę późno, nie czekaj na mnie! – oznajmia wieczorem, kiedy razem z Januszem wychodzą do kina.

– Nie martw się, nie będę czekał – odpowiadasz nieuważnie, śledząc wzrokiem zmiany na ekranie laptopa.

– I odprowadź Jasmin do domu.

– Oczywiste.

Ledwie drzwi się za nimi zamykają, gdy zrywamy się z miejsc, nie kryjąc radości.

Ich nigdy, nigdy nie było
Nigdy nie było, nigdy nie było
Miłości nigdy nie było
I ciebie nigdy nie było
Miłości nigdy nie było
*Nas nie było...****

*** Sweet Noise *Nie było*.

Przytrzymuję się blatu, a ty chwytasz go z drugiej strony. Muzyka eksploduje, kiedy uciekam za filar oddzielający kuchnię od przedpokoju i śmiejąc się, wychylam zza niego. Znajdujesz mnie przy ścianie pełnej ezoterycznych akcesoriów twojej matki. Spieszy się nam, bardzo się nam spieszy, kiedy przytulasz mnie do siebie i całujesz. Coś upada za plecami, gdy opierasz mnie o stół, ale żadne z nas nawet nie patrzy w tamtym kierunku. Może to mąka, bo Alicja coś z niej robiła. Śmieję się, widząc, że całą rękę mam białą od pyłu.

– Mogę zostać do dwudziestej trzeciej! – wołam pomiędzy pocałunkami. – Powiedziałam mamie, że zostanę na kolacji!

Zatrzymujesz moje dłonie, nakrywając je swoimi, i spoglądasz mi z nadzieją w oczy.

– Jeśli chcesz... jej sypialnia... – wahasz się i w końcu dodajesz na jednym oddechu: – Mamy ją całą dla siebie!

Unosisz kołdrę jak namiot, odsłaniając fragment mojej twarzy. Pod nią wydajemy się sobie ukryci przed całym światem i jednocześnie zdaje się nam, że ten świat zaczyna się właśnie tutaj i kończy tutaj. Włoski elektryzują się na skórze, kiedy moje kolano ociera się o twoje.

– Cześć – szepczę.

– Hej – odpowiadasz.

– Zamknij oczy – proszę.

Powieki opadają, a ja przytulam wargi do twoich ust i wtedy już czuję, że wszystko jest tak, jak być powinno. Fascynuje mnie ciepło w brzuchu, które pojawia się, gdy mnie całujesz albo gdy twoje dłonie zbliżają się do moich piersi. Palce mną prześcieradło, więc wsuwasz w nie swoje ręce i zaciskamy je, a nasze usta stają się pewniejsze. Potem przykładamy nasze dłonie do siebie tak, jakbyśmy chcieli porównać ich wielkość. Jestem senna jak jeszcze nigdy, ale za nic w świecie nie poszłabym teraz spać.

– Obiecajmy sobie, że nie zaśniemy do dwudziestej drugiej – proponuję. – Nie chcę stracić ani jednej minuty, a ty?

– Ja też nie.

Ale kilka chwil później zasypiam z głową na twojej piersi, twoją ręką pod moim ciałem i udem opartym o twoje udo. Potem mi powiesz, że nie spałeś, więc słyszałeś, jak mój oddech wycisza się i staje się płytki. Powiesz, że chociaż leżałeś w niewygodnej pozycji, bałeś się poruszyć, żeby mnie nie zbudzić. Delikatnie wysunąłeś tylko spode mnie rękę, a ja westchnęłam przez sen i oplotłam cię ramionami.

22

Chwile od razu po to momenty, w których rozpamiętuję urywki tego, co się wydarzyło. W podbrzuszu ciągle czuję delikatne łaskotanie, gdy odtwarzam w głowie wszystkie te odczucia, gdy przypominam sobie szepty i mruczenia, westchnienia i ułamki sekund, w których traciliśmy nad sobą kontrolę. Rozgarniam palcami twoje mokre, pachnące szamponem włosy, a jedna z kropel spływa i nurkuje mi w pępku.

– Łaskocze! – wołam, śmiejąc się, a ty rozcierasz ją po mojej skórze.

Twoja matka z rana wyjechała z Januszem, więc mamy dla siebie całe dwa dni, a ponieważ w weekendy moja mama odwiedza klientki i wraca dopiero pod wieczór, ten czas spędzamy niemal sami i dzięki temu mamy wrażenie, jakbyśmy z sobą mieszkali.

– Chciałabym kiedyś z tobą zamieszkać – mówię w wannie, wciskając usta w zagłębienie pomiędzy twoim ramieniem a szyją.

– Ja też bym chciał – odpowiadasz, głaszcząc mnie po policzku.

Na zewnątrz jest upalna noc. Księżyc wisi nad dachem domu tak duży, jakby mocno się zbliżył do ziemi. Cykają świerszcze i czuć zapach ogniska. Na trawie w ogrodzie rozkładamy koc, ponieważ dzisiaj mają spadać gwiazdy. Kiedy się kładziemy, niebo wydaje się ciężkie, świetliste – i ogarnia mnie przeświadczenie, że rozciąga się z każdym moim spojrzeniem. Mrużąc oczy, obserwuję te wszystkie galaktyki, satelity przesuwające się po swoich torach i mrugające światła samolotów.

– Patrz tam! – wskazujesz ręką jakiś punkt, który znika w chwili, gdy go odnajduję. – Trzeba pomyśleć życzenie…

– Tam! Jest tam! – odkrzykuję, dostrzegając kolejną spadającą gwiazdę.

Ubrania z gorąca przylepiają się do naszej skóry. Żaden podmuch wiatru nie mąci zastygłego powietrza. Z oddali dochodzą ujadanie psa, śmiech jakichś ludzi i muzyka z czyjegoś domu.

– Jakie pomyślałeś życzenie?

– Żeby matka nie chciała przeprowadzić się do Słupska, do Janusza.

Obracam do ciebie głowę.

– Myślisz, że tak właśnie będzie? Że zamieszkacie tam?

Twoje oczy, z odbitymi w nich gwiazdami, zdają się błyszczeć i przypominają dwa ogromne nocne jeziora.

– Nie chcę tego – wyznajesz. – Nie chcę, żebyśmy mieszkali tak daleko od siebie.

Tej nocy kładziemy się spać każde w swoim pokoju, ale kiedy tylko słyszę, że mama już wzięła kąpiel i poszła do swojej sypialni, gdy mija dostatecznie dużo czasu, by przypuszczać, że już zasnęła, wymykam się z łóżka i na bosaka, w nocnej koszuli, omijając te deski w przed-pokoju, które trzeszczą, przebiegam do twojego pokoju.

– Hej. – Przesuwasz się, robiąc mi miejsce.

Ciemność pod kołdrą jest tak głęboka, że mogę sobie wmówić, że znaleźliśmy się w zupełnie innym miejscu i czasie. Nie widzę ciebie, nie widzę nawet zarysu mebli ani ścian. Za to czuję zapachy, które się na ciebie składają. Zdumiewa mnie myśl, że mogłabym cię po nich poznać. Składa się na ciebie woń płynu do kąpieli, delikatny za-pach skóry, mieszanina szamponu i wody po goleniu.

– Twoje włosy też pachną.

Zbliżam usta do wszystkich tych miejsc. Mówisz, że chciałbyś zapamiętać wszystkie moje zapachy.

– Ja nie pachnę – odpowiadam.

– Ależ tak.

Dotykasz nosem moich włosów, skóry na dekolcie.

– Cała, nawet nie wiesz, jak ładnie.

Nakrywasz nas kołdrą po czubki głów, żeby mama nie usłyszała żadnych szeptów.

– Nastawię budzik na piątą rano, to będziesz mogła tu spać.

Przyciągasz mnie do siebie. Całujemy się spragniony-mi, nienasyconymi ustami.

– Ciiii – szepczesz, kiedy wyrywa mi się cichy pomruk.

Zakrywasz mi usta dłonią i śmiejesz się, mówiąc, że zaraz mama nas nakryje.

– Ciiiicho... – powtarzasz, zabierając dłoń.

Moje usta dotykają twoich warg. Rozchylam powieki i z bliska spoglądam ci w oczy.

O piątej rano, kiedy rozlega się ciche pik-pik, jestem tak półprzytomna, że musisz mnie kilka razy budzić, że-bym w ogóle otworzyła oczy.

– Musisz pójść do siebie, Jasmin – szepczesz i w końcu z zamkniętymi oczami wracam do swojego pokoju, gdzie zagrzebuję się w pościeli i natychmiast z powrotem zasypiam.

Kilka dni później jesteśmy sami w lesie. Pomagam ci rozpiąć guziki mojej koszuli, przy czym nasze dłonie co chwila się o siebie potykają. Razem schylamy się do moich glanów, które sięgają do połowy łydki i są wiązane jak łyżwy.

– Co ty nosisz? – śmiejesz się.

– Nie podobają ci się? – Ja też się uśmiecham, trochę zdyszana.

Oddychamy, jakby lekarz badał nas przez stetoskop. Wtedy rozlega się ten dźwięk, który później latami będzie prześladował mnie w snach. Dźwięk silnika samochodu.

Od razu zdałam sobie sprawę, że dzieje się coś niedobrego. Myślę, że wiedziałam to już w chwili, gdy samochód zatrzymał się na polanie, od której dzieliły nas krzaki. Puściłeś mnie i klęknęliśmy na ziemi, obserwując, jak z auta wysiada kilku chłopaków, a wśród nich właściciel pitbulla z twojego osiedla.

– To ten okropny chłopak... – szepczę.

Jeden z nich wyciąga z samochodu dziewczynę, a ona chwiejnie postępuje kilka kroków w głąb polany. Jest rozczochrana, jakby chwilę wcześniej spała. Jasne kosmyki lepią się jej do twarzy. Patrzę na jej bluzkę w biało-czarne paski, która spada jej z jednego ramienia. Dziewczyna obciąga ją nieporadnie w dół, żeby zasłonić pępek. Chwieje się w wysokich butach na koturnach.

Słyszymy jej głos, cichy i niewyraźny:

– Źle się czuję... Chcę już oprzytomnieć! – W jej ton wkrada się bezradność, niema prośba, by ktoś jej pomógł. – Proszę! – powtarza i wykonuje gest, jakby chciała usiąść na ziemi.

Próbuję zapiąć guziki w koszuli, którą chwilę temu ze mnie zdjąłeś, ale ręce mam dziwnie zdrętwiałe. Jeden z guzików odrywa się i nurkuje w wilgotnej trawie. Mijają minuty. Niebo jest tak zachmurzone, że prawie purpurowe. Wiatr porusza kępą traw przed nami. Kroki, trzask łamanych gałęzi. Dziewczyna chce wrócić do samochodu, ale chłopacy ją zatrzymują. Rozgląda się wokół, jakby nie do końca zdawała sobie sprawę z tego, co się dzieje i gdzie jest.

– Tak mi źle... – jęczy.

Moje spojrzenie biegnie od jednej twarzy do drugiej. Wszystkie są zaczerwienione, może z gorąca. W powietrzu wyczuwam coś nieuchronnego. Powinniśmy stąd iść – myślę i łapię cię za łokieć. Słyszę słaby protest, jakieś rozpaczliwe:

– Nie chcę... Co robicie? Nie, proszę...

Od tych słów i tego, co się dzieje, robi mi się gorąco.

– Chodź stąd! – szarpię cię za ramię, a kiedy nie reagujesz, podrywam się do biegu.

W domu mama układa klientce fryzurę i rozmawia o życiu celebrytów.

– Zobaczysz, niedługo wszystkie media będą pisać, że on poszukuje żony! – chichocze, sięgając po długą tubę lakieru.

Boli mnie głowa. Odpycham się rękami od drzwi, zsuwam z nóg buty i wspinam się po schodach, gdy mama akurat pryska lakierem na udrapowany kok.

– Jasmin, masz obiad! – woła.

– Może z tej jego kompromitacji też zrobią wielkie show? – parska śmiechem klientka.

Nie mam pojęcia, co się ze mną dzieje. Przedmioty zdają się przybliżać i oddalać w rytmie mojego oddechu. Mija sporo czasu, nim decyduję się wstać z łóżka, pójść do łazienki i napuścić do wanny wody. Drzwi zamykam na zasuwę. Coś jest nie tak. Drżą mi nogi, kiedy robię krok do wody, a z moich ust wyrywa się cichy jęk. Siadam na rancie.

Kap, kap – miarowy odgłos dochodzący z kranu.

Powieki robią się ciężkie, jakby nabrały niewidzialnych kilogramów. Nabrzmiałe zmęczeniem ledwie chcą się utrzymać otwarte. Pod taflą wody dostrzegam swoje stopy.

Powierzchnia się mąci. Zamykam oczy, ale ciągle mam wrażenie, że ją widzę. Już nie jest czysta, jest brudna, jakbym włożyła do niej ubrania uwalane błotem. Liść. Podpływa do mojego uda, ociera się o nie. Stopa dotyka pod powierzchnią czegoś zimnego, śliskiego.

Podrywam powieki i w jednej chwili robi mi się tak okropnie niedobrze, że dopadam muszli klozetowej.

Przez cały następny dzień leżę w łóżku z bólem brzucha i próbuję się do ciebie dodzwonić. Alicja, która odbiera wszystkie moje telefony, w końcu warczy mi w słuchawkę, że jesteś na boisku i że mogłabym dać ci trochę odetchnąć od siebie.

– Trochę pomyśl, Jasmin! – mówi niechętnie. – On też ma prawo umówić się z kolegami! Nie jesteś pępkiem świata!

Boisko jest ogrodzone siatką, przez którą bez problemu można przejść. Czuję się już trochę lepiej, kiedy wczepiam palce w oczka tuż koło dziury i obserwuję, jak walczycie o punkty.

– Przyszła Jasmin! – zauważa Marcin, więc obracasz się, jednocześnie przytrzymując piłkę.

Wszyscy już wiedzą, że jesteśmy parą, i przez to nieustannie mam wrażenie, że nas obserwują. Teraz dzieje się podobnie. Chłopacy zerkają na nas z pobłażliwymi i trochę zazdrosnymi uśmiechami. Czuję, jak wiatr rozwiewa mi spódnicę, odsłaniając wiązane do połowy łydki sandały, a ich uśmiechy poszerzają się jeszcze bardziej.

– Cześć.

Z gorąca masz zaczerwienione policzki, a skóra paruje ci potem, kiedy opierasz palce o siatkę.

– Zadzwoniłeś po policję? – pytam tak cicho, żeby nikt nas nie usłyszał.

– Kiedy?

– Jak to kiedy? Wtedy.

Oglądasz się na boisko.

– Tak. Jasne.

– I co? Przyjechali do lasu?

– Nie wiem. – Pociągasz nosem, jakbyś dostał kataru. Znowu oglądasz się na kolegów. – Jasmin, zostawiłem tam sweter.

– Gdzie? – Nie rozumiem.

– Tam, w lesie. Wróciłem po niego kilka minut później... – Zagarniasz za ucho wilgotny kosmyk włosów i niecierpliwie marszczysz brwi. – Już go nie było.

– A oni? Oni tam byli?

Kręcisz głową. Marcin woła, że wznawiają grę, i pyta, czy robisz sobie przerwę.

– Nie, skąd! – odpowiadasz.

Puszczam siatkę i ty też się odsuwasz.

– Pogadamy w kinie – proponujesz. – Bądź pod Multikinem koło dwudziestej.

Wybieramy miejsca w ostatnim rzędzie. Gasną światła i rozpoczyna się projekcja zwiastunów, ale żadne z nas nie porusza tematu lasu. W trakcie seansu nie mogę się skupić na fabule. Wyczuwam też twoje rozkojarzenie. Rozpaczliwie staram się wciągnąć w akcję, ale moje wszystkie zmysły rejestrują ciebie, więc kiedy na ekranie rozpoczyna się prawdziwy dramat, nie mam pojęcia, kto ginie, natomiast dokładnie wiem, ile razy zmieniłeś pozycję, jak często sięgałeś do swojej komórki, kiedy znowu popatrzyłeś na wyjście ewakuacyjne i że osunąłeś się na fotelu niżej, jakby film kompletnie przestał cię obchodzić.

Gdy odprowadzasz mnie pod dom, mama czeka na nas na stopniach ganku w letniej sukience w róże, z zsuniętymi z nóg klapkami, na których położyła bose stopy. Na tle ciemnego ogrodu jest niemal niewidoczna, więc dopiero kiedy podchodzimy do werandy, zauważam jej sylwetkę – blade dłonie i te długie nogi, zakończone gołymi stopami.

– Podobał wam się film? – zagaduje, ale nie czeka na naszą odpowiedź. – W okolicy zaginęła dziewczyna.

Rejestruję ruch jej dłoni, kiedy z paczki wytrząsa papierosa i – przytrzymując go ustami – szuka na schodach zapalniczki. Wiatr zdmuchuje jej z czoła włosy.

– Opowiedziała mi o tym dzisiaj klientka. Dziewczyna nazywa się Kamila Jamroz. Myślę, że dopóki to się nie wyjaśni, byłoby lepiej, gdybyście nie umawiali się po zmierzchu. Właściwie to uważam, że powinniście być w domu, zanim zrobi się ciemno.

23

Powietrze łagodnie falowało w słonecznym popołudniu, kiedy policja z psami tropiącymi stanęła na kwadratowym dziedzińcu pomiędzy blokami, w których w poniedziałek miałeś zostawić gazety. Uniosłam głowę i na tle bladego nieba zobaczyłam te prostopadłościany aż kolorowe od ubrań gapiów stojących na balkonach.

– Dziękuję wszystkim ochotnikom za pomoc! – zawołał detektyw, który nadzorował poszukiwania. Na smyczy trzymał zdyszanego, zmęczonego upałem psa, który wyraźnie palił się, żeby ruszyć w las. – Podzieliliśmy teren na sektory! Na razie zajmiemy się sektorem A i B, więc będziemy posuwać się wzdłuż zachodniej ściany lasu!

– Radzę włożyć kurtkę. W lesie są kleszcze i komary. – Jakiś funkcjonariusz podał mi kurtkę, która okazała się za duża o kilka numerów.

Młoda, ruda dziennikarka ustawiła się przed operatorem kamery i właśnie opowiadała rozemocjonowanym głosem, że w tej chwili policja z psami tropiącymi oraz wielu wolontariuszy kieruje się do lasu, gdzie być może uda się trafić na twój ślad.

– Mnożą się pytania i wątpliwości. Co kryje się za zniknięciem młodego mężczyzny i czy w lesie uda się odnaleźć jakieś wskazówki? – zapytała, kończąc relację.

Media od wczoraj na bieżąco komentowały śledztwo w twojej sprawie. Kiedy jechałyśmy z mamą samochodem, w radiu mówiono o braku postępów w poszukiwaniach osób dorosłych oraz mozolnej pracy policji, która zdawała się tonąć w procedurach i raportach, nie wykorzystując nowoczesnych technik ułatwiających działania. Wytykano błędy w twoim śledztwie: to, że nie sprawdzono sygnałów z twojej komórki, zanim doszło do jej rozładowania. Że policja powinna od razu po przyjęciu zgłoszenia rozpocząć przeszukiwanie lasu i terenu wokół bloków, gdzie miałeś zostawić gazety. Komentowano brak monitoringu w autobusie, którym prawdopodobnie pojechałeś na Oksywie w dzień swojego zniknięcia – okazało się, że akurat tego dnia kamery nie działały.

– Co możemy znaleźć po sześciu dniach na podmokłym terenie? – pytała dziennikarka, podczas gdy Gorlicka wydawała ludziom dyspozycje.

W kombinezonie chroniącym przed kleszczami wydała mi się drobna i niska. Zauważyła nas i ruszyła w naszym kierunku żwawym krokiem, a mama natychmiast się wyprostowała.

– Nie widziałam nigdzie pani Alicji.

Moje przeczulone ucho wychwyciło w jej głosie nutę podniecenia, a nie pretensji.

– Nawet jej nie namawiałam – odpowiedziała mama. – Gdyby tu przyszła i coś byśmy znaleźli... – urwała i nerwowo obejrzała się na las.

Ciemna chmura zakryła słońce i cały plac okrył się cieniem. Ludzie unieśli głowy, a ci, którzy przewidzieli deszcz, zaczęli poprawiać kaptury. Wiatr przybierał na sile, sugerując, że faktycznie nad dzielnicą przejdzie burza. Gorlicka też popatrzyła w górę.

– Czego mamy szukać? – zapytała mama tak, jakby za wszelką cenę chciała stać się pomocna.

– Wszystkiego, co odstępuje od normy. Kwiatów, które rosną tam, gdzie nie powinny, sterty liści, skupisk gałęzi, podglebia, czyli czerwonawej ziemi, która powinna się znajdować w głębi... Nie musimy też odchodzić zbyt daleko od głównej drogi. Najczęściej wystarczy oddalić się do dwustu metrów, żeby coś znaleźć...

Pochód wolontariuszy i policjantów powoli ruszył przed siebie. Rozległ się szelest gniecionych liści i trawy. Ja zwlekałam, zapatrzona w ścianę lasu.

– Po pierwsze, musicie szukać kontrastów! – Gorlicka kijkiem namacała kawałek gałęzi i zaraz odepchnęła ją na bok. – Ciemne – jasne, szerokie – gładkie. Szukacie wysokiej trawy w miejscach, gdzie znajduje się niska. Należy też szukać śladów butów albo kół... – urwała, ponieważ trafiła na dołek zasypany liśćmi. Był zbyt blisko wejścia do lasu i wydał mi się za mały, by mógł cokolwiek zawierać, ale ona i tak rozgarnęła liście patykiem, marszcząc przy tym brwi. – Co to tutaj robi? – zapytała, nie oczekując raczej odpowiedzi.

Przyszła mi do głowy tamta zła myśl: dzisiaj szukamy tutaj, ale w kolejnych dniach zaczniemy przetrząsać wysypiska śmieci oraz miejsca oddalone od osiedli mieszkalnych.

– Jasmin? – Gorlicka machnęła ręką, ponaglając mnie. – Nie zostawaj z tyłu, musimy poruszać się rzędami!

Przyspieszyłam kroku, od razu potykając się o wystający korzeń.

– Patrz pod nogi – oznajmiła, jakby śledziła każdy mój ruch. Zaraz też uniosła głos i zawołała do pozostałych wolontariuszy: – Proszę, żeby wszyscy patrzyli pod nogi! Po ostatniej wichurze na ziemi na pewno leży wiele gałęzi!

Zwalone przez wiatr drzewo, ślady po ognisku, ptak, który przyglądał się nam z góry ukryty między gałęziami... Patyk, który dostałam od Gorlickiej, co i rusz trafiał na gałęzie albo liście, które wyglądały tak, jakby ktoś je tu naniósł specjalnie. Pod większością z nich jednak można było znaleźć co najwyżej zgniły papier toaletowy albo paczkę papierosów.

Im głębiej wchodziliśmy w las, tym wokół robiło się chłodniej i w końcu musiałam zapiąć kurtkę, a na głowę naciągnęłam kaptur. W powietrzu nieustannie słyszałam szum liści, a na skórze dłoni w końcu przestałam czuć komary przepędzone przez wiatr. Niemal pół godziny później po lewej stronie nastąpiło poruszenie.

– Co jest?! – zawołała Gorlicka, na co ktoś odkrzyknął, że mamy przypadek zasłabnięcia.

Ludzie, rozstępując się, odsłonili mi widok na kobietę w średnim wieku, która siedziała na pniu z głową wsuniętą między kolana, a przed nią kucał jeden z policjantów. Kobieta rozpięła kurtkę i wachlowała się dłonią, a jej skóra błyszczała od potu.

– Idźcie dalej! – Gorlicka pospieszyła nas, widząc, że przystajemy. – To normalne, dzisiaj jest wyjątkowo parno, więc trzeba przygotować się na takie sytuacje.

Za mną poruszały się dwie młode wolontariuszki pogrążone w szeptanej rozmowie.

– Brałam udział w poszukiwaniach tej nastolatki zaginionej w okolicach plaży – opowiadała jedna. – Wiesz, pamiętam, jak się wtedy wszyscy wystraszyliśmy, bo w trawie, blisko jej domu znaleziono kilka paczek wypalonych papierosów. Wyglądało, jakby ktoś stał tam całymi godzinami i palił, obserwując rodzinę!...

Zwolniłam kroku, przepuszczając je i tym samym uwalniając się od ich rozmowy. Teraz byłam ostatnią osobą w rzędzie. Szelest gniecionych liści został stłumiony przez szum deszczu w koronach drzew. Poczułam na twarzy powiew wilgotnego wiatru i zrobiło się ciemno jak późnym wieczorem. Policjanci powyciągali latarki, a ja odruchowo sięgnęłam po telefon komórkowy i nagle moje palce zderzyły się z prądem. Cofnęłam rękę, ale opuszki jeszcze przez chwilę nieprzyjemnie łaskotały. Obróciłam się. Miałam wrażenie, jakbym wsiadła do samolotu, a on nabrał dużej prędkości. W głowie poczułam charakterystyczny przeskok, gdy zmienia się ciśnienie.

– Coś się stało? – zapytał wolontariusz, który szedł koło mnie. – Coś pani zgubiła?

– Nie, nic – odpowiedziałam nieuważnie.

Poczułam się tak, jak dawno temu w dzieciństwie, kiedy próbowaliśmy za pomocą tarczy skomunikować się z duchem. Teraz też, jeszcze zanim rozgarnęłam krzewy i przeszłam na drugą stronę, wiedziałam, że zobaczę coś niemożliwego. Dłonie rozsunęły gałęzie, odsłaniając widok na niewielką polanę tonącą w mżawce. Znałam ją, tak dobrze ją znałam. Na ziemi leżało mnóstwo liści, a trawa była wysoka i bujna.

W moich wspomnieniach stała tam też młoda dziewczyna. Kołysała się z nogi na nogę w butach na koturnach. Kiedy na nią patrzyłam, zdawała się błyszczeć, jakby jej skórę posypano brokatem. Drobinki migotały i migotały w miarę, jak postać stawała się coraz bardziej niewyraźna, aż w końcu zniknęła, jakby zatopiła się w liściach. Jakby wchłonęła ją ziemia.

– To chyba dobrze, że niczego nie znaleźliśmy! – Mama uruchomiła silnik zaraz po tym, jak wóz Gorlickiej zniknął nam z oczu. – Sama nie wiem, czy to dobrze… Cholera!

Kątem oka odnotowałam ruch jej rąk i nagle z całą mocą uderzyła nimi w kierownicę.

– Nie rozumiem! Nie rozumiem! Nie potrafię się z tym pogodzić! – Oparła głowę o kierownicę i siedziała tak przez chwilę, próbując uspokoić oddech. – Alicja chce sprowadzić jakąś kobietę medium – oznajmiła już łagodniejszym głosem. – Powiedziała, że to popchnie sprawę do przodu, że dowiemy się, czy on… żyje. Może to dobrze. Tak, to na pewno dobrze. Ta kobieta nam pomoże. Powie, gdzie mamy szukać…

Przeraziła mnie myśl, że jesteśmy teraz jak te rodziny, którym współczułam, gdy oglądałam je dawno temu w telewizji, opowiadające o zaginionych bliskich. Nie mogły ich pożegnać, opłakać, złożyć na ich grobie kwiatów. Wtedy nie rozumiałam ich emocji, nie byłam w stanie wyobrazić sobie życia, w którym brakuje najważniejszych odpowiedzi i gdzie ludzie chwytają się każdej sugestii, nawet ezoterycznych portali, wróżek i kart tarota. Desperacja – przemknęło mi przez myśl. Ludzie muszą znać odpowiedzi, bo kiedy ich brakuje, wariują i tracą jasny osąd.

Teraz znajdowałam się pomiędzy nimi. Pokazywałyśmy do kamery twoje zdjęcie, powtarzałyśmy tę samą regułę, kontaktowałyśmy się z jasnowidzami. Nasze emocje były skrajne: zwątpienie w odnalezienie bliskich osób było interpretowane jako słabość charakteru. Wiara w ich powrót – jako nadzieja, matka głupich.

24

W moim pokoju na dywanie rozłożyłam twoje grafiki. Mama, kiedy tam weszła, przykucnęła przy nich. Zajmowałeś się grafiką komputerową od momentu, gdy Alicja kupiła ci pierwszy laptop, czyli od siedemnastego roku życia. Ostatnio coraz częściej przyjmowałeś zlecenia na strony Web od klientów indywidualnych. Zdarzało się też, że ktoś zamawiał u ciebie zdjęcia. Świat, który tworzyłeś za pomocą aparatu fotograficznego oraz programów graficznych, wydawał się idealny, piękny tak bardzo, jak piękne mogą być bajkowe pejzaże.

Spojrzenie mamy biegło po nocnym niebie, na którym znajdywały się dwa księżyce przypominające swoje lustrzane odbicia. Na pierwszym planie umieściłeś rozłożyste stare drzewo. Moją postać wpasowałeś pomiędzy konary, jakbym była ptakiem, który przycupnął pośród nich, żeby odpocząć.

Na innej fotografii znajdowałam się na plaży, nad krystalicznie czystym niebieskim morzem. W górze, zaraz za słońcem, widać było blade zarysy planet, nieznane galaktyki, gigantyczne, ciężkie od kolorów komety.

Uderzyło ją piękno tych zdjęć. Od razu przyszło jej do głowy pewne zdarzenie z dzieciństwa. Twoja wychowawczyni w drugiej klasie szkoły podstawowej uznała, że powinieneś uczęszczać na zajęcia dodatkowe, na które zabierano tylko dzieci przejawiające poważne problemy wychowawcze. Mama kojarzyła kilkoro uczniów z tej grupy. Byli wśród nich bliźniacy, którzy mimo ukończonych ośmiu lat bardzo słabo mówili, dziewczynka, która nie potrafiła rozwiązać najprostszego zadania, i chłopiec, który prawdopodobnie był trochę opóźniony w rozwoju. „Dlaczego? Co jest przyczyną?" – zaoponowała. „Pracujemy przecież nad jego problemami z koncentracją i wiem, że Staszek dobrze sobie radzi..."

Rozwijałeś się wolniej ode mnie, ale tylko we wczesnym dzieciństwie, później wszystkie różnice się wyrównały. Mama pamiętała, jak miałam trzy lata i składałam poprawne gramatycznie zdania, podczas gdy ty powiedziałeś swoje pierwsze w życiu słowo. Pamiętała też, jak spacerowaliśmy wokół jej domu i ja zadawałam miliardy pytań, a ty przystanąłeś w miejscu, gdzie na murze odprysł tynk, i powiedziałeś swoje pierwsze zdanie: „Tu jest dziura". Tak bardzo się z niego ucieszyła, że po powrocie do domu zadzwoniła, żeby pochwalić się Alicji. Ale ona nie podzieliła jej entuzjazmu. Nie było jej przy tobie, kiedy pierwszy raz usiadłeś. Nie ona trzymała cię za ręce, kiedy stawiałeś pierwsze kroki. Nie słyszała twojego pierwszego słowa, a mamą nazwałeś moją matkę, a nie ją.

I tak, stojąc przed nauczycielką, mama poczuła, że chce o ciebie walczyć i że zrobi wszystko, abyś nie trafił do tamtej grupy.

– Staszek często jest nieobecny – odpowiedziała kobieta z troską w głosie. – Nie słyszy, jak do niego mówimy. Czasem nie reaguje na polecenia.

– Ja też nie zawsze na nie reaguję! – zaoponowała i udało jej się wywołać lekki uśmiech na twarzy nauczycielki. Ale usta kobiety spoważniały, gdy dodała:

– Pani Alicja wyraziła zgodę na udział Staszka w zajęciach grupy i myślę, że podjęła słuszną decyzję.

– Rozmawiała pani o tym z Alicją?

– Oczywiście, przede wszystkim z nią, przecież to jego matka.

Mama opuściła wzrok, czując, jak na policzki występują jej gorące rumieńce.

– Czy miała pani okazję przejrzeć zeszyty Staszka? – zapytała nauczycielka, wyczuwając jej zmieszanie i chcąc złagodzić wydźwięk swoich słów.

Zeszyty wyjęła z twojego tornistra, gdy tylko wróciliśmy ze szkoły. Z początku notatki wydawały się jej spójne, podobnie dobrze radziłeś sobie z rozwiązywaniem zadań. Ale po kilku kartkach wszystko się rozmywało. Pismo zaczynało się niebezpiecznie pochylać na prawo, litery wymykały się z linijek. Spędziła nad twoimi zeszytami kilkanaście minut, szukając klucza, który dałby jej jakąś odpowiedź.

Klucz stanowił plan zajęć. Wkrótce wiedziała, które notatki sporządzałeś na początku dnia – te były dobre, konkretne, a pismo ładne – a które po południu, gdy twoja zdolność skupienia się spadała tak bardzo, że w jakimś momencie przestawałeś zawracać sobie głowę przepisywaniem z tablicy, tylko zaczynałeś rysować. Te rysunki też ją zaniepokoiły.

– Staszku! – przywołała cię z mojego pokoju. – Staszku, chodź tu na chwilę!

Zszedłeś do niej, wciąż rozbawiony, wołając coś do mnie. Byłeś boso – właśnie to zapamiętała, że kiedy przed nią stanąłeś, popatrzyła na twoje bose stopy, a dopiero potem na spodnie na szelkach, za które zatknąłeś kciuki, i w końcu dostrzegła twoją twarz.

– Staszku, to ty narysowałeś?

Niepokój w twoich oczach, tak wyraźny, jakbyś sam był rysunkiem, który właśnie został graficznie zmieniony, by wyrazić niepewność i strach.

– Kto to jest?

Pochyliłeś głowę.

– Mama – odpowiedziałeś po nieskończenie długiej chwili.

– A to?

Nawet nie spojrzałeś na rysunek.

– Ty.

– A to Jasmin, tak?

Wsunąłeś palec do buzi. Oduczyła cię tego kilka lat wcześniej, więc teraz bez zastanowienia pociągnęła za twoją rękę i natknęła się na wpatrzone w siebie oczy. Pierwszy raz popatrzyłeś na nią z gniewem.

– Nie patrz tak – odezwała się, więc posłusznie opuściłeś wzrok. – Chodź tu – skapitulowała, otaczając cię ramieniem. – Wiem, że kochasz swoją mamę, i wiem, że wolałbyś być z nią w domu niż tutaj, ze mną i Jasmin. Tak właśnie jest, prawda?

Nie odpowiedziałeś.

– Lubisz Jasmin, prawda?

Powolne skinienie głową.

– Skoro tak, to chyba wiesz, że strasznie płakałaby, gdyby coś ci się stało. Ja też bym płakała – dodała. – Wiesz? Wypłakałabym sobie oczy, gdybyś odszedł do innego świata tak jak na rysunku. Dlatego nie wolno ci rysować takich rzeczy, Staszku. Nie wolno ci tak nawet myśleć.

Wtedy popatrzyłeś na nią, już bez złości.

– Ona nie ma czasu – odezwałeś się niemal szeptem.

Pierwszy raz poczuła się całkowicie bezradna.

– Nie ma czasu, bo jest sama.

– Ma ciebie – zaoponowałeś.

– Tak, ale to nie wystarczy. Musi dużo pracować... – zawahała się. – Ale cię kocha, rozumiesz?

– Skąd wiesz?

W tamtym momencie poczuła złość na twoją nauczycielkę i panią psycholog, która według mojej mamy kompletnie nie umiała wniknąć do twego świata. Najbardziej jednak zaczęła złościć się na Alicję.

– Powiedziała mi o tym – skłamała z powagą w oczach.

Poruszyłeś się niespokojnie, ożywiony.

– Mi nie powiedziała.

– Nie miała czasu. – Idiotyczna odpowiedź, ale jedyna, jaka przyszła jej do głowy.

– Nie ma czasu pokazać, że mnie kocha – zgodziłeś się po chwili.

Otuliła cię ramionami i milczała, szukając właściwych słów. Na pewno było coś, co mogłaby ci jeszcze powiedzieć, ale nic nie przyszło jej do głowy. Aż do tej pory nie pomyślała, że ośmioletnie dziecko może uważać, że jest przyczyną wszystkich zmartwień swojej matki i bez niego radziłaby sobie lepiej.

25

Na spotkaniu w parafialnej sali przy kościele zebrał się tłum ludzi, którego większość stanowiły kobiety. Twoja matka wystąpiła w długiej sukience w żywym zielonym kolorze. Podziękowała radzie dzielnicy za pomoc w zorganizowaniu poszukiwań w lesie oraz za udzielenie wsparcia przy rozwieszaniu na mieście plakatów. Poprosiła również, żeby ludzie jeszcze raz spróbowali sobie przypomnieć, czy nie byli świadkami zdarzeń, które pomogłyby w zrekonstruowaniu wypadków.

– Mienimy się społecznością – podjęła głosem, którego moja matka jeszcze nigdy u niej nie słyszała.

Ze zdziwieniem patrzyła, jak niewyspane, podkrążone oczy jej przyjaciółki rozświetla upór, którego wcześniej również w nich nie było. W szczupłej twarzy te oczy nabrały jakiegoś szczególnego znaczenia. Przypominały oczy ludzi z kronik z drugiej wojny światowej albo zdesperowanych matek, które potrafiły wyciągać swoje dzieci z płomieni lub własnym ciałem osłaniać je przed strzałami.

– Nie potrafimy działać wspólnie. Wiem, że boicie się złych ludzi i że nie chcielibyście, aby wasze rodziny poniosły konsekwencje za doniesienie na tych, którzy odpowiadają za zniknięcie mojego syna. Jestem jednak przekonana, że wspólnymi siłami udałoby się nam zniszczyć zło, które zalęgło się na ulicach...

Wskazała twoje zdjęcie, które zostało powiększone do formatu plakatu i wisiało na korkowej tablicy.

– To mój syn, Staszek Kornowicz. Ma zaledwie dwadzieścia jeden lat. Zaginął siedem dni temu w biały dzień, blisko mojego domu! Jak to możliwe, że nikt niczego nie widział? Że nikt niczego nie słyszał? Że nie przyszły do mnie osoby, które potrafiłyby powiedzieć mi cokolwiek o jego losie? – Podniosła się z miejsca, a na jej bladej twarzy odmalował się gniew. Zgromiła ludzi wzrokiem, opierając dłonie o blat ławki. – Na pewno każdy z was ma rodzinę! Wielu z was ma dzieci!... Wiecie więc, jak to jest, kiedy nie ma ich w domu i nie macie od nich żadnej wiadomości! Kiedy umieracie ze zmartwienia!

Słuchacze kiwnęli posępnie głowami. Organizatorka spotkania, która zajmowała główne stanowisko w radzie dzielnicy, uniosła dłoń i Alicja oddała jej głos.

– Kiedy byłam mała, ludzie zwracali większą uwagę na to, co dzieje się wokół nich. – Głos kobiety trochę drżał, gdy zbliżyła do ust mikrofon. – Pamiętam, że nawet nie można było zapalić papierosa, żeby ktoś nie doniósł o tym mojej matce!

W tle rozległy się niepewne chichoty i pełen wigoru pomruk.

– Jak poszłam na wagary, miałam wokół siebie pięćdziesiąt osób skorych do wytargania mnie za ucho! Taka była stara szkoła, w której ludzie interesowali się losem drugiego człowieka!

– Tak! – potwierdził ktoś z tłumu, a kobieta cofnęła się na swoje miejsce, teraz otoczona przez ludzi, którzy poklepywali ją po plecach, gratulując wypowiedzenia słusznej uwagi.

– Mojego syna nie ma od siedmiu dni! – podjęła Alicja wciąż tak samo mocnym, przykuwającym uwagę głosem. Kiedy przymknęła oczy, pod cienkimi powiekami widać było ruch gałek ocznych. – Od siedmiu dni zasypiam i budzę się z myślą, że stało się coś złego! Codziennie przed snem mam wrażenie, że on już wrócił. Słyszę, jak porusza się po swoim pokoju, włącza laptop, siada na łóżku… – Alicja wciągnęła powietrze, nie zmierzając jednak do silnego akcentu na zakończenie swojej wypowiedzi. Obniżyła w zamian głos do ciepłego, matczynego brzmienia. Jej powieki rozchyliły się, odsłaniając senny błękit jej oczu.
– Słyszę go i boję się wstać i sprawdzić, kto naprawdę jest w jego pokoju, bo w głębi duszy doskonale wiem, że jeśli to zrobię, cała ta iluzja zniknie i stanę twarzą w twarz z pustką, jaka po nim została.

Ktoś powiedział głośno „Och!", a jedna z kobiet stojących w pierwszym rzędzie zaczęła oddychać przez usta, gdy jej nos zatkał się od kataru.

Moja matka siedziała po prawej stronie Alicji, na wysokości głowy miała jej szczupłe biodra otulone zielonym materiałem sukienki. Czuła, jak krew odpływa jej z twarzy. Pomyślała, że nie zapomni tej chwili do końca życia. Zalała ją fala zakłopotania, złości i miłości do stojącej koło niej Alicji. Ale jednocześnie wiedziała, że te uczucia opuszczą ją równie szybko, jak się pojawiły. Z bólem uświadomiła sobie, że to ona powinna wypowiedzieć te słowa i że gdyby popłynęły z jej ust, nie brzmiałyby może tak patetycznie, lecz na pewno byłyby prawdziwe. Zdumiała ją deklaracja, którą właśnie wypowiedziała w głowie: „Będę cię szukać dopóty, dopóki cię nie znajdę".

I momentalnie poczuła wściekłość na zły świat, na ludzi, którzy mieli dość pychy, by wykonać ci tamto okropne zdjęcie i którzy skrzywdzili cię w jakikolwiek sposób.

Głos Alicji przebił się przez zamęt jej myśli:

– Nie mówcie mi, że policja nie wypełnia swoich obowiązków, bo przypomina to zrzucanie winy na drugą osobę! – Opierała teraz dłonie o blat tak mocno, że skóra na jej palcach pobielała. – To my powinniśmy być policją! Jeśli ktoś zrobi coś złego, to my powinniśmy zareagować! W naszych blokach, w naszych rodzinach i na naszych ulicach to my jesteśmy policją!

Ludzie kiwali głowami, ktoś zawołał, że żyjemy w okropnych czasach. Alicja poczekała, aż aplauz ucichnie, i dopiero wtedy podjęła, już łagodniej:

– Wiem, że wiele osób, które dzisiaj tu przyszły, spędza większość dnia przy oknach!

Popatrzyła na dwie staruszki, które przed spotkaniem zostały jej przedstawione jako osoby mieszkające w bloku graniczącym z lasem, gdzie w feralny poniedziałek miałeś roznieść gazety. Ominęła wzrokiem emerytowanego policjanta, który zamieszkiwał w jej kamienicy, i w końcu zerknęła na wdowę z wieżowca, gdzie przesiedlono rodziny z Chyloni niepłacące czynszu. Była całkiem głucha i większość dnia spędzała właśnie przy oknie, na którym trzymała nawet dla wygody poduszkę. – Nie wierzę, że nikt niczego nie widział ani niczego nie słyszał. Apeluję teraz do waszych sumień: proszę, przyjdźcie do mnie, jeśli wiecie coś o losie Staszka!

Ludzie rozchodzili się niechętnie, przystając w grupkach, gdzie toczyły się dyskusje. Mama ciągle siedziała na krześle, dziwnie wyjałowiona i rozbita, podczas gdy twoja matka prowadziła rozmowę z chudą, wysoką kobietą o jasnych włosach.

– Te płonące samochody... – mówiła kobieta, co chwila oglądając się na mijających ją ludzi i odpowiadając na ich pozdrowienia skinieniem głowy. – Nie myślała pani, że to mogą być te same osoby, które wyrządziły krzywdę Sebastianowi?

– Staszkowi – poprawiła ją Alicja.

– Staszkowi. Ludzie się boją... Dzień dobry! – Uśmiechnęła się do mijającej ją kobiety i znowu przeniosła spojrzenie na Alicję. – Ale te płonące samochody... to może mieć coś wspólnego ze zniknięciem Seba... Staszka. Zapytam mojego syna, czy coś o tym wie.

Alicja skinęła głową, a kobieta obdarzyła ją pełnym współczucia uśmiechem i jej wzrok padł na moją mamę.

– Pani syn nie chodził przypadkiem do szkoły z moim synem? – zapytała z ożywieniem.

– Nie mam syna – odpowiedziała mama i zmobilizowała siły, żeby wstać.

– Nie ma pani w ogóle dzieci?

– Mam córkę.

– Córkę. Jak jej na imię?

– Jasmin.

– Jasmin... – Poszukała czegoś w głowie, jednocześnie mrużąc oczy. – Jasmin... – Przytaknęła w roztargnieniu. – Nie wiem, nie mogę sobie przypomnieć... Dlaczego wydaje mi się, że widziałam panią z chłopcem?

Mama ściągnęła z oparcia krzesła torebkę i zarzuciła ją na ramię.

– Nie mam syna... – powtórzyła niecierpliwie. – Może widziała mnie pani ze Staszkiem. Zajmowałam się nim przez jakiś czas, ale to było wiele lat temu.

Kobieta zamrugała, zaskoczona.

– Z tym Staszkiem? – wskazała na wiszące na korkowej tablicy zdjęcie. Nadal się nad czymś zastanawiała, a jej głos zabrzmiał teraz jak w pokutniczym zaśpiewie: – Tak właśnie panią kojarzę: panią i jasnowłosego chłopca, śliczego jak z obrazka! Mieszka pani gdzieś w okolicy?

– Nie. – Mama włożyła kurtkę i wbiła ponaglający wzrok w Alicję. – Mieszkam za kanałem. – Uświadomiła sobie, że odpowiada trochę zbyt opryskliwie, na odczepnego, bo tak bardzo chciała już stąd wyjść.

Spojrzenie kobiety wystrzeliło znad umalowanego na bordo paznokcia.

– No tak, to pani! Mój syn… Dawne czasy. Mąż nigdy nie umiał się ładnie zachować. Odszedł od nas już kilka lat temu. Chciałam panią przeprosić za zachowanie męża. Taki on już był, że wszystko załatwiał krzykiem. A przecież powinien był pani podziękować, bo zapomniał odebrać syna ze szkoły, a pani zrobiła nam taką przysługę, biorąc go do domu na obiad!

– Przysługę? – Zniecierpliwienie sprawiło, że nie miała już nawet ochoty zastanawiać się, o czym rozmawiają. Jaką przysługę? Syn? Mąż? Kiedy? – Nie ma sprawy...

– Ależ tak, jest sprawa. Przecież gdyby nie pani, syn czekałby całe popołudnie pod szkołą bez obiadu i…

– Naprawdę, żaden kłopot.

Kobieta jednak uparcie blokowała jej drogę.

– Ale chciałam podziękować, chociaż minęło tyle lat. Zapytam Jasia o tego chłopca z plakatu. On ma tak wielu przyjaciół… Może coś wie, może coś widział…

– Przepraszam, naprawdę się spieszę. – Odeszła szybkim krokiem, przepychając się przez dyskutujące grupki ludzi.

– Wspaniałe przemówienie! – Ktoś klepnął ją w ramię, jakby to jej należały się gratulacje. – Nie potrafię sobie wyobrazić tego bólu!...

W pośpiechu minęła drzwi i odprężyła się dopiero na zewnątrz, gdy poczuła na twarzy powiew chłodnego wiatru. Wsunęła się w niewielkie zagłębienie w murze domu parafialnego i w torebce wyszukała paczkę papierosów. Spojrzenie wystrzeliło do cmentarza, przez który przedzierał się sznur ludzi, manewrując między nagrobkami, żeby skrótem dostać się do pasów dla pieszych.

– Ciekawe wystąpienie – odezwała się niska, drobna kobieta, w której rozpoznała Gorlicką.

Uświadomiła sobie, że pierwszy raz widzi ją bez munduru. Jej ciuchy okazały się proste i kobiece: wąska spódnica, koszula z długimi rękawami, na stopach szpilki. Zlustrowała ją wzrokiem, próbując jednocześnie przypomnieć sobie policjantkę z poprzedniego dnia, ubraną w ochronny kombinezon.

– Nie wiedziałam, że była pani na zebraniu.

Błysnął ogień w zapalniczce, kiedy mama zbliżyła ją do papierosa.

– Jestem wyczerpana.

Znowu spojrzała na cmentarz. Naszły ją dziwne myśli, które odebrały jej chęć do dalszej rozmowy. Gorlicka, jakby wyczuwając jej nastrój, też nie drążyła tematu. Oparła się o mur i razem spoglądały na płyty nagrobne. Potem ich uwagę przykuła Alicja, która wyszła ze spotkania otoczona wieloma kobietami.

Mama miała chęć skomentować to słowami: „Od dzisiaj ma swoich wyznawców", ale w końcu uznała to za niestosowne.

– Świetnie sobie radzi – odezwała się policjantka, jakby pomyślała o tym samym.

Skinęła głową.

– Nie znałam jej takiej – wyznała. – Zawsze była skrajnie samotna i mogła liczyć tylko na mnie i na siebie. To jakiś paradoks, że właśnie teraz, w tej sytuacji nareszcie ma wokół siebie ludzi, którzy się nią interesują...

– Pani Renato – Gorlicka zatrzymała moją mamę, kiedy ta schowała papierosy do torebki, a niedopałek trzymała w palcach przekonana, że nie powinna rzucać go na ziemię przy policjantce. – Widziałam kilka grafik komputerowych, które zrobił Staszek. Ma duży talent, prawda?

– Tak, nigdy nie mogłam odżałować, że nie poszedł na ASP. Alicja nie chciała go dać do liceum plastycznego, a według mnie o niebo lepiej by sobie tam poradził niż w ogólniaku.

– Sam nauczył się obsługi programów graficznych?

– Tak, chyba tak.

– Dobrze je opanował, prawda?

– Tak, dobrze.

– Widziałam zdjęcie, na którym wokół Jasmin są takie wysokie trawy, pełne żyłek i kropel rosy. – Gorlicka ruchami rąk pokazała wysokość traw, zdecydowanie przeskalowaną. Na jej ustach pojawił się uśmiech pełen podziwu i niedowierzania: – Spomiędzy nich wychodzi tygrys... – Kiwnęła głową z uznaniem. – Niewiarygodne! Gdybym nie wiedziała, że można coś takiego zrobić na komputerze, pomyślałabym, że pani córka naprawdę się tam znalazła!

Coś było w tych słowach, co zmusiło moją mamę, żeby spojrzeć na nią uważniej. Ostatnie zdanie powtórzyła

w myślach, mając nieodparte wrażenie, że stoi koło czegoś, czego nie potrafi dostrzec.

– Przepraszam, jestem taka zmęczona, że lecę z nóg
– odpowiedziała po chwili, jeszcze raz rozglądając się
za śmietnikiem. – Pojadę już do domu. Do widzenia.

26

Kiedy zaczęło się zmierzchać, byłam w salonie. Sięgnęłam do włącznika światła, ale okazało się, że nie ma prądu. Przez kilka ciągnących się chwil stałam w bezruchu, nasłuchując ciszy. Na dworze wiał wiatr, słyszałam, jak napiera na szyby i świszcze w nieszczelnych futrynach. Po omacku doszłam do schodów.

Cisza. Długie korytarze teraz, w mroku, niepodobne do tych widywanych za dnia. Jako dzieci bawiliśmy się tutaj w duchy. W końcu usiadłam na najniższym stopniu i ukryłam twarz w dłoniach.

Przypomniałam sobie, że jako dzieci zbieraliśmy się z Tanią, Olgą i Marcinem na drodze przy kanale i – oświetlając sobie latarką twarze – opowiadaliśmy wszystkie niesamowite zasłyszane historie. Duchy w naszych opowieściach przychodziły po to, by dręczyć i niepokoić ludzi, przez których odeszły z tego świata śmiercią tragiczną. Uwielbialiśmy historię o duchu wisielca z oksywskiego lasu albo te o człowieku bez głowy, który podobno wszedł przez okno do pokoju, gdzie spała babcia Tani. Był też duch utopionego dziecka, którego widywano blisko zbiornika wodnego na Obłużu – pobliskiej dzielnicy Gdyni. I rodzina zabita przez ciężarówkę na drodze prowadzącej wzdłuż lasu na Hel – rodzina, którą można było potem zobaczyć w blasku reflektorów idącą poboczem drogi…

Najdziwniejszą historię opowiedział nam Marcin. Jak był mały, jechał z ojcem TIR-em obwodnicą trójmiejską. Reflektory samochodu oświetlały pobocze drogi ostrymi snopami. W jakimś momencie zauważył, że z lasu wyszło kilka saren. TIR akurat się do nich zbliżył, a zwierzęta oślepione przez światło zaczęły na siebie wpadać. Wtedy Marcin spostrzegł między nimi człowieka. Wyglądał jak autostopowicz, nawet wyciągał rękę w taki sposób, jakby próbował zatrzymać jadące auto. Tyle że jego ciało było jakby uszyte z jutowego worka.

W swoim pokoju, wciąż poruszając się po ciemku, włączyłam laptop i usiadłam na obrotowym krześle, z ulgą stwierdzając, że bateria jest pełna. Podczas gdy na ekranie ładowały się ustawienia, odwróciłam twarz do okna. Z wiatrem przyszedł deszcz. Krople rozbijały się o szyby, pluskały na parapecie.

„Duch" – wpisałam w internetową wyszukiwarkę. „W folklorze ludowym i według spirytystów ludzka istota żyjąca po śmierci fizycznej ciała człowieka, bytująca w świecie pozamaterialnym" – przeczytałam w pierwszym linku z brzegu. W miarę jak zagłębiałam się w informacje na temat pisma automatycznego, występującego, gdy medium jest w transie, a duch porusza jego ręką, przestałam zwracać uwagę na dźwięki za oknem. Przeglądałam rząd automatycznych rysunków, które powstały w ten sposób. Najczęściej pojawiało się na nich światło w długim czarnym tunelu, czasem sylwetki ludzi przypominające cienie. Czytam, że kontakt z duchami jest możliwy na wiele sposobów: poprzez dźwięki, dotyk, zapach, poruszanie przedmiotów, pismo, rysunek i muzykę. Znalazłam też wywiad z kobietą, która przez lata badała świat zmarłych. Napisała, że kiedy mówi się o duchach, ludzie od razu widzą Patricka Swayze z filmu *Uwierz w ducha*, który czuje, cierpi, a nawet płacze. „Ale to tylko bajka wymyślona na komercyjne potrzeby" – dodała. „Prawdziwe duchy nie odczuwają takich emocji, one są jakby... we śnie. «Sen» to słowo klucz".

Odchyliłam się na krześle, wyrwana z zamyślenia przez odgłos silnika samochodu mamy, który przebił się przez zawodzenie wiatru. Po szybie prześlizgnęły się światła, kiedy volvo wjechało do garażu.

Zaczęłam myśleć o swoich snach. Potrafiłam w nich zorganizować jakąś akcję, odpowiedzieć na kilka pytań, ale pewne rzeczy były niejasne, o innych w ogóle nie pamiętałam, a jeszcze inne rozpływały się albo nagle zmieniały. „Dlatego kiedy obcuję z duchami, muszę zwracać się do nich jak do dzieci i kategorycznym tonem wydawać dyspozycje" – dodała kobieta. „Zresztą ta ich «głupota» jest częstym motywem niepokoju bliskich osób, które pragną skomunikować się z kimś z rodziny i oczekują, że będzie on taki sam jak za życia".

Zanim mama zdążyła wejść do domu, przeczytałam jeszcze, że duchy pobierają energię z otoczenia i dlatego świadkowie ich manifestacji odczuwają przejmujące zimno. Materializują się na chwilę, a potem znikają na długie tygodnie, a nawet miesiące.

– Jasmin? – Mama uchyliła drzwi do pokoju. – Myślałam, że śpisz. Nie ma prądu? A sprawdzałaś korki?

– Nie sprawdzałam – przyznałam, minimalizując otwartą stronę.

Szara rzeczywistość wróciła tak nagle, jakby czarodziej pstryknął palcami. Poczułam ciężar w piersiach, kiedy uświadomiłam sobie, jakie smutne oczy ma mama i jaka jest zmęczona.

– Jak było na spotkaniu? – zapytałam, podnosząc się z krzesła. – Są jakieś nowe wiadomości?

Pokręciła głową i ze znużeniem oparła policzek o futrynę.

– A u ciebie?

Minęła chwila i ja też zaprzeczyłam.

– Nie martw się – odezwała się, przytulając palce do mojego policzka. – Alicja dobrze sobie radzi, Gorlicka też była na spotkaniu... Myślę, że naprawdę zależy jej na odnalezieniu Staszka. Ona nie działa rutynowo, wiesz? Tak mi się wydaje. Naprawdę się stara.

27

Dawniej

– **H**ej – mówisz, a ja jak najspokojniej odpowiadam:

– Cześć.

Śmiejesz się i ja też się uśmiecham. Serce uderza mi mocno w piersiach.

– Gdzie teraz jesteś? – pytasz, więc rozglądam się po pokoju.

– U siebie. A ty?

– U siebie.

Chwila ciszy. Mam wrażenie, że zaraz coś nam przerwie, że pod jakimś pretekstem się rozłączysz.

– Fajnie cię słyszeć, Jasmin. – W twoim głosie brzmi niepewność, ale i tak się zmienił, mówisz teraz jak dorosły mężczyzna.

– Ciebie też – odpowiadam, siląc się na obojętność.

– Masz w ten weekend czas? – pytasz.

Odsuwam słuchawkę od ucha i siedzę tak przez chwilę. Nie spodziewałam się tego. Nie tego.

– Moja matka wyjeżdża na cały weekend, więc pomyślałem, że może wpadłabyś do mnie, do Słupska. Minęło sporo czasu, ale… – wahasz się. – Przyjedziesz?

Od naszego ostatniego spotkania minęło ponad pół roku. Przeprowadziłeś się z mamą do Słupska krótko po tamtych wydarzeniach w lesie. Pisaliśmy do siebie listy, dzwoniliśmy i przez pierwszy rok staraliśmy się spotykać tak często, jak to było możliwe. Alicja wyszła za mąż, w niewielkiej restauracji zrobiła przyjęcie z tej okazji, na którym poza mną i mamą byli goście z rodziny Janusza. Po tym wydarzeniu nasze kontakty stawały się coraz rzadsze. Coraz częściej nie oddzwaniałeś, z opóźnieniem odpowiadałeś na SMS-y. Minął kolejny rok i zaczęłam rozumieć, że nie jesteśmy już parą. A teraz ten telefon.

– W sobotę rano – mówię i sama nie wierzę, że to robię, że w sobotę cię spotkam.

– Okej. W sobotę. To jeszcze mi powiedz, który pociąg ci sprawdzić. Z rana czy wolisz przyjechać po południu?

Nie powinnam tam jechać, tak myślę. Ale ciągle jestem dziewczyną zakochaną w tobie wielką szczenięcą miłością. W moich wspomnieniach dotykam kwiatka pomiędzy piersiami w moim pierwszym w życiu staniku… dotykam twojej twarzy, odgarniam z niej mokre włosy… Leżymy na plaży, śmiejąc się, a niebo nad nami wygląda, jakby zaraz miało spaść…

– Będę z samego rana. Sprawdź jakiś wczesny pociąg i napisz mi, o której mam do niego wsiąść.

28

O dbierasz mnie z dworca w strugach ulewnego deszczu.

– Witaj – mówisz z uśmiechem, który rozjaśnia nie tylko twoje usta, ale też oczy.

– Cześć – odpowiadam i nie wiem, co robić, jak się zachować i czego właściwie oczekiwać przed tym spotkaniem.

Ale z tobą wszystko jest łatwe, więc zanim zdążę zadać sobie tysiąc trudnych pytań, przytulasz mnie. Mija nas korowód ludzi, którzy też wysiedli z pociągu, lecz mam wrażenie, jakby oni wszyscy trafili na ścieżkę przyspieszonego przewijania na filmie, podczas gdy my poruszamy się w normalnym tempie.

Kładziesz dłonie na stole, a ja zauważam, że masz obgryzione paznokcie, a skórki wokół nich są zaczerwienione. Nigdy wcześniej tak nie było. Kiedy zacząłeś to robić? – myślę, a na głos mówię, żebyś zamówił mi piwo ze sprite'em.

– Z czym? – przyglądasz mi się z uśmiechem. – No dobra, skoro takie teraz pijasz wynalazki...

Kiedy stoisz przy barze, spoglądam z niedowierzaniem na twoje trochę zgarbione plecy. Włosy ciągle sięgają ci ramion. Nie potrafię oderwać od ciebie oczu, przyzwyczaić się nie tyle do zmian, ile do tego, że jesteś, że cię widzę po tak długim czasie. Jasne, że podoba mi się twój beżowy sweter w grube warkocze. Podobają mi się twoje spodnie z kieszeniami na bokach, tenisówki z kolorowymi sznurowadłami, to, że na nadgarstku masz zaplątany rzemyk, a na szyi jakieś drobne afrykańskie koraliki. Podobają mi się wszystkie zmiany, jakie zauważam. Ty mi się podobasz. Już prawie zapomniałam jak bardzo!

– Więc teraz pijesz słodkie piwo? Podziwiam! Będę obserwował twoją minę, kiedy weźmiesz pierwszy łyk!

Kładziesz przede mną frytki i stawiasz pokal. Sobie zamówiłeś kawę.

– Zmieniłaś się – mówisz łagodnie, ciepło, a twoje spojrzenie obejmuje moją twarz, biegnie od jednego oka do drugiego i trafia na usta.

Spoglądasz na czarną bluzkę, która spada mi z ramienia, i uśmiechasz się w taki sposób, jakby nic się nie zmieniło, jakbyśmy ciągle byli tamtymi nierozłącznymi dzieciakami.

– Ty też – odpowiadam, starając się, żeby mój głos brzmiał beztrosko. – Też się zmieniłeś. Co teraz robisz?

Oplatasz palcami uszko filiżanki.

– Strony internetowe dla klientów, również takich, których kiedyś uważałem za kompletnych oszołomów albo z którymi nie chciałem mieć nic wspólnego.

– Z kim nie chciałeś mieć nic wspólnego?

Pocierasz oko i w zabawny sposób starasz się opowiedzieć mi historię, jak to niedawno zgłosił się do ciebie jakiś człowiek, który zajmuje się fotografią. Prowadzi sklep, gdzie na zapleczu fotografuje się dziewczyny i chłopaków. – Przygotowałem mu panel, żeby sam mógł moderować zmiany na stronie. Nie chcę się w tym babrać, nie u niego, Jasmin. Jak mi zaczął podsyłać zdjęcia do zamieszczenia, to... Jezuuu, nie wiedziałem, czy iść z tym na policję, czy go olać, czy po prostu wziąć kasę, którą mi dawał, i zrobić, o co prosił. – Z kieszeni parki wyjmujesz paczkę papierosów i jednego kierujesz do ust. – Zrobiłem, co chciał, ale jak zadzwoni następnym razem, powiem, że już się tym nie zajmuję.

Zdumiewa mnie, że nie gubisz się w tych wszystkich internetowych znakach, że udało ci się opanować jakieś programy, na których ja kompletnie się nie znam, że na tym zarabiasz, podczas gdy ja od poniedziałku do piątku ślęczę nad małą czcionką podręczników, przygotowując się do egzaminów na wydział prawa. Myślę o czasie bez ciebie, gdy spotykałam się głównie z koleżankami i robiłyśmy same babskie rzeczy, na przykład w przymierzalniach sklepów ubierałyśmy się w sukienki i wychodziłyśmy jak modelki, układając dłoń na biodrze, i pytałyśmy jedna drugą: „I jak?".

Patrzę na twoje dłonie, w których obracasz papierosa. Patrzę na nadgarstek, na którym wiążesz błękitny rzemyk. Wodzę wzrokiem za kosmykiem włosów, który spada ci na oko, i myślę o tych wszystkich scenach niemieszczących się w scenariuszu babskiego filmu: tych, gdy chowałam usta pod wodę, żeby krzyczeć. Albo patrzyłam na siebie i koleżanki tak, jakby dzieliła nas ściana. I nienawidziłam tych wszystkich nowych sukienek w szafie, tych fryzur, które robiły mi przed lustrem, powtarzając: „Tak byłoby ci dobrze". Tej piosenki Beyoncé, którą śpiewały razem z radiem, *If I was a boy*. Przychodzi mi na myśl dzień, gdy mama wspomniała, że jak była z wizytą u Alicji, widziała cię z jakąś dziewczyną. Albo tamten, kiedy twoja matka zadzwoniła do nas i z dumą oznajmiła, że jedna z twoich prac zdobyła pierwsze miejsce w konkursie, którego tematem było szczęście. Opublikowała ją gazeta słupska. Oczywiście jeszcze tego samego dnia poszukałam jej w Internecie. Zatytułowałeś ją *Wieża Babel* i narysowałeś budynek, który przypominał mój dom.

– Co z twoim ojczymem? – pytam. – Wszystko w porządku? Dobrze się dogadujecie?

– Mylisz pojęcia – odpowiadasz trochę niecierpliwie. – To nie jest mój ojczym, tylko facet mojej matki.

– Wyszła za niego, więc chyba niczego nie mylę.

Strzepujesz popiół z papierosa.

– Cywilnie, Jasmin. Nie wzięli ślubu przed Bogiem.

– Przed Bogiem? – powtarzam i zaczynam się śmiać. – No, proszę! Od kiedy stałeś się religijny?

Też się śmiejesz i spoglądasz na mnie trochę tak, jakbyś bał się mi przyglądać zbyt długo.

– Co u twojej matki? – zmieniasz temat, zanim zdążę zadać kolejne pytanie. Obracasz popielniczkę wokół jej osi.

– Nic nowego. Często pyta Alicję o ciebie.

Martwi się, że nie chcesz zdawać na żadne studia, że w weekendy pracujesz na stacji benzynowej. Że żyjesz gdzieś tam, w Słupsku z Alicją i jej mężem, i ona nie wie jak ani czy wszystko jest w porządku.

– Powinieneś się z nią spotkać. Cieszyłaby się.

Patrzysz na stół i nic nie mówisz.

– Naprawdę.

Kiedy nie odpowiadasz, delikatnie szturcham twoją dłoń.

– Staszek, cieszyłaby się, wiem o tym!

Podnosisz na mnie wzrok.

– Wiem.

Unosisz kołdrę, odsłaniając fragment mojej twarzy. Nakłada się na ciebie kalka – znowu jesteś czternastoletnim chłopcem, który całuje pierwszą w swoim życiu dziewczynę.

– Hej! – uśmiechasz się.

– Cześć – odpowiadam i też się śmieję.

Oddycham ciężko, zdziwiona, że to mój oddech, że to moje serce tak łomocze w piersiach. Włoski elektryzują się na skórze, kiedy moje udo ociera się o twoje. Unosisz moją koszulkę, palce biegną po skórze, łaskoczą, aż zaczynam się śmiać.

– Zamknij oczy – prosisz.

Powieki opadają i wtedy wyraźnie czuję, jak się nade mną pochylasz, bardziej i bardziej, aż oddech dotknie ust, aż twoje wargi otrą się o moje. Pocałunek jest delikatny, jak trzepnięcie skrzydeł motyla. Przewracasz mnie na plecy i przytulasz twarz do moich piersi.

– Tęskniłem za tobą – szepczesz, słuchając, jak bije mi serce.

Rozgarniam twoje włosy, podczas gdy całujesz miejsce wokół pępka i żartujesz, że tutaj jest mój początek. Dotykasz każdego fragmentu, który odsłoniłeś z ubrań, wsuwasz ręce w moje dłonie i zaciskasz je coraz bardziej, gdy nasze ciała się kołyszą, gdy wyginają się w łuk, gdy zasłaniasz mi usta swoimi ustami, żeby stłumić jęk, krzyk, gdy tracimy nad sobą kontrolę.

W wannie podciągam kolana do piersi i robisz to samo. Siedzimy naprzeciwko siebie, przyglądając się sobie w jasnym świetle z sufitu. Chcę zapytać cię o tamtą dziewczynę, z którą widziała cię moja matka, oraz o to, co właściwie dla ciebie znaczy spotkanie ze mną. Chcę też wiedzieć, co ci się stało, bo zauważyłam na twoich plecach ślad niewiele większy od paznokcia, szary, przypominający wypalone i już zagojone miejsce.

– Jasmin?

Moje stopy pod wodą trafiają na twoje. Słyszę, jak nabierasz tchu, i wtedy ogarnia mnie strach, że zaraz powiesz coś o lesie, o tym, co cały czas podświadomie wiem. W mojej głowie pojawia się i znika obraz, po którym zostaje tylko zły, ciemny powidok.

Dawno temu mnie okłamałeś. Tak właśnie myślę. To dlatego jesteśmy tu dzisiaj jak obcy ludzie.

– Jasmin, muszę ci coś powiedzieć. Powinienem był zrobić to już dawno. Posłuchaj…

Minęło wiele godzin, a może nawet tygodni i miesięcy, zanim nabrałam pewności, czego staliśmy się świadkami w lesie i jakie to miało znaczenie. To, co nie do pomyślenia, jest wykonalne – jak mawiała moja mama, kiedy jeszcze byliśmy mali, ale miała na myśli dążenie do bycia lepszym i zdobywanie wiedzy. Nigdy nie sądziłam, że ode mnie może zależeć los drugiej osoby. Gdybyś mnie o to zapytał wcześniej, potrafiłabym ci dokładnie powiedzieć, co należy zrobić w sytuacji, w jakiej się znaleźliśmy. Ale w dniu, kiedy to się rozegrało, wszystkie te mądrości wyleciały mi z głowy. Później zdumiewało mnie, jak szybko wszystko się wydarzyło, jak szybko było już po.

Obraz, którego staliśmy się świadkami na leśnej polanie, pasował i jednocześnie nie pasował do wizji zbrodni, jaką wyniosłam z filmów, programów i książek. W filmach takie sceny rozgrywały się dramatycznie, przy głośnej, wibrującej muzyce. Ofiara krzyczała, broniła się... Na polanie było cicho. Dziewczyna jęczała, zamiast krzyczeć. Chwiała się na nogach, zamiast się bronić. Oglądając to z daleka, można było dać się oszukać, że nie dzieje się nic złego, że to tylko jakiś rodzaj zabawy. Ale to nie była zabawa i z każdym kolejnym rokiem, kiedy rodzina Kamili Jamroz szukała swojej córki, ta świadomość mnie dosłownie paliła.

Gdy wyjechałeś do Słupska, co i rusz natykałam się na plakaty informujące o zaginięciu Kamili. W telewizji obejrzałam wywiad z jej rodzicami. Siedziałam jak wmurowana w fotelu, słuchając rozmowy z ekspertami, którzy opowiadali o handlu ludzkim towarem, o tym, że od czasu, jak dołączyliśmy do Unii Europejskiej i trafiliśmy do strefy Schengen, handel ludzkim towarem przybrał na sile i staliśmy się nie tylko krajem, z którego wywozi się ludzi, ale też miejscem docelowym tej działalności. Sugerowano, że właśnie taki los spotkał Kamilę. Uważano, że powiększyła alarmującą liczbę dziewczyn, które zostały porwane i zmuszone do prostytucji. Znajdowano też świadków, którzy twierdzili, że spotkali ją poza granicami Polski. Ktoś widział ją płaczącą w łazience na stacji benzynowej pod Berlinem, a kiedy próbował wydobyć z niej, co się stało, zabrało ją stamtąd dwóch mężczyzn.

Ktoś inny był jej klientem. Jedna z dziewczyn, z którymi się przyjaźniła, po latach zdradziła dziennikarzom tabloidu, że obie umawiały się na sponsorowane randki. „Nie wierzę w to!" – oponowała matka Kamili w wywiadach.

Przypomina mi się, jak któregoś wieczoru, niemal dwa lata po zaginięciu Kamili, wpisałam w wyszukiwarkę internetową jej imię i nazwisko. Sama nie wiem właściwie dlaczego. Informacje o jej zaginięciu znałam, widziałam też wiele wywiadów z jej rodzicami oraz młodszą siostrą. Mimo to kolejny raz przedzierałam się przez artykuły, jakie o niej powstały. Zagłębiałam się w mroczny świat, w którym na ulicach ginęli ludzie, a przestępcy wychodzili z więzień po odbyciu zaledwie połowy wyroku. Przerażało mnie to, czego się dowiadywałam. Kary wydały mi się nieadekwatne do popełnionej zbrodni, a przestępcy większą ich część spędzali w aresztach. Czytałam dane statystyczne, z których jednak wynikało, że przestępczość na ulicach spada z roku na rok.

Od zaginięcia dziewczyny minęły dwa lata. Przez ten czas policja nie zatrzymała ani nie skazała nikogo. Nie odnaleziono też ciała i w końcu sprawa została zamknięta. Jej matka założyła fundację wspierającą rodziny zaginionych osób. Współpracuje z większą instytucją i udało im się razem ustalić miejsca pobytu trojga poszukiwanych dzieci. Udzieliła wielu wywiadów i opowiedziała o problemie przestępczości w krajowych mediach.

Zdaję sobie sprawę z tego, że powinniśmy byli od razu po wyjściu z lasu zadzwonić na policję. Dzięki temu Kamili nie stałoby się nic złego, a pani Jamroz byłaby dzisiaj tylko nauczycielką matematyki w jednym z gdyńskich gimnazjów, nie założyłaby żadnej fundacji i nie odnalazłaby tamtych dzieci ani nie pomogłaby wielu rodzinom, którym zaginęli bliscy. Jej młodsza siostra być może nie poszłaby do wyższej szkoły policyjnej, tylko na uniwersytet, na jakiś modny wydział. Ale Kamila wróciłaby do domu. A skoro tak, ja i ty mielibyśmy szansę na wspólne szczęście.

Na rzęsach osiadły ci krople wody. Pozornie skupiasz się na gąbce, którą opłukujesz mi ramiona z piany, ale wyczuwam, że twoje ruchy stają się coraz wolniejsze.
– Nie zadzwoniłeś wtedy po policję, prawda?
Jak to bywa z większością złych rzeczy, nie jestem przygotowana na to, co mi odpowiesz, chociaż od lat nie spodziewałam się, że zaprzeczysz. Pod wodą układam dłonie na brzuchu w miejscu, gdzie gromadzi się strach.
– Nie, nie zadzwoniłem. Chciałem, naprawdę, ale...
– Wpatrujesz się w wodę, jakbyś nie wiedział, co możesz jeszcze dodać. – Pomyślałem, że skoro znaleźli mój sweter... Codziennie mijaliśmy się na podwórku i na pewno wiedzieli, że należy do mnie... Miałem w głowie mętlik i miliard pomysłów rodem z Dostojewskiego...
– Po twoich ustach przebiega cień niewesołego uśmiechu i natychmiast gaśnie. Dodajesz cicho i pewnie, dlatego twoje słowa mają tak wielką moc: – Mówimy o ludziach, którzy prawdopodobnie zgwałcili i zabili dziewczynę. Nie wiem, co mam ci powiedzieć. Chyba po prostu się bałem.
Elektryzuje mnie słowo „zabili". Właściwie to jest jedyna rzecz, na jakiej mogę się teraz skupić. Zapada długie, niezręczne milczenie.
– Wiesz co – odzywasz się – zrobiłem straszną rzecz, że nie zadzwoniłem wtedy na policję. Ale minęło tyle czasu i... Tak naprawdę nie mam nawet pewności, że to

Kamilę widzieliśmy na tamtej leśnej polanie. I że stało się jej coś złego. Chyba nie chciałbym mieć przez to teraz problemów.

Z rana odwozisz mnie na dworzec i tam żegnamy się trochę oficjalnie.

– Do zobaczenia, Staszku.

– Daj mi znać na komórkę, jak dojedziesz do domu – odpowiadasz i uśmiechasz się w ten miły sposób, jaki zapamiętałam.

Widok ciebie samego na peronie boli nie do wytrzymania.

– Przyjedź do mnie – proszę.

Odległość, która rok temu wydawała się wręcz nie do przebycia, kurczy się do dwóch godzin spędzonych w pociągu. Chcę, żebyś do mnie przyjechał, chcę, żebyśmy znowu byli razem, bez względu na wszystko.

– Nienawidzę się z tobą żegnać – odpowiadasz, krzyżując ramiona na piersiach.

Zbliżasz się do pociągu akurat, kiedy konduktor gwiżdże i mamy ruszyć. Skład powoli zaczyna się toczyć, więc idziesz wzdłuż peronu.

– Zadzwonię do ciebie, Jasmin, i ustalimy spotkanie…

Teraz, kiedy mam odjechać, czuję, jakby coś rozdzierało mnie na pół, i zrobiłabym wszystko, żeby tylko być z tobą.

Pociąg przyspiesza i zostajesz w tyle.

29

Przed owalnym lustrem maluję oczy, ciemnymi pastelami pokrywając całą powiekę. Potem obrysowuję kredką oczodół, a na koniec mocno tuszuję rzęsy.

– Jest ładna pogoda – informuje mnie mama, stając w drzwiach. – Za chwilę masz egzaminy na studia, powinnaś wykorzystać czas i wyjść trochę na świeże powietrze.

Jeśli mój nowy demoniczny wizerunek ją martwi, nie wspomina o tym. Ze spokojem, który pewnie zżera ją od środka, stwierdza, że siedzenie w domu niczego nie zmieni.

– W sklepach są teraz duże wyprzedaże – dodaje na zachętę. – Powinnaś wybrać się tam z Tanią albo Olgą.

Kiedy cofa się do drzwi, jej wzrok napotyka na plakat Marilyn Mansona, który powiesiłam na szybie. Krzywi usta w grymasie, jakiego jeszcze nigdy u niej nie widziałam.

– Wyjdź na dwór! – krzyczy z holu chwilę później. – Dość tego siedzenia w domu!

Unoszę wzrok i napotykam twarz Mansona. Uśmiecha się, jakby chciał powiedzieć: „Pieprz ją, Jasmin!".

– Pieprz się, mamo! – szepczę, wsuwając słuchawki do uszu.

Ustawiam regulację głośności iPoda niemal na całą parę i włączam Mansona, potem zespół Muse i 30 Seconds to Mars – wszystkie te zespoły, których wokaliści w refrenach krzyczą na całe gardło, wywrzaskując w ten sposób mój ból, ponieważ minęły znowu trzy tygodnie bez kontaktu z tobą.

W noc poprzedzającą maturę dzwonisz do mnie kilka minut po północy.

– Pewnie jesteś świetnie przygotowana na egzamin, co? – próbujesz żartować, ale słyszę po twoim głosie, że coś jest nie tak. – Hej, jesteś tam? Odezwij się?

Mija kilka chwil i na linii słyszę tylko twój oddech.

– Tak mi przykro – odzywasz się i wierzę ci, bo mówimy teraz o nas, o szklanej ścianie pomiędzy nami, której nie potrafimy skruszyć od chwili, gdy zacząłeś ze mnie rezygnować.

Gdybym mogła cię teraz zobaczyć, pewnie okazałoby się, że stoisz w holu jakiegoś pubu, przy pobazgranej sprayem ścianie i co chwila mijają cię ludzie sunący do szatni albo do toalety.

– Odezwij się – prosisz. – Przepraszam – powtarzasz cicho, bezradnie. – Chciałbym być z tobą, Jasmin.

Zagryzam usta i nie wiem, co odpowiedzieć.

– Chciałbym do ciebie przyjechać, nawet dzisiaj.

– Możesz przyjechać dzisiaj?

Nie możesz i oboje dobrze o tym wiemy. Śmiejesz się ze zmęczeniem w głosie i pewnie opierasz teraz czoło o ścianę.

– Tak, mogę – kłamiesz. – Przyjdę do ciebie dzisiaj.

Przyciskam słuchawkę do piersi i czekam, aż mój oddech się uspokoi. Kiedy potem znowu przysuwam ją do ucha, wiem, że jest źle, że jest naprawdę źle.

– No to do zobaczenia, Jasmin.

Mija chwila i odpowiadam:

– Do zobaczenia, Staszku.

Z rejsu wraca tata i wchodzi do mojego pokoju, pukając w otwarte już drzwi.

– Księżniczko, możemy pogadać?

Wysuwam słuchawkę z ucha, a on siada na moim łóżku.

– Zmieniłaś się – stwierdza. – Wyglądasz teraz jak te dziewczyny, którym zawsze współczułem. Ten czarny kolor ma dla ciebie jakieś szczególne znaczenie? To taki rodzaj krzyku?

Wzruszam ramionami, a kabelki od słuchawek plączą się w moich palcach. Tata po chwili namysłu przesiada się z łóżka na dywan, z bliska lustruje wzrokiem moje chude ramiona okryte czarnymi rękawami, z jakimś rodzajem żalu spogląda na moje włosy, które teraz, przy czerni ubrań i mocnym makijażu, wyglądają jak ufarbowane. Makijaż mnie chroni. Ma skutecznie utrudnić dojrzenie twarzy, którą pod nim skrywam. Ale jego spojrzenie bez trudu przenika warstwy pudru i czarnych cieni i dostrzega wystraszoną, opuchniętą od płaczu buzię.

– Kiedy byłaś mała, myślałem, że widzisz duchy – mówi, więc spoglądam na niego ze zdziwieniem. – Opowiadałaś, że nad twoim łóżkiem unoszą się wieczorem oczy, których możesz dotknąć, twierdziłaś też, że masz małego

171

przyjaciela, z którym rozmawiasz, a którego my nie mogliśmy zobaczyć. Trochę mnie tym przerażałaś, wiesz? Bo byłem w krajach, na przykład na Bali, gdzie duchy są częścią życia i dla tamtych ludzi nie wierzyć w nie oznacza jakby brak wiary w to, że żyjemy.

– Nie pamiętam tego.

– Bo byłaś bardzo mała. I na szczęście to minęło, kiedy zamieszkał z nami Staszek.

Twoje imię wypowiedziane w tym kontekście sprawia, że opuszczam głowę, a ciężar w piersiach rośnie i rośnie, aż staje się nie do zniesienia.

– Księżniczko, chcieliśmy z mamą, żebyś miała rodzeństwo, ale to się nie udało. – Tata gładzi mnie po ramieniu. – Zawsze myślałem, że wymyśliłaś sobie tamtego niewidzialnego chłopca, bo nie chciałaś być sama, i dlatego tak bardzo się cieszyłem, że masz Staszka. Ale teraz to, co robisz z jego powodu… Skarbie, to tylko chłopak. Znasz go przez całe życie i dlatego nie dostrzegasz, jaki on jest naprawdę. Ja to widzę. I wiesz co? Wcale nie jest wyjątkowy, wcale bym nie chciał, żeby moja córka związała się akurat z nim.

Mija maj, a potem czerwiec. Moje nazwisko pojawia się na liście osób, które przeszły przez egzamin na wydział prawa. Tania znajduje się tuż za mną z minimalnie mniejszą liczbą punktów.

Od mamy dowiaduję się, że zdałeś maturę, chociaż miałeś poprawkę z matematyki, i że nie wybierasz się na żadne studia. Alicja dzwoni do nas jakiś czas później, by odwołać wizytę mojej mamy u was w Słupsku. Tłumaczy, że nie czuje się najlepiej, i obiecuje zadzwonić, by

172

zaproponować inny termin. Mija jednak dzień za dniem, a ona się do nas nie zgłasza.

Przychodzi lipiec z upalnymi nocami i dniami tak ciepłymi, że wraz z Tanią i Olgą niemal cały czas spędzamy na plaży w kostiumach kąpielowych, z nasadzonymi na głowy kapeluszami o dużych rondach i z oczami ukrytymi za przeciwsłonecznymi okularami. Jak na polską aurę to mamy istne tropiki. Włóczymy się po drogich sklepach, mierząc rzeczy, na które nas nie stać, wieczorami zjawiamy się na nadmorskim bulwarze, żeby potańczyć w którejś z kafejek i wypić kilka drinków w bajecznych kolorach z podwójnymi słomkami. Tam poznaję Dominika Kochańskiego, wysokiego szatyna o ciemnych jak węgle oczach, burzy kręconych włosów spadających mu na ramiona i uśmiechu przypominającym ciebie. Studiuje na Akademii Morskiej. Moja mama jest nim urzeczona od pierwszej chwili.

Nigdy by się do tego nie przyznała, ale ilekroć ma Dominika w zasięgu wzroku, porównuje go z tobą, a każde porównanie wychodzi na jego korzyść. Dominik ujmuje ją tym, że pomaga jej nieść zakupy. Wtedy już mama zapomina, że ty też wyjmowałeś siatki z jej rąk. Tyle że ty, to ty, a Dominik potrafi zagadnąć ją w wyszukany sposób, rzucić żart, z którego się roześmieje. Kiedy wysiada nam kran, mój chłopak męczy się z tym pół dnia, ale go naprawia. Mamie jednak najbardziej imponuje, że jest studentem i że ma tak duży wpływ na mnie.

Niemal przez dwa miesiące, kiedy jesteśmy parą, często sięgam po eleganckie stroje. Matka widuje mnie w koszulach z postawionymi kołnierzami, w spódnicach i butach na obcasach. Przestaję malować mocno oczy i chcę wrócić do swojego naturalnego koloru włosów, które przez pewien czas nosiłam demonicznie rude, co doprowadzało ją do szału, zwłaszcza że zafarbowałam je sama, nie korzystając z jej porady.

– Pomóż mi wrócić do blondu – proszę któregoś dnia, więc mama zdejmuje pelerynę z obrotowego fotela i zarzuca mi ją na ramiona.

– Jak mogłaś sobie tak je zniszczyć? – pyta, delikatnie przebiegając dłońmi po włosach. – Były takie ładne... Mogę ci zrobić na razie pasma, nic więcej tu nie zdziałamy.

Nakładając farbę, w lustrze przygląda się mojej twarzy. Czuje, że mnie odzyskuje, że to, co złe, jest już za nami. Moja agresja jest jak zły sen – te pełne urazy spojrzenia, które napotykała, i wrażenie, że jej dotyk jest ostatnim, co potrafiłabym tolerować.

– Będą ładne – mówi, a ulga rozlewa się po jej wnętrzu. Będziesz piękna – myśli.

I właśnie wtedy, jakoś w połowie sierpnia, wyrywa mnie raptownie ze snu, potrząsając niecierpliwie za ramię:

– Obudź się, Jasmin! Dzwoniła Alicja! Stało się coś złego! Musimy tam jechać!

Półprzytomna i zaspana wciągam krótkie dżinsy, koszulkę i na stopach wiążę tenisówki. Kiedy wychodzę na dwór, okazuje się, że noc jest niemal upalna. Głośno cykają świerszcze, a w garażu pali się światło i słyszę szum silnika samochodu.

– Zapnij pas! – rzuca matka, kiedy zajmuję fotel pasażera.

– Co się stało? – dopytuję się podczas jazdy.

W radiu akurat idzie audycja z lat sześćdziesiątych. Kobiecy chórek śpiewa wesoło stary bitelsowski hit *Please*

Mr. Postman... Mama pociera zaspane oczy i odpowiada, że doszło u was do jakiejś tragedii.

– Nigdy nie słyszałam Alicji w takim stanie – mówi. – Była tak roztrzęsiona, że ledwie zrozumiałam, o czym mówi. Tam stało się coś złego. Powtarzała coś na temat broni i tego, że ma nieczynny wóz, a tej nocy musi zniknąć z mieszkania. Błagała, żebyśmy się pospieszyły.

I spieszymy się. Licznik pokazuje sto sześćdziesiąt kilometrów na godzinę. Kilkadziesiąt minut później nasze volvo zatrzymuje się na podjeździe w dzielnicy domów jednorodzinnych w Słupsku, gdzie mieszkacie.

– Dobry Boże, co ten sukinsyn im zrobił?! – mamrocze mama, wysiadając z auta.

Z hukiem zamyka za sobą drzwiczki i wbiega na schody ganku, wpatrzona w zerwaną firanę, która tylko częściowo zakrywa okno oranżerii.

– Już jesteśmy! Otwórzcie!

Drzwi nie są zamknięte. Mama popycha je, a one odsłaniają widok na duży salon urządzony w jasnych kolorach. Pierwsze, co widzę, to krew rozbryzgana na ścianie na wprost wejścia. Na podłodze jest jej więcej.

Wtedy zwalniam kroku. Obchodzę leżący na podłodze pistolet, który wygląda jak rekwizyt filmowy. Zauważam wystającą spod komody ramkę ze zdjęciem i pękniętą szybką, rozbitą doniczkę, która pewnie spadła z parapetu, widzę rozsypaną ziemię. A potem sznur. I nóż.

30

Z rana w letnim domku nasze matki jeszcze śpią, kiedy biegnę wzdłuż plaży z kapturem naciągniętym na głowę i ze słuchawkami od iPoda w uszach. Wiatr wieje, rozpędzając chmury, i powoli odsłania pasmo czystego nieba. Moje stopy poruszają się w miarowym tempie, ustami wydycham powietrze.

Tego ranka obudziłam się z poczuciem, jakbym miała na sobie czyjeś za ciasne, nieprzepuszczające powietrza ubranie, które w dodatku ktoś zapiął mi pod szyję na zamek. Kiedy jednak biegnę tak wzdłuż plaży, starając się nie myśleć o niczym szczególnym, w zakamarkach mojej głowy wszystko się układa, przestaje wyglądać aż tak przerażająco.

Dochodzi piąta rano, kiedy mijam cypel kończący plażę i odczuwam pierwszą falę zmęczenia. Po prostu biegnij dalej! – nakazuję sobie.

Droga zakręca i zmienia się w szosę. Na jej końcu majaczy letni domek rodziców. W nim dzisiaj śpisz ty.

– Nie myśl o tym – mówię szeptem.

Myślenie o tobie sprawia, że spadam w przepaść,

której rozmiarów jeszcze nie znam. Po prostu biegnij dalej! – powtarzam sobie.

Piaszczysta droga rozwidla się, odsłaniając żółte pola. Ciągle biegnę, ale myśl o tobie zagnieździła się już w mojej głowie i nie daje spokoju. Próbuję ją przepędzić, zagłuszając myśleniem o czymś innym, ale to też się nie udaje. Jesteś schowany głęboko w mojej klatce piersiowej, między żebrami a sercem. Już teraz, chociaż nie jesteśmy razem, mam wrażenie, że otwierasz dla mnie jakieś drzwi, za którymi znajduje się coś niezwykłego, czego z nikim innym nie przeżyję, coś tak cudownego, że nawet nie jestem w stanie sobie tego wyobrazić.

Zwalniam kroku i staję, z trudem łapiąc oddech. Kiedy zsuwam z głowy kaptur i wyjmuję słuchawki z uszu, pierwszy raz tego ranka słyszę przejeżdżającą gdzieś daleko ciężarówkę.

Zawracam do letniego domku.

– Długo tu siedzisz?

– Nie wiem. Chyba trochę. Patrzyłem, jak biegasz. – Wskazujesz okno, z którego widać całą moją trasę. – Pójdziemy potem na spacer?

Idziemy, każde innym tempem, ty trochę z tyłu, z rękami w kieszeniach spodni, a ja z przodu, z dłońmi opuszczonymi luźno wzdłuż boków. Kiedy zwalniam i zrównujemy krok, mówisz, że za zakrętem jest miejsce, które chciałbyś mi pokazać.

– Skąd o nim wiesz?

Wyjaśniasz, że byłeś tutaj ze znajomymi w zeszłym roku.

– Tu? W letnim domku?

– Tak, matka dała mi klucze. – Wzruszasz ramionami.

Mijamy stary żydowski cmentarz, który pamiętam jeszcze z czasów naszego dzieciństwa. Wtedy nas fascynował, teraz mogiły przypominały ruiny ogrodzone krzywym żelaznym płotem. Opierasz ręce o sztachety i przyglądasz się pozapadanym grobom, szeptem czytasz napis na tablicy informujący, że cmentarz został zdewastowany podczas drugiej wojny światowej, a w trakcie odbudowy miasta większość płyt posłużyła do umacniania brzegów koryta rzeki.

Wspinamy się na nasyp, z którego widać całą okolicę.

– Dom twojej matki. – Stajesz za moimi plecami tak blisko, że czuję ciepło emanujące z twojego ciała. Wskazujesz odległy punkt. – Kościół… Pamiętasz? – Zaczynasz się uśmiechać: – Pamiętasz, jak poszliśmy tu na mszę z twoim ojcem i ministrant wyprosił nas na zewnątrz, bo histerycznie się śmiałaś, kiedy wiejskie kobiety zaczęły śpiewać, zaciągając, na kilka głosów?

Śmieję się, ale już po chwili oboje poważniejemy.

– Wiedziałem, że ma broń – mówisz. – Trzymał ją w nocnej szafce. Kiedyś mi ją pokazał. Dał mi ją potrzymać. A kiedy wycelowałem sobie w rękę i odbezpieczyłem, powiedział, że jest naładowana. Jezu, Jasmin, popatrzyłem na niego jak na idiotę!

Mama znowu dostrzega coś w moich ramionach, w moich oczach. Jeszcze nie tamto, ale już delikatny wstęp. Moja córka nie jest szczęśliwa – myśli.

Jej córka się boi. Ten strach widać w ruchach, w tym, że znowu ciągle ma w uszach słuchawki od iPoda.

iPod – znienawidzony przez moją mamę sprzęt, który wiosną blokował jakiekolwiek porozumienie między nami. Serce niemal staje jej w piersiach, kiedy pod wieczór zastaje mnie siedzącą na podłodze werandy, pod ścianą, podczas gdy z moich uszu ciągną się białe kabelki od słuchawek i giną w kieszeni bluzy.

– Miałaś zaprosić tu Dominika – przypomina, wyjmując mi słuchawkę z ucha.

– To nie jest śmieszne! – atakuję ją ze złością, na którą nie jest przygotowana.

– Nikt tu się nie śmieje – odpowiada, a słuchawka pali ją w dłoń. – Dzwoniłaś do Dominika? Dlaczego go tutaj nie zaprosisz? Niech przyjedzie, pozna Staszka, spędzimy razem trochę czasu, a towarzystwo kogoś z zewnątrz dobrze nam zrobi...

– Nie zamierzam dzwonić do twojego Dominika! – odpowiadam. – Przestań układać mi życie! Ktoś cię o to prosił?

To nie są słowa jej córki, a dziewczyna siedząca pod ścianą wydaje się jej najsmutniejsza na świecie. Wyrywam jej słuchawkę, a ponieważ ona ciągle kuca, wpatrzona we mnie, uciekam z werandy do pokoju.

– Chodź tutaj – przywołuje cię do siebie.

Z kubkiem kawy siadasz przy okrągłym stole. Podciągasz kolano do piersi i opierasz na nim kubek, a drugą ręką manewrujesz, żeby wyjąć z paczki papierosa. Spojrzenie mamy obiega twoją szczupłą twarz, zatrzymuje się na poplątanych włosach, a kończy na twoich długich mocnych palcach, w których trzymasz zapalniczkę. Czuje, jak grunt pali się jej pod nogami.

– Mieszasz jej w głowie – mówi, na co spoglądasz na nią z niepokojem.

– O czym ty mówisz?

– Dobrze wiesz, o czym.

Pochyla się w twoim kierunku i opowiada ci o Dominiku i o mnie.

– Ten chłopak wszystko zmienił – dodaje. – Jest dobry. Wiem, że jest w niej zakochany. Wiem też, że jej jest z nim dobrze. Gdybyś ją przy nim widział... – przymyka powieki, by przywołać obraz, który chce ci pokazać. – Zrobiła się taka pełna życia i wiary w to, że wszystko może się udać, że ma cały świat na wyciągnięcie ręki!

Naciągasz rękawy swetra na dłonie, pochylasz głowę, a włosy spadają ci na oczy. Nie odgarniasz ich, wolisz, żeby tak pozostało, żeby mama nie widziała, jak na policzkach pojawiają się wypieki.

– O co ty mnie prosisz? – pytasz cicho z niedowierzaniem.

Mama nie spuszcza z ciebie oczu, a jej dawna magia znowu zaczyna działać. Napięcie przerywa Alicja, która wchodzi do kuchni.

– Tu jesteście. Szukałam was... Co to za poważne miny?

Wykorzystujesz jej przyjście i wymykasz się do przedpokoju, gdzie wkładasz buty, na rozczochrane włosy naciągasz kaptur bluzy i znikasz na resztę dnia.

Z końcem tygodnia wracacie na stare śmieci. Słońce rozlewa się po chodniku, kiedy nosimy z samochodu kartony z waszymi rzeczami do bloku znajdującego się w odległości zaledwie jednej przecznicy od miejsca, gdzie dawniej mieszkaliście.

Przez dwa lata dzielnica się rozwinęła. Przybyło sklepów, niedaleko waszego bloku znajduje się teraz mały rynek z niewielkimi budkami z warzywami i ciuchami. Klekoczą butelki w siatkach mężczyzny, który mija nas koło samochodu, w oknie w waszym bloku tęga kobieta wywiesza pranie, nie zważając na to, że woda kapie na nasze auto. Wchodzimy na klatkę schodową, która wcale nie wygląda lepiej niż poprzednia. Wspinamy się po schodach, mijając ściany zabazgrane prymitywnymi graffiti.

– Mieszkanie jest ładne – zauważa mama, kiedy stawiamy kartony w przedpokoju.

To tylko dwa pokoje z kuchnią i łazienką, a długa zewnętrzna galeria przecina cały blok, łącząc w ten sposób piętro.

– Zadbane. Zobacz, jaka ładna kuchnia...

Nie musimy pytać, gdzie jest twój pokój. Otwierasz drzwi do niewielkiego pomieszczenia wypełnionego dusznym, trochę zatęchłym powietrzem i od razu zbliżasz się do okna. Dziwne, ale trzeba je podnieść, żeby wpuścić świeży powiew. Na zewnątrz znajdują się schody przeciwpożarowe.

– Chodź!

Bez namysłu przekraczasz parapet i zeskakujesz na nie. Schody hałasują i kołyszą się przy każdym naszym stąpnięciu. Kończą się półtora metra nad ziemią, więc skaczesz i pomagasz mi zejść.

W okratowanym jak pancerna puszka sklepie kupujemy piwo i siadamy na rozgrzanym słońcem krawężniku. Wodzimy wzrokiem za dziewczynkami, które rozrysowały na ulicy postać człowieka, podzieliły go na kwatery i rzucają kredą, a potem na jednej nodze skaczą, głośno licząc. Puszka piwa syczy, kiedy ją otwierasz. Jest tak gorąco, że

podwijasz rękawy koszulki, a ja zsuwam ramiączka bluz-
ki i wystawiam twarz do słońca. Na chodniku nasz cień
splótł się w całość i wydaje się tak wyraźny, jakby ktoś
wyciął go z papieru i tu położył.

31

Nie mogąc spać, z półki w salonie wzięłam książkę, którą tata zakupił wiele lat temu, po pobycie na Bali. Dotyczyła spirytyzmu i zjawisk paranormalnych. Zabrałam ją do swojego pokoju i usiadłam na dywanie.

Znajdowały się w niej historie spirytystów, którzy pod koniec dziewiętnastego wieku żyli z wywoływania i materializowania zjaw dla publiczności. Seanse odbywały się regularnie, czasem nawet dwa albo trzy razy w tygodniu i były opłacane przez widzów. Medium oddawało swoje ciało duchowi, pozwalając mu przemawiać swoim głosem. Czytam o znamionach, jakie pojawiały się na skórze osoby będącej w transie, o kwiatach, które podobno przynosiły duchy i rozdawały publiczności, oraz o odlewach rąk i stóp stanowiących dowody przybycia duchów.

Zdjęcia odlewów przykuły moją uwagę. Przeczytałam, że były przechowywane w muzeach na całym świecie. Z jakimś rodzajem fascynacji i lęku przyglądałam się rączce dziecka odciśniętej w wosku aż po łokieć. Na innej fotografii znajdywała się stopa, która raczej na pewno musiała należeć do mężczyzny. Był tam też odlew splecionych pulchnych dłoni; fotografie, na których medium ustami produkuje długą fosforyzującą ektoplazmę, zmieniającą się w twarz kobiety. Odlewy w większości były nieukończone, często poruszone, jakby nie starczyło czasu na ich dokładniejsze wykonanie. Mimo to sam fakt ich istnienia był dla mnie uderzający.

Zamknęłam książkę i jeszcze przez chwilę trzymałam ją na kolanach. Pomyślałam o kamienicy w Gdyni, na której znajdował się szyld „Fundacja Paranormal". Nigdy nie było powodu ani okazji, by dowiedzieć się, czym zajmowała się ta fundacja. Teraz jednak poczułam jakiś impuls, żeby tam pojechać.

Zrobiłam to z samego rana.

– Pani do redaktora Sowińskiego? – zapytała młoda dziewczyna, która otworzyła mi drzwi, i zaprowadziła mnie do przestronnej sali w wynajętym i przerobionym na biuro apartamencie.

Myślę, że bez trudu dostrzegła moje zapuchnięte oczy.

– Proszę tu usiąść, pan Jakub zaraz przyjdzie. – Z troską wskazała mi sofę.

W pokoju stało kilka biurek z komputerami. Nikt z pracowników nie zwrócił na mnie uwagi, więc zaczęłam rozglądać się wokół. Na wprost mnie wisiała grafika prezentująca UFO z błyszczącymi światłami i rozchylonymi drzwiami, w których stała drobna postać z wielką głową i skośnymi oczami. Jeden z chłopaków niespodzianie klasnął w ręce:

– Bingo! Mamy genialne zdjęcie!

– Duch? – Dziewczyna cofnęła się z aneksu kuchennego, gdzie zdążyła już wstawić wodę, a inny pracownik, też młody mężczyzna, wychylił się ze swojego miejsca, żeby zobaczyć fotografię.

– Totalny odlot! – wykrzyknął uradowany. – Energia.

– Z którego to roku? – zapytała dziewczyna.

– Dziewięćdziesiąty piąty. Wtedy nie było cyfrówek, więc to pewniak.

Wychyliłam się na tyle, na ile mogłam, by zobaczyć obraz na ekranie. Zdjęcie ukazywało łóżeczko z prętami i leżącego w środku niemowlaka, nad którego głową unosiła się kula światła.

Nie powinno mnie tu być – pomyślałam, czując, jak ogarnia mnie niechęć. Co ja tu robiłam? Czego chciałam? Czy naprawdę wierzyłam, że mogę cię odnaleźć w ten sposób? Poprzedniego dnia nie poszłam z mamą na spotkanie do domu parafialnego, ponieważ wydawało mi się, że na nic się tam nie przydam. Tu moja obecność tym bardziej była zbędna. Wrócę do domu – postanowiłam, spoglądając na zegarek. Ta wizyta nie miała sensu.

– Do tego numeru mamy jeszcze historię dziewczyny, która weszła do obcego domu i okazało się, że zna całą jego historię... – tłumaczył chłopak pewnym siebie głosem. – Znajdźcie dobre zdjęcie do wstawienia i mamy zamknięty dział reinkarnacji. A co z tym filmem z obserwacji UFO? Ktoś już go wstawił na stronę?

Redaktor, na którego miałam poczekać, pojawił się akurat w chwili, gdy postanowiłam wyjść i nawet podniosłam się z sofy.

– Masz gościa – rzuciła dziewczyna, która wprowadziła mnie do środka.

– Gościa?

Zauważył mnie i zbliżył się, wycierając rękę o spodnie.

– Jakub Sowiński. – Uścisnął moją dłoń, kiedy wymówiłam swoje imię. – Co cię tutaj sprowadza? Chcesz się skomunikować z jakąś zjawą? To najczęstsza przyczyna odwiedzin w naszych progach. Kompletnie mylna, ponieważ nie zajmujemy się takimi działaniami. Ale jeśli twój dom jest demolowany przez jakiegoś demona, możemy skontaktować cię z medium, które z nami współpracuje.

Obejrzałam się na resztę pracowników, bo tak niedorzecznie to zabrzmiało.

– Jaki jest cel twojej wizyty? – powtórzył wciąż z uśmiechem, który rozjaśniał jego oczy.

Wydał mi się podobny do taty, mógł mieć nawet tyle samo lat, co on. Przydługie włosy, przyprószone siwizną, nosił zaczesane za uszy. Zarost też miał siwy, a ubrania niemodne i jednocześnie miłe dla oka: sztruksowa marynarka, koszula w hipisowskie kwiaty wypuszczona na dżinsy.

– Nie znam się na tym – wyznałam, spoglądając mu w oczy. – Opowiesz mi o duchach?

– Co chciałabyś wiedzieć?

– Nie wiem... Wszystko.

Roześmiał się.

– Wszystko to strasznie długi temat. Nie mam tyle czasu.

Zlustrował mnie spojrzeniem i myślę, że bez trudu rozszyfrował powód mojego przyjścia.

– Więc co naprawdę się dzieje? – zapytał już poważniej.

Odpowiedziałam niemrawo, że zaintrygował mnie szyld na drzwiach kamienicy. Niedawno przeglądałam w książce zdjęcia woskowych odlewów, które powstały przy pomocy medium...

– To oszustwa – wszedł mi w słowo. – Powstały w okresie, kiedy hochsztaplerzy zdobywali świat i kasę, podając się za spirytystów. Dawne dzieje, ale ciągle miło popatrzeć i uwierzyć, że to prawda... – Uśmiechnął się w jakiś szczególny sposób. – Przyjemnie byłoby pomyśleć, że coś nienależące do naszego świata może tutaj zajrzeć i zostawić ślad, prawda?

Jego słowa poderwały jakąś nadzieję w moim sercu i jednocześnie natychmiast ją zgasiły. Jeszcze chwilę wpatrywałam się w niego.

– Więc żaden z tych odlewów nie jest prawdziwy? – zapytałam.

– Tak myślę. Duchy nie mają takiej zdolności materializacji... – podjął, a ja zaczęłam zapominać o innych osobach w pomieszczeniu. Moje spojrzenie śledziło jego usta, kiedy opowiadał, że duchy potrzebują energii z otoczenia, żeby się wizualizować. – Nie myśl, że wymówisz imię ducha, a on tak po prostu przed tobą stanie! Jeśli w pobliżu znajduje się medium, oczywiście może czerpać tę energię z niego. Najczęściej jednak zabiera ciepło z otoczenia i wtedy przybiera kształt kuli, cienistej postaci albo człowieka. – Zawahał się, zauważając moje zdziwienie. – Nie mówimy tu o energii cieplnej czy jakiejkolwiek innej, którą znasz. Mówimy o energii, której duchy potrzebują, żeby się nam pokazać.

Minęła długa chwila i uświadomiłam sobie, że pierwszy raz od twojego zaginięcia nie odczuwam panicznego strachu.

– A ty chcesz się skomunikować z duchem? – odpowiedział pytaniem.

Roześmiałam się, może również po raz pierwszy od dawna. Wyznałam mu prawdę:

– Zaginął mój przyjaciel. Umiesz mi pomóc go znaleźć?

Wyglądało, jakby rozważał moje słowa, i wówczas przeraziła mnie myśl, że zaraz przyzna, iż wszystko, co wcześniej opowiadał mi na temat zjawisk paranormalnych, to czcze bajki. Momentalnie wrócił tamten strach, który wiązał mi żołądek w supeł. Pochyliłam głowę, gdyż nie byłam w stanie dłużej wytrzymać jego spojrzenia.

– Przyjdź do redakcji jutro – odezwał się w końcu. – Dzisiaj mam umówione spotkanie i mnóstwo pracy, ale jutro będę wolniejszy.

32

Przybliżyłeś usta do mojego ucha i słyszałam twój głos
wyraźny tak, jakby rozległ się tuż obok: „Już!".

Poderwałam powieki.

Był dzień, a na nocnym stoliku dzwoniła moja komór-
ka. Sięgnęłam po nią i w jednej chwili świat się zawalił.
To Gorlicka.

– Jasmin, nie mogę dodzwonić się do Alicji ani do twojej matki. Mówiły, że do południa będą razem w radiu,
więc ty tutaj przyjedź. Znaleźliśmy rzeczy. – Chwila wahania i w jej głosie pojawiła się jakaś nowa nuta, jakby
współczucia. – Być może należą do Staszka. Chciałabym
ci je okazać.

Szłam za nią długim korytarzem, wyczyszczonym
do połysku. Zatrzymałyśmy się przy jakichś drzwiach.

– Wiem, że to trudne – odezwała się. – I wolałabym,
aby te rzeczy zidentyfikowała Alicja, ale zależy nam na
czasie.

Chyba oczekiwała po mnie jakiejś reakcji, więc skinęłam głową.

– Przebieg czynności będzie utrwalony za pomocą dyktafonu.

Uruchomiła go i otworzyła przede mną drzwi.

Zobaczyłam dużą, niemal pustą salę z metalowym stołem na środku. Kobieta w białym fartuchu i gumowych rękawiczkach właśnie wykładała na niego rzeczy.

– Zapraszam, proszę wejść.

Nie zdawałam sobie sprawy z tego, jak bardzo się boję, dopóki nie zobaczyłam tego stołu. Gorlicka musiała mnie przytrzymać w obawie, bym nie upadła.

– Jasmin, jeśli nie dasz rady, to poczekamy na Alicję, ale…

Czułam zawroty głowy i tak wielki strach, że przejmował nade mną kontrolę. W piersiach pojawiło się zimno, jakby przebiła mnie stal.

– Poradzę sobie – odezwałam się ledwie słyszalnie.

– Na pewno?

– Tak.

Zbliżyła usta do dyktafonu, wygłosiła regułkę, podając datę i miejsce, gdzie się znalazłyśmy, wymieniła moje imię i nazwisko, a potem nazwisko osoby, która miała uczestniczyć w okazaniu rzeczy. Później pomogła mi podejść do stołu, gdzie od razu zobaczyłam twój portfel – zniszczony tak bardzo, jakby co najmniej rok przeleżał w błocie.

– Jasmin? Spokojnie… Chcesz wyjść?

Pokręciłam głową.

– W środku nie ma dokumentów ani pieniędzy. Torba też jest pusta.

Moje spojrzenie ślizgało się po twoich tenisówkach. Zobaczyłam telefon rozbity na kilka części. Gorlicka znowu mnie przytrzymała, chociaż nie było takiej potrzeby.

Uświadomiłam sobie, że czuję jakiś zapach. Przypominał las, ogień i coś jeszcze. Nie znałam go, ale chyba każdy przechowuje go w genach.

– Jasmin, czy to rzeczy Staszka?

Milczałam, wpatrzona w dziurki w twoich tenisówkach, w których brakowało sznurowadeł.

– Jasmin? Rozpoznajesz te rzeczy?

Ciągle milczałam, a w środku krzyczałam na całe gardło jak jeszcze nigdy.

– Jasmin?

Mój głos nie miał żadnej mocy.

– Tak, należą do Staszka. Rozpoznaję je.

Czułam cię blisko siebie, więc obróciłam głowę, ale zobaczyłam tylko powietrze.

– Muszę sporządzić protokół. – Młoda policjantka pochylała się nad kartkami, które zapełniała skrupulatnie moimi danymi. – Zostałaś uprzedzona o odpowiedzialności karnej w razie zeznania nieprawdy lub zatajenia prawdy... Twój wiek? Zajęcie? Studiujesz?

Alicja weszła do pokoju przesłuchań, zobaczyła mnie i zmyliła krok, a ja ukryłam oczy pod dłońmi, żeby nie widzieć, jak jej twarz się zmienia, podczas gdy Gorlicka wyjaśnia, że rozpoznałam okazane rzeczy jako twoje. Tłumaczyła, że te rzeczy zostały znalezione na plaży pod klifem na Babich Dołach przez turystów. Policja tam jeszcze nie szukała, to miał być teren penetrowany jutro. Wcześniej ktoś próbował je spalić, ale najwyraźniej coś mu w tym przeszkodziło. Torba została umieszczona w plastikowym worku i zakopana w płytkiej dziurze w ziemi. Reszta rzeczy była rozsypana po całym terenie, co może oznaczać, iż ktoś zrzucił je z klifu. Dodała, że trzeba będzie jeszcze poczekać na wyniki badań DNA, ponieważ tylko one w stu procentach mogą potwierdzić trafność znaleziska...

Wtedy poderwałam się z krzesła i odeszłam stamtąd jak najszybciej. Zostawiłam za sobą dziewczynę, która pod rękami ukrywała otępiałe, puste oczy, i kobietę, która rozpłakała się bezradnie, a potem krzyczała tak głośno, jak dziewczyna krzyczeć nie potrafiła. Pędziłam korytarzem, nie słysząc odgłosu własnych kroków. Niemal biegłam do drzwi, żeby tylko oddzielić się od tamtej dziewczyny i tamtej kobiety. W końcu opuściłam klaustrofobiczny korytarz i znalazłam się na szerokich schodach, skąd już było blisko do wyjścia...

– Jasmin?

Uniosłam wzrok o kilka centymetrów, a Gorlicka kucnęła przede mną i w jej twarzy zobaczyłam troskę.

– Renata już tu jedzie. Zabierze cię do domu. Trzymasz się?

Było mi zimno, ciągle było mi zimno.

– To jeszcze nic nie znaczy – mówiła mama, ale jej głos dochodził do mnie jak z oddali, tak samo jak głos Alicji.

Oparłam policzek o szybę w samochodzie i patrzyłam, jak mijamy tonące w cieniu ulice. Na szybie pojawiły się też krople deszczu, najpierw pojedyncze, a potem kaskada, jakby nad nami urwała się chmura. Pomyślałam o tym, że jak byliśmy dziećmi, zaczytywaliśmy się w historiach o Indianach. Indianie wierzą, że gdy umierają, ich dusze żegnają się ze światem za pomocą deszczu.

Tej nocy mi się przyśniłeś. Nurkowaliśmy w morzu w mętnej wodzie, w której po sztormie pływały kawałki roślin i drobiny żwiru. W jakimś momencie cię zgubiłam i nie mogłam odnaleźć – i wtedy dotarło do mnie, że jedynym sposobem, żeby być z tobą, jest utonąć.

Popłynęłam więc do dna tak daleko, by zabrakło mi tchu. Kiedy potem poczułam ból w płucach, zaczęłam rozgarniać rękami wodę, rozpaczliwie próbując wydostać się na powierzchnię, ale było już za późno. Zabrakło mi tlenu. Zabrakło mi sił. Znieruchomiałam z rozłożonymi rękami, obracając się wokół własnej osi, zaplątana w nocną koszulę. Z tego snu zapamiętałam moment, gdy uświadomiłam sobie, że w wodzie nie jestem już sama. Uchwyciłeś ręce, nad którymi straciłam władzę, i poderwałeś mnie w górę.

– Ciiiii…. – wyszeptała mama i jak w dzieciństwie położyła mi dłoń na włosach. – To tylko zły sen, Jasmin.

Otworzyłam oczy i zobaczyłam, że w całym pokoju jest mnóstwo wody.

– On tonie – powiedziałam, a mama przytuliła dłoń do mojego policzka.

– Nikt nie tonie, Jasmin. Gorączkujesz.

*

Dom był pełen przeciągów, a ja gorączkowałam i mówiłam do ciebie. Kiedy zapadłam w krótki nerwowy sen,

193

mama zeszła na parter. Widok Alicji, która siedziała w fotelu, jakoś ją uspokoił.

Tej nocy dałaby wiele, żeby nie być w domu sama.

– Chciałabym urodzić się jeszcze raz, Reni – odezwała się twoja matka i moja popatrzyła na nią z niepokojem.

Widok opuchniętych powiek w twarzy kobiety, która prawie nigdy nie płakała, bolał niemal tak samo mocno jak obraz twoich na wpół spalonych rzeczy. W tamtej chwili, patrząc w puste, zaczerwienione oczy twojej matki, nie mogła uwolnić się od myśli, że cokolwiek ci się przydarzyło, skończyło się źle. Jak mogłam tego nie poczuć? – zastanawiała się. Jak mogłam nie wiedzieć, że on nie żyje?

– Teraz już bym wszystko wiedziała, Reni – wyszeptała Alicja.

– Co byś wiedziała? – odezwała się mama, marszcząc brwi.

Minęło kilka chwil, nim zrozumiała, co przyjaciółka próbuje jej powiedzieć. Miała ochotę krzyknąć na głos: „Przestań! Nie mam na to siły!".

– Byłam złą matką. – Alicja spróbowała się roześmiać, ale wyszedł jej z tego nerwowy chichot. Wyszukała w torebce chusteczkę i przytknęła do nosa. – Kto zaprzeczy? – dodała, wstając. Objęła się ramionami, jakby też wyczuła ziąb, i odwróciła się twarzą do okna. – Kto zaprzeczy? – powtórzyła, kryjąc twarz w dłoniach.

33

– Wstań, Jasmin. Tak nie można....
Był dzień, może nawet środek dnia, ale dla mnie trwała noc. Odepchnęłam ręce mamy, którymi próbowała wyrwać mi z ramion twój sweter.

– Nie możesz tu ciągle leżeć! To już trzeci dzień, jak nie opuszczasz pokoju! Wstań!

Wpatrywała się we mnie bezradnie, złamanym spojrzeniem kogoś, kto też już przestał wierzyć w twój szczęśliwy powrót. Śmierć była w okazanych nam rzeczach, wyraźna tak, jakby zostawiła w nich swój podpis, i żadna z nas nie mogła udawać, że jest inaczej.

– Proszę cię, wstań! – powtórzyła.

Szukała jakiegoś pretekstu i w końcu wyznała, że powinnam jej pomóc, że sama sobie ze wszystkim nie poradzi. Dzisiaj rozpoczynał się kolejny dzień poszukiwań. Tym razem przeczesany miał zostać teren wokół plaży, gdzie turyści znaleźli twoje rzeczy.

– Proszę cię, wstań – dodała jeszcze raz.

Tak ciężko było mi usiąść, odchylić kołdrę, spuścić na podłogę stopy. W łazience, wyciskając z tubki pastę, myślałam o twoich rzeczach zniszczonych przez ogień, ziemię i wilgoć.

Powoli docierało do mnie, że prawdopodobnie już nigdy cię nie dotknę, nigdy z tobą nie porozmawiam, nigdy nie usłyszę twojego głosu. Dziwne, ale właśnie to najbardziej mnie zraniło: to, że w końcu zapomnę, jak brzmiał twój głos i, że zapomnę, jak to było czuć twój dotyk. Mogłam oglądać cię na zdjęciach, ale nie było szans, żebym ocaliła zapachy, smaki i dźwięki. Przeraziło mnie, że w końcu stracę wspomnienia z chwil, gdy układałam policzek na twojej piersi i słyszałam bicie twego serca, a ty rozgarniałeś moje włosy albo otulałeś rękami moją twarz.

Ciepło. Zapomnę tamto ciepło, które emanowało z twojej skóry. Nie będę pamiętała, jakie w dotyku były twoje włosy, jak duża była twoja dłoń w porównaniu z moją. Zapomnę wszystko. Ciebie. Staniesz się tylko płaskim obrazem ze zdjęć, słowami, które będę odtwarzać w pamięci, ale bez twojej intonacji. Będziesz wrażeniem, czymś, czego nie udało mi się przytrzymać. Kimś, kogo straciłam.

Wyszłam przed dom i osłoniłam oczy przed słońcem, które tego dnia wydało mi się rażąco mocne. Mama odjechała godzinę wcześniej na poszukiwania. Zostawiła otwarty garaż i pewnie dlatego moją uwagę przyciągnął dawno nieużywany rower.

Wiatr rozwiewał mi czarny płaszcz do kolan i łopotał apaszką, którą kupiłeś mi na szesnaste urodziny, kiedy jechałam wolno drogą wzdłuż kanału. W tamtej chwili, robiąc coś, co robiliśmy dawniej wspólnie, miałam wrażenie, że jesteś obok. Puściłam kierownicę i wyprostowałam się, a rower pędził przed siebie po znajomej ścieżce.

Gdzie teraz jesteś? – pomyślałam, zamykając oczy. Czy mnie czujesz? Czy wiesz, że o tobie myślę?

Rower dotarł do zakrętu, położyłam więc dłonie na kierownicy, mając wrażenie, jakbym wróciła z bardzo daleka. Z drzew spadały czerwone liście. Czułam cię dosłownie wszędzie: w oddechu, w biciu serca, w powietrzu, które było mi niezbędne do życia.

– Miałaś przyjść kilka dni temu – powitał mnie redaktor Fundacji Paranormal, kiedy stanęłam w drzwiach jego biura.

Musiało już być po godzinach pracy, ponieważ w środku nie widziałam nikogo. Biurka były puste, komputery pogaszone, a Jakub stał gotowy do wyjścia, z kluczykami od samochodu w ręce.

– Nie mogłam przyjść wcześniej – odpowiedziałam, na co wzruszył ramionami.

– Nie mam teraz czasu, muszę pojechać na umówione spotkanie. Przyjdź jutro.

Minął mnie i ruszył do windy, a ja ciągle stałam w holu.

– Potrzebuję twojej pomocy. Pomóż mi, proszę!

Winda akurat wjechała na piętro i drzwi się rozsunęły.

– Teraz jestem umówiony – powtórzył z naciskiem. – Muszę pojechać do jednego domu i zrobić dokumentację fotograficzną.

Rozłożyłam bezradnie ręce.

– Mogę ci pomóc. Zabierz mnie z sobą.

Kolejna chwila wahania i w końcu przytaknął:

– A umiesz obchodzić się z kamerą?

Koło dwudziestej zapadł zmierzch, więc kiedy samochód Jakuba wjechał na krawężnik i redaktor wyłączył silnik, w dzielnicy paliły się już latarnie. Całą drogę siedziałam osowiała na fotelu pasażera, ale teraz, gdy stanęliśmy, pochyliłam się, ogarniając spojrzeniem stare, zbudowane krótko po wojnie kamienice.

– To tutaj? – spytałam.

– Tak. Widzisz tamto rozbite okno? – Wskazał mieszkanie, gdzie za szybą paliło się wątłe światło, jakby świecy. – Tam idziemy.

Chwilę później wspinaliśmy się po schodach z kamerą, statywem i aparatem fotograficznym w dłoniach.

– Nie zdziw się, jeśli nikt z domowników nie będzie chciał rozmawiać o tym, co tu się dzieje. – Jakub zatrzymał się pod drzwiami, które wyglądały na świeżo założone. – Znasz powiedzenie, że to, co pomyślisz, zostaje między tobą a Bogiem, a to, co powiesz, słyszy również Szatan?

Zanim zdążyłam się zorientować, czy to żart, nacisnął dzwonek i w głębi mieszkania rozległo się melodyjne bim-bam. Usłyszałam kroki, ktoś odbezpieczył zamek i w wizjerze pojawiało się światło, które zaraz zostało przysłonięte przez czyjeś oko.

– Jakub Sowiński, Paranormal – poinformował redaktor.

Zgrzytnął klucz i drzwi się otworzyły, a w nich stanęła niska, młoda kobieta. Spoglądała na nas trochę nieufnie, ale w końcu otworzyła je szerzej, osłaniając dłonią świeczkę.

– Proszę, wejdźcie. Już myślałam, że pan nie przyjedzie.

Zaprowadziła nas do niewielkiego pokoju, który wyglądał tak, jakby zebrano w nim wszystkie możliwe meble i ustawiono tak, by odsunąć je od ścian. W zajmującym środek pokoju fotelu siedziała staruszka ubrana w kuchenny fartuch. Wysoki chudy nastolatek wlepił we mnie zaciekawione spojrzenie, podnosząc się z krzesła.

Żadna z kobiet nie starała się okazać gościnności. Nie padło pytanie o herbatę lub kawę, nikt nie zamierzał się nam przedstawiać. Jedynie chłopak, wymawiając swoje imię, odpowiedział na uścisk mojej dłoni.

– Skręć statyw – polecił Jakub, schylając się do torby, którą przyniósł.

Śruby trzeszczały w ciszy, kiedy regulowałam je nieuważnie, bardziej skupiona na rozglądaniu się po wnętrzu. Jedyną rzeczą nieschowaną do szafek wydawał się stojący na parapecie kubek, któremu brakowało ucha. Cała reszta drobiazgów została pozamykana, a uchwyty drzwiczek ktoś dodatkowo obwiązał gumkami.

– Od wczoraj były trzy pożary – odezwała się młodsza z kobiet, a starsza natychmiast przyłożyła palec do ust, jakby chciała nas uciszyć. Młodsza mimo to kontynuowała, nerwowo rozglądając się wokół: – Ksiądz obiecał przyjechać dopiero z końcem tygodnia. Powiedział, że teraz ma zbyt dużo pracy, ale ja się obawiam, że to nie tak. On nie chce się tu pojawić. Boi się o siebie i swoją parafię albo zwyczajnie nam nie wierzy.

Patrzyłam, jak staruszka wyjmuje z kieszeni fartucha różaniec. Jej usta zaczęły się poruszać, jakby szeptała modlitwę. Błękitne paciorki przyciągnęły mój wzrok, niemal poczułam gładką masę, z której zostały zrobione.

– Skręciłaś? Gotowe?

Przyłożyłam oko do kamery. W pokoju było zdecydowanie za ciemno, a światło świec spowodowało, że na ścianach kołysało się zbyt wiele cieni i obraz był nieczytelny.

– To kamera termowizyjna, więc się nie przejmuj – uprzedził moje pytanie Jakub. – Weź aparat i sfotografuj całe mieszkanie.

– Co mam fotografować?

Popatrzył na mnie jakoś dziwnie.

– Wszystko, co wyda ci się interesujące.

Aparat ciążył mi w dłoni, kiedy posłusznie cofnęłam się do ciemnego przedpokoju. Któraś z kobiet to skomentowała i pod wpływem jej słów nastolatek sięgnął po świecę i ruszył za mną. Płomień chroniony dłonią ukazywał spalone tapety, zrolowany i oparty o ścianę dywan. Oddech mi drżał, kiedy poruszałam się wolno, co chwila napotykając wzrokiem na kolejne zniszczenia. W pokoju na końcu korytarza wszystko wyglądało tak, jakby toczyła się tam regularna walka. Ciężko było mi ocenić, jaki kolor wcześniej miały ściany, ponieważ pożar osmalił je i przetoczył się po suficie, zostawiając czarne ślady. Przyłożyłam aparat do oczu, a światło flesza wyłowiło z mroku metalową obręcz lampy, która zwisała z sufitu tak, jakby ktoś próbował ją zerwać i udało mu się rozciągnąć metal w pręt.

Oddaliłam aparat od oczu i powiększyłam zrobioną fotografię. W zbliżeniu zauważyłam, że lampa musiała mieć wcześniej kształt spirali. Poderwałam na nią wzrok, zdziwiona i jednocześnie przestraszona myślą, że ktoś miał dość siły, by ją zdeformować.

– Co się stało? – spytałam, odwracając się do nastolatka, który ciągle szedł moim śladem, usłużnie nosząc świeczkę.

– Mieliśmy kilka pożarów – odpowiedział cicho. – Strażacy, co tu przyjechali, to też się dziwili, bo gasili jeden pokój, a już płonęło w drugim.

Obejrzałam się na kanapę, która wyglądała, jakby ktoś nieudolnie próbował ją podpalić.

– Dlatego nie macie prądu?

– Tak.

Podchwyciłam spojrzenie błyszczących oczu wlepione w moją koszulkę opiętą na piersiach i odruchowo naciągnęłam sweter głębiej na ramiona.

– Jak masz na imię? – spytałam, kierując obiektyw na chłopaka.

– Adam.

– Zrobię ci zdjęcie, dobrze?

– No dobra.

Nieświadomy, że to robi, zaczął pozować. Fotografując go, nie mogłam opędzić się od myśli, że nieudolnie naśladuję teraz ciebie. Bo przecież właśnie ty złapałbyś za aparat, gdybyś słuchał tak dziwnej opowieści jak ta.

– Do której klasy chodzisz? – spytałam, kiedy zapadła kłopotliwa cisza.

– Do pierwszej licealnej.

Zamrugałam rzęsami, strzepując z powiek obraz ciebie z okresu, gdy miałeś tyle samo lat. Kiedy znowu spojrzałam na chłopaka, miałam wrażenie, że na jego sylwetkę nakłada się kalka.

– To jest twój pokój?

– Uhm. Mój i babci.

Obejrzałam się na kanapę, którą z mroku wydobywało drżące światło świecy. Drugie łóżko znajdowało się niedaleko, ustawione tak, by leżące osoby doskonale się widziały. Przebiegło mi przez myśl pytanie: Jak bardzo trzeba nienawidzić swojego życia, żeby spalić całe mieszkanie?

– Więc tu śpisz ty?

Wskazał drugie łóżko.

– Ja tu. Tutaj babcia.

Sfotografowałam łóżka tak, by było widać, jak blisko siebie się znajdują.

– Powiedz mi, jak to się stało – poprosiłam, przyciskając aparat do piersi. – Jak się zaczęło?

Spojrzał na korytarz, zdziwiony, bo pewnie wcześniej uprzedzano go, że nie powinien o tym mówić.

– To było zaraz po tym, jak chłopacy z osiedla wywieźli mnie samochodem, rozebrali i wypuścili na ulicę. Pokopali mi psa.

Z każdym kolejnym jego słowem mocniej drżały mi ręce, ale nastolatek tego nie zauważył. Opowiadał swobodnie, gestykulując:

– Wtedy to był pierwszy pożar. No a potem, jak żeśmy odkupili meble i odmalowali ściany, to drugi raz spłonęło. No, a teraz to co chwila się coś dzieje. A to ubrania się same w szafce palą, a to w lodówce coś. I ten ogień to lata od jednej ściany do drugiej!

– Ogień? – podchwyciłam. – Ogień się sam przemieszcza?

– Uhm. Normalnie w powietrzu lata. Takie małe ogniki...

– Byli u was ludzie od instalacji elektrycznej?

– No. To oni nas odłączyli od prądu.

– Co powiedzieli o ogniu?

– Byli zdziwieni. Bali się. Bo wyłączona instalacja, a tu ciągle się pali.

– Rozmawialiście z księdzem?

– Babcia do niego poszła. Rzucało w nią doniczkami na klatce schodowej. Ksiądz się wystraszył, odesłał ją do domu. Byli też ludzie od twojego redaktora.

– Jacy ludzie?

– Kobieta.

– Jaka kobieta?

– Jasnowidz. Powiedziała, że... – chłopak obrócił się i spojrzał na wejście do kuchni, ledwie widoczne w ciemności korytarza – że tam, w kuchni, pod zlewem jest dziewczynka.

Opuściłam wzrok i chwilę stałam bez ruchu, nie wiedząc, co odpowiedzieć. Zapadła cisza. Odwróciłam się do niego plecami, spojrzałam w okno. Nie było na nim firan, więc w odbiciu szyby widziałam płomień świecy i nasze blade twarze wyłowione z ciemności.

– To twój komputer?

Odłożyłam aparat na kanapę, kucnęłam przy sprzęcie i przyjrzałam się poczerniałej obudowie. Chłopak kucnął obok.

– Spalił się w pierwszym pożarze.

Przesunęłam palcem po plastiku. Poprosiłam, żeby Adam uniósł nieco świecę. Płomień oświetlił żółte zacieki. Zeskrobałam je paznokciem i zbliżyłam do oczu.

– Co pani znalazła? – spytał chłopak, przechylając się do mnie, żeby lepiej widzieć.

– Wosk – odpowiedziałam, wpatrzona w niewielki ślad, który pękł mi w palcach.

W drodze do pokoju, gdzie Jakub rozmawiał ściszonym głosem z kobietami, zatrzymaliśmy się pod drzwiami łazienki.

– Powinna pani tam zajrzeć. Tam też coś jest – powiedział chłopak w jakiś szczególny sposób.

Kiedy rozchyliłam drzwi, płomień świecy wyłowił z ciemności rozbitą szybę kabiny prysznicowej. Otworzyłam drzwi szerzej i poprosiłam Adama, żeby wszedł w głąb. Drżące światło odsłoniło białe kafle, którymi były wyłożone ściany. Przez to, że wszędzie kładły się cienie, dopiero po chwili spostrzegłam na nich jakieś linie, słabo odcinające się od tła. To nie był wzór, tylko napis.

– Poświeć tu, proszę.

– To pojawiło się dzisiaj rano.

Ogarnęłam wzrokiem krzywe, kulfoniaste, przesadnie wielkie litery, wykonane prawdopodobnie przy użyciu mydła. Układały się w słowo „BÓG". Przyłożyłam aparat do oczu i wykonałam kilka zdjęć. Dopiero kiedy odsunęłam sprzęt i przyjrzałam się zrobionej fotografii, zauważyłam kran wykręcony jak spirala. Metalowy kran...

Ostatnim miejscem, do którego Adam chciał, żebym zajrzała, była kuchnia. Nie zdecydowałam się przekroczyć jej progu, tylko z przedpokoju poprosiłam, żeby chłopak oświecił szafki. Większość z nich była spalona, nie miały nawet drzwiczek. Tu również wisiał zlew, a za nim znajdował się goły mur, jakby jakiś olbrzym potężnymi rękami złapał za umywalkę i pociągnął, odrywając ją częściowo od ściany. Kran wykręcony do góry, jakby był z plasteliny. Gdyby starczyło mi odwagi, dotknęłabym go, sprawdziła, czy to prawdziwa stal, czy można ją naruszyć.

– Tu widziała dziewczynkę – przypomniał chłopak.

– Tu, pod zlewem. Powiedziała, że mała ma dziesięć lat.

Szafka pod zlewem została pozbawiona drzwi, więc w ciemności widziałam tylko ziejący głęboki otwór. Gdyby Adam się schylił i rozświetlił jego wnętrze, zobaczyłabym rury biegnące od zlewu. Niespodziewanie ogarnęła mnie pewność, że zobaczyłabym też ją: małe ciałko o długich białych rękach i nogach, z wielkimi błyszczącymi oczami, którymi by na mnie spojrzała.

– Tam nie było duchów – odezwałam się, kiedy tylko ruszyliśmy spod kamienicy. – To ten chłopak. Powinniście wezwać policję, zamiast przyjeżdżać z kamerą. Ktoś go wcześniej dręczył, pewnie ma w sobie mnóstwo złości. W dodatku dzieli pokój z babcią, a jest w takim wieku, że powinien mieć więcej prywatności...

Kątem oka obserwowałam dłonie Jakuba na kierownicy i kolana, po których raz po raz przesuwały się długie smugi świateł latarni.

– Uważasz, że miał dość siły, żeby skręcić kran niczym sznurek? Ktokolwiek by miał?

– Może wymyślił jakiś sposób albo... Nie wiem, ale na pewno można to wytłumaczyć.

– Wszystko można wytłumaczyć. Prawda?

– Na komputerze znalazłam wosk.

– Nie mają prądu, więc to chyba nic specjalnie dziwnego. Komputer nie działa od pierwszego pożaru. Może chłopak stawiał na nim świecę?

Potarłam oczy i zmusiłam się, żeby jednak spojrzeć mu w twarz.

– Jakubie, ja wierzę w istnienie duchów, ale tam ich nie ma. Ja... ich nie czułam.

Milczał, więc podjęłam:

– Mówił o latającym ogniu. Widziałam w łazience napis. Ten dzieciak wypisał na kaflach „Bóg"! Uważasz, że demon zrobiłby coś takiego? Że duch dziewczynki nabazgrałby takie słowo, w dodatku mydłem?

Moje argumenty nie zrobiły na nim wrażenia.

– Moja matka była pielęgniarką w zakładzie dla psychicznie chorych – odrzekł. – Powiedziała mi kiedyś, że agresja osób chorych psychicznie zawsze skierowana jest na innych ludzi albo na siebie. Kiedy natomiast miała do czynienia z ludźmi opętanymi, ich agresja zawsze wymierzona była w świętości i religijne insygnia. I te działania często były prymitywne, a nawet śmieszne.

Im bliżej byliśmy mojego domu, tym silniejszy odczuwałam niepokój. W zasięgu wzroku pojawiła się już furtka i ciemna bryła budynku. Pomyślałam o mamie i Alicji, które właśnie przebywały w telewizyjnym studiu. Mama na pewno była zawiedziona, że nie brałam udziału w poszukiwaniach ani nie siedziałam tam teraz z nimi. Dziwne, ale poczułam jakiś rodzaj ulgi, że mnie tam nie było.

– Chciałaś ze mną porozmawiać – przypomniał Jakub i zgasił silnik.

Siedzieliśmy w zupełnej ciszy, w której słyszałam nasze oddechy.

– Zaginęła bliska mi osoba – wyznałam. – Policja nie potrafi go znaleźć.

– Więc to mężczyzna? Twój chłopak?

Skinęłam głową.

– Kiedy zaginął?

– Prawie dwa tygodnie temu. Otrzymaliśmy zdjęcie… – Zmarszczyłam brwi, odpędzając od siebie obraz, którego mimo upływu czasu nie udało mi się zapomnieć. – Złe zdjęcie.

Jasne oczy, które przy pierwszym spotkaniu zrobiły na mnie wrażenie wesołych i podobnych do oczu mojego taty, teraz wydały mi się wyrachowane.

– Uważasz, że nie żyje? – zapytał.

Przytaknęłam i poczułam się tak, jakbym tym jednym ruchem pieczętowała twój los.

– Zabiorę cię do kobiety, która może będzie umiała go znaleźć – powiedział w końcu, ale wyraz jego oczu się nie zmienił. – Weź rzeczy, które należą do twojego chłopaka, najlepiej takie, które nie były jeszcze prane. Spotkamy się tu jutro o tej samej porze.

34

Z twojego pokoju w mieszkaniu Alicji zabrała zdjęcia
i nagrania, które mogły jej pomóc zidentyfikować twój
głos. Przeglądając je, uczyła się twojej twarzy, twoich ruchów, charakterystycznych dla ciebie powiedzeń i intonacji.

Sprawiałeś wrażenie bezpośredniego, ale za wesołymi
oczami osadzonymi w ładnej twarzy czaiło się coś ciemnego. Były momenty, gdy kamerze udawało się to uchwycić.
Sekundy, gdy twój uśmiech tężał, gdy pochylałeś głowę
tknięty jakby złym przeczuciem, gdy spoglądałeś w obiektyw nagle onieśmielony.

Na nagraniu mieliśmy po piętnaście lat i właśnie szarpaliśmy się dla żartów na kanapie. Udało ci się chwycić
moje ręce i przytrzymać mnie w taki sposób, że opierałam się o twój tors. Śmiałam się, ty się śmiałeś. „Jezuuu,
Jasmin, czemu nie możemy chociaż raz nagrać czegoś na
poważnie?"

Na zdjęciach widziała ciebie z ostatnich lat. Fotogra-
fowałam cię na dywanie, gdzie tkwiłeś z laptopem na
kolanach i słuchawkami w uszach, zajęty rozgryzaniem
programów do obrabiania zdjęć. W innym ujęciu stałeś

na balkonie z papierosem w ręce. Kilka zdjęć zrobiliśmy sobie razem, trzymając aparat tuż nad głowami. Leżeliśmy na dywanie, głowa przy głowie, stykając się policzkami.

Na biurku zabrzęczał telefon.

– Dzwonię w sprawie tego mężczyzny, który zaginął, Staszka Kornowicza – powiedział kobiecy głos w słuchawce. – Pracuję w warsie PKP i wydaje mi się, że widziałam go na trasie Gdynia–Kraków...

Gorlicka momentalnie odłożyła zdjęcia i skupiła się na słowach rozmówczyni. Kobieta stwierdziła, że we wtorek siedemnastego września, w dzień po twoim zaginięciu, chłopak bardzo podobny do ciebie jechał ekspresem do Krakowa.

– Od tamtej pory minęło sporo czasu, ale ciągle mam go w głowie. Może dlatego, że wydawał mi się tak bardzo roztrzepany.

Opowiedziała, że mężczyzna niemal całą podróż spędził w warsie, słuchając muzyki. Składając zamówienie w bufecie, z opóźnieniem reagował na jej pytania. Nie zamienił ani słowa z nastolatkami, które wyraźnie się nim interesowały, ani z innym człowiekiem w jego wieku, który skrajnie się nudził przy pobliskim stoliku.

– To chyba dlatego zapadł mi w pamięć – dodała. – Wczoraj przyjechałam po urlopie do Trójmiasta i w telewizji zobaczyłam jego matkę. Pokazała zdjęcie i wtedy przyszło mi do głowy, że to może być on. Nie mam stuprocentowej pewności, ale doskonale zapamiętałam jego jasne włosy i to, że miał takie czyste, niebieskie oczy... Czy to w ogóle jest możliwe? Czy to, co pani opowiadam, ma jakiś sens? A może już go odnaleziono?

Wizja była cienka, jakby utkana pajęczą nicią. Chłopak wysiadający z pociągu w Krakowie, senny po długiej

209

podróży, bez bagażu. Gdzie mógł pójść? Co zrobił? Czy miał przy sobie dość pieniędzy, żeby rozpocząć nowe życie? Dlaczego chciałby nowego życia?

Zaparkowała samochód pod magazynem firmy kolportażowej, w której pracowałeś. Znajdował się w szeregu hurtowni, połączonych z sobą długą rampą. Była przekonana, że będzie tu pusto, ale w dużej hali aż roiło się od ludzi insertujących ulotki do gazet. Większość wydała się jej tak młoda, że zaczęła się zastanawiać, czy pracują tu legalnie.

– Monika Gorlicka – wylegitymowała się kobiecie, która też wyglądała zdecydowanie zbyt młodo na bycie naczelnym menedżerem projektu. – Interesuje mnie wasz pracownik Staszek Kornowicz. Policja już z wami rozmawiała, prawda?

Dziewczyna przytaknęła:

– Tak, kojarzę go. Policja tu była. W czym mogę pomóc?

– Ma pani wolną chwilę? Chciałabym zadać kilka pytań.

– Tak, proszę.

Gorlicka wyjęła z torebki notes i zadała kilka rutynowych pytań, w rodzaju: jak długo pracowałeś jako kolporter i jak cię spostrzegała twoja szefowa.

– Roztrzepany – padła natychmiastowa odpowiedź. – Kiedy pierwszy raz się tu zjawił, wydawał mi się... bo ja wiem? Miły. Miał już doświadczenie w pracy w magazynie, więc go przyjęłam, ale potem, z każdym kolejnym dniem widziałam po nim kompletny brak zapału i podejrzewałam, że nasza współpraca się skończy, zanim przyjdzie koniec lata. To nie był typ kolportera roku.

– Uśmiechnęła się i zaraz spoważniała, chyba uświadamiając sobie, że nikt, kto ma dwadzieścia jeden lat, nie marzy o takim tytule. – Przyjeżdżał najczęściej białym citroenem. Jeśli zjawiał się przed czasem, to zdarzało się nam trochę rozmawiać. Miły człowiek, naprawdę. Wiem, że przeprowadził się tu ze Słupska. Kiedyś mówił, że pracuje też jako grafik komputerowy. Jako do człowieka nic do niego nie mam, ale jako pracownik... – westchnęła. – W każdym razie w piątek, kiedy odebrał turę gazet, widziałam go ostatni raz.

Z twoich wyciągów bankowych wynikało, że nie dostałeś pensji od niemal trzech tygodni, ale Gorlicka i tak spytała, czy ostatnio otrzymałeś od firmy jakiekolwiek pieniądze.

– Tak, w piątek dostał wypłatę do rąk, wraz z turą gazet – przytaknęła menedżerka.

– Odebrał wypłatę? Ile? – Gorlicka starała się nie okazywać podniecenia.

To nie była żadna duża kwota, dużych pieniędzy nie zarobiłbyś w firmie zajmującej się kolportowaniem ulotek reklamowych i bezpłatnej gazety. Ale nawet te kilkaset złotych za trzy tygodnie to był milowy krok.

Do mieszkania Alicji po raz kolejny weszła policja.

– To nie potrwa długo – zapewnił ją dowodzący operacją.

Poszukiwanie tropów zajęło jednak ponad pół dnia. Kiedy mama przyjechała tam po południu, wszędzie widziała ślady obecności policjantów.

– Szukali czegoś też w moim pokoju. – Błysnęła zapalniczka, kiedy twoja matka przypaliła papierosa. – Szlag!

– syknęła, parząc się w palec. – Powiedzieli, że mam jeszcze raz przyjść na komisariat i odpowiedzieć na jakieś pytania. O jakie pytania im chodzi? Przecież powiedziałam im wszystko, co wiem!

35

Pojechaliśmy furgonetką Jakuba do medium o imieniu Melania. Po drodze Jakub opowiadał mi o swoich kontaktach z nawiedzonymi domami i ludźmi dręczonymi przez duchy.

– Najczęściej jesteśmy wzywani do domów, w których jakaś starsza pani mieszkała sama przez kilka bądź kilkanaście lat, miała swoje radio, nastawione na ulubioną stację, swoje krzesło, na którym zawsze siadała... – roześmiał się ze swobodą. – Po śmierci nie potrafi zrozumieć, że mieszkanie nie należy już do niej! Więc ciągle przestawia radio, ustawia krzesło tam, gdzie powinno stać... Wyobraź sobie, jak rodzina, która kupiła taki dom, musi się bać! Jeszcze pół biedy, jeśli zmarłą jest ktoś z najbliższych krewnych. Gorzej, jeśli to obca starsza pani!

Myślałam, że medium będzie przyjmowała w jakimś ezoterycznym gabinecie, pełnym wahadełek i półek uginających się od książek opisujących zjawiska paranormalne, ale ona miała dom na peryferiach miasta, nieduży, z ładnym gankiem podtrzymanym przez białe kolumny i ogrodem, w którym jesienne kwiaty i drzewa zdawały się przechodzić swój najlepszy okres.

– Zaginął mój przyjaciel... – zaczęłam tłumaczyć.

– Ja wszystko wiem – przerwała mi. – Proszę mi nie opowiadać niczego więcej, ponieważ wtedy zacznę analizować ten przypadek jak detektyw, a nie skupię się na wizji.

Zaprosiła mnie do oranżerii, gdzie pomiędzy kwiatami znajdywał się czarny lakierowany stolik – jedyny znak, że nie jest to zwyczajny pokój.

Wskazała go.

– Usiądźmy tutaj.

Zajęła miejsce naprzeciwko mnie i zapytała, czy mam z sobą jakąś twoją rzecz.

– Mam sweter.

W chwili, gdy go podawałam, uświadomiłam sobie, że spałam z nim przez kilka ostatnich nocy, więc pewnie miał na sobie więcej moich zapachów niż twoich.

– Nie był jeszcze prany? – upewniła się.

– Nie.

Dotknęła go tak, jakby sądziła, że na wełnie znajdują się odciski twoich palców. Potrafiła je czytać, zachowywała się jak ślepy człowiek posługujący się brajlem. Patrzyłam, jak unosi go nad czoło, a kocia zieleń jej oczu zdawała się mętnieć w miarę, gdy wdychała zapach wełny.

– Wyczuwam chaos – odezwała się po chwili. – To dobry znak. – Uśmiechnęła się, jakby chciała dodać mi otuchy, i wyjaśniła, że kiedy ma do czynienia z osobą nieżyjącą, w jej rzeczach znajduje tylko i wyłącznie spokój.

– Zbyt duży chaos... Musimy zrobić inaczej.

Położyła na blacie dłonie, kierując je wnętrzem do góry.

– Połóż ręce na moich, w ten sposób utworzymy krąg – powiedziała łagodnie. – Ważne jest, abyś nie puściła mojej ręki nawet wtedy, gdy będzie się działo coś, co cię wystraszy.

Moje palce delikatnie dotknęły jej skóry i ten dotyk wydał mi się intymny, nie na miejscu. Mimo to położyłam dłonie płasko, a ona po chwili zacisnęła na nich swoje chłodne palce.

Blask słońca zza okna modelował szczupłą, delikatną i wciąż młodą twarz medium, jej zielone oczy, wysoko wydepilowane łuki brwi i wypukłe powieki, które opuściła, kiedy złączyłyśmy dłonie.

– Spróbuję nawiązać z nim kontakt – wyjaśniła.

Obejrzałam się na Jakuba. Stał z rękami skrzyżowanymi na piersiach pod jedną z zasłon, w miejscu, gdzie prawie w ogóle nie dochodziło światło. Kiwnął mi głową, jakby chciał powiedzieć: „Widzisz? Niepotrzebnie się martwisz. On żyje!".

Na twarzy medium odbijała się cała gama doznań, od uśmiechu do grymasu bólu, niepokoju i wysiłku. Miałam wrażenie, że cierpi, że czegoś nie rozumie, że coś ją przeraża. Rozchyliła oczy i popatrzyła na nasze złączone dłonie jakoś bezradnie, jakby zobaczyła na nich coś, co ją przygnębiło.

– Jest ci bliski, prawda? – odezwała się szeptem. – Twój przyjaciel. Widzę was razem. Młody mężczyzna, dwudziestoletni – dodała po chwili, wciąż tak samo cicho.

Z jej twarzy emanowała wielka empatia, a potem przebiegł po niej jakiś skurcz. Pod cienkimi powiekami gałki oczne poruszały się z jednej strony na drugą.

– Mam złe przeczucia. Widzę przy nim kilku mężczyzn. Rozmawiają, ale nie mają wobec niego dobrych zamiarów.

Zamrugała, coś ją wystraszyło w wizji. Rzuciła mi szybkie, nerwowe spojrzenie.

– Zabierają go do samochodu. Widzę las.

Wyczułam ruch za plecami, kiedy Jakub zmienił pozycję.

– Zostałem uderzony.

Minęła chwila, nim dotarło do mnie, że medium to powiedziała. Spanikowana popatrzyłam na nasze złączone palce, potem na jej twarz.

– Zostałem uderzony – powtórzyła z naciskiem. – Bałem się, ale nie było już odwrotu.

Jej spojrzenie pobiegło teraz gdzieś poza mnie, poza Jakuba i ten dom. Miałam wrażenie, że widzi rzeczy, których ja nie potrafiłam dostrzec. Działy się na jej oczach, przerażały ją.

– Zabierają go do miejsca, gdzie jest jakaś biała ściana. Na niej znajduje się mnóstwo słów. To może być piwnica albo coś... sama nie wiem, bunkier? Kłócą się. Dzieje się coś niedobrego... Jeden z mężczyzn ma coś długiego i śliskiego. Może to taśma klejąca... Fotografują go...

Przez trzymające mnie dłonie przebiegł jakiś dreszcz. Poczułam go wyraźnie.

– Szukaj mnie koło niebieskiego budynku – popatrzyła na mnie wystraszonym wzrokiem. – Szukaj mnie tam.

Nie byłam w stanie się odezwać, oddech miałam szybki, płytki.

– Czy to, co mówię, ma dla ciebie sens? Bo nie wiem, czy powinnam kontynuować wizję. Może ponosi mnie wyobraźnia.

Kiwnęłam głową, a jej palce paliły mnie gorącem. Chciałam cofnąć swoje. Ona natomiast trzymała mnie mocno i wpatrywała się we mnie z uwagą.

– W ziemi jest dziura. Ta dziura niedługo wypełni się wodą. To nie jest dobra wiadomość. – Jej głos zaczął

brzmieć tak, jakby wydobywał się z mechanicznej kukły.
– Kilka osób było przy tym, jak powstawało zdjęcie. Jedna z nich odczuwała lęk i żal. To było szczere uczucie.

Pod wpływem jej słów w mojej głowie powoli kształtował się obraz, którego nie chciałam widzieć, obraz, w którym leżałeś na betonie ze związanymi rękami i zaklejonymi ustami, wpatrzony w stopy otaczających cię ludzi.

W końcu otępiałe spojrzenie zaczęło nabierać głębi, rozświetliła je inteligencja i stało się wzrokiem osoby, która otworzyła mi drzwi. Puściła mnie i poruszyła dłońmi, jakby jej zdrętwiały.

– Czy w związku z zaginięciem twojego przyjaciela policja podejrzewa kilku mężczyzn?

Pokręciłam głową.

– Nie.

– A ty? – Nie odrywała ode mnie oczu. – Ty ich podejrzewasz? Wydaje mi się, że twój przyjaciel ich znał, że dokładnie wiedział, dlaczego do niego podeszli. – Obróciła się do Jakuba. – Podaj mi kartkę papieru i długopis. Narysuję mapę.

Usłyszałam kroki redaktora, a kiedy podawał jej kartkę, znowu dostrzegłam w nim coś wyrachowanego, coś...

– Wyjdźcie, proszę – zwróciła się do nas kobieta.
– Potrzebuję piętnastu minut. Chcę jeszcze raz dotknąć jego swetra, ale tym razem zrobię to sama. Poczekajcie w ogrodzie.

Zeszłam z ganku jak we śnie, postąpiłam kilka kroków w głąb ogrodu i raptownie się zatrzymałam. Drżały mi nogi, serce biło nerwowo.

– Co to było? – Obróciłam się do Jakuba, przyciskając dłonie do ust. – Ona to widziała? Widziała, jak to się działo?

– Tak, Jasmin. Chodź, usiądźmy. Tam jest ławka.

Usiedliśmy w altance, po której ścianach pięła się dzika róża. Białe płatki ciągle kwitły, mimo że jesień była już w pełni.

– Znasz tych mężczyzn? – zapytał Jakub.

Przytaknęłam i zaraz zaprzeczyłam.

– Nie wiem. Ktoś przyszedł mi na myśl, ale... Nie wiem, minęło tyle lat. To raczej niemożliwe. Nie byłoby powodu... Jakubie? – poderwałam na niego wystraszony wzrok. – Jakubie, ona uważa, że Staszek żyje, a przecież... – zabrakło mi słów. Chciałam dodać: „Jakubie, ja czuję, że on nie żyje. Jak to możliwe?".

– Melania czasem się myli, ale to świetny jasnowidz – odezwał się, chuchając na zmarznięte dłonie. – Pracowała przy wielu sprawach z policją, udało jej się bezbłędnie wskazać miejsce pobytu kilkuset ciał.

– Kilkuset? Kilkuset ciał?

– Tak. – Wzruszył ramionami, jakby dziwiło go moje zdumienie. – Melania zajmuje się tym już ponad dziesięć lat. Właściwie codziennie ktoś do niej przychodzi z prośbą o pomoc. Ludzie przynoszą jej zdjęcie albo rzeczy zaginionej osoby, a ona rysuje mapę, na której oznacza miejsce przebywania ciała. Opowiedziała mi kiedyś, że wizja pojawia się nagle i niespodziewanie i nie zawsze jest precyzyjna. Czasem następuje to kilka minut po powąchaniu rzeczy zaginionego, a czasem po kilku dniach. Raz musiała włożyć na siebie ubranie zaginionej osoby, żeby ją poczuć.

Śledziłam spojrzeniem jego ruchy, ale myślami byłam w domu z Melanią.

– Jak wygląda wizja? Mówiła ci?

Przytaknął.

– Co robiłaś wczoraj, Jasmin?

Poruszyłam się niecierpliwie na ławce, skrzyżowałam nogi w kostkach.

– Wczoraj? – Ciężko było mi zebrać myśli. – Byłam u ciebie w redakcji, a potem…

– Co było potem?

Potem było takie nieważne.

– Byłam sama w mieszkaniu.

– Jak to widzisz, kiedy sobie przypominasz samotność w mieszkaniu?

W pamięci zamajaczył obraz, w którym widziałam siebie tak, jakbym obserwowała siebie z boku.

– Tak właśnie Melania widzi zdarzenia z czyjegoś życia – wyjaśnił. – Obrazy.

– Obrazy – powtórzyłam i nachyliłam się w jego kierunku. – Jak często się myli?

– Czasem się to zdarza – przytaknął. – Częściej jednak udaje się jej perfekcyjnie naprowadzić policję na miejsce, gdzie leży ciało, albo znaleźć zaginioną osobę.

Znowu poczułam, że drżę, i tym razem winny temu na pewno nie był chłód.

– Czy znajduje ludzi żywych?

Wiatr zdmuchnął mi z czoła włosy. Popatrzyłam na redaktora z napięciem.

– Znalazła kilka żywych osób – odpowiedział po chwili zastanowienia.

Kilka, powtórzyłam w myślach. Kilka z kilku setek ciał! W tym momencie wyczułam za plecami ruch i zanim zdążyłam się obrócić, padł na mnie długi cień medium.

– Jasmin, myślę, że twój przyjaciel żyje i w tej chwili śpi – oznajmiła, kucając.

Ulga sprawiła, że zrobiło mi się gorąco. Musiałam chwycić się ławy, podeprzeć głowę, w której wszystko zaczęło wirować. Melania położyła przede mną kartkę papieru z uproszczoną mapą.

– Z tym miejscem kojarzą mi się tory kolejowe – wyjaśniła. – Być może jest to nazwa ulicy… – zastanowiła się. – Kolejowa? Dworcowa? Nie wiem. Tu znajduje się budynek wypełniony metalem. Prawdopodobnie jest to sklep z metalowymi częściami. Przy nim powinno znajdywać się zbocze góry. Zanieś tę mapę policji, niech skonfrontują ją z mapą terenu Gdyni. – Wskazała palcem krzyżyk. – Twój przyjaciel znajduje się tutaj. To dziura w ziemi albo niski parter. Wyczuwam, że w środku jest zimno i ciemno.

– Pani go widziała? – Nie potrafiłam opanować drżenia głosu. – On teraz śpi? Co to znaczy?

Przypatrywała mi się przez chwilę, jakby sama nie do końca rozumiała swoją wizję.

– W mojej wizji trzymał głowę między kolanami albo miał ją czymś nakrytą. Naprawdę uważam, że powinniście się pospieszyć.

Brakowało mi siły, żeby wstać, żeby zrobić cokolwiek. Schowałam twarz w dłoniach i siedziałam tak, niezdolna do jakiegokolwiek ruchu.

– Jasmin? Wiem, że chcesz, żeby on wrócił. – Kiwnęła głową, dając mi w ten sposób znać, że szanuje mój strach. – On wróci, ale gdyby nawet było inaczej… Nie rozumiesz, że wszyscy kiedyś wrócimy? Wracamy na ziemię tysiące razy w nieskończonym ciągu narodzin i śmierci. – Pochyliła się do mnie i spojrzałyśmy sobie w oczy. – Nie bój się śmierci – powiedziała cicho, nieporuszona łzami, które popłynęły mi po policzkach. – To jak przesiadka z jednego tramwaju w drugi. Jesteśmy tylko wyspą, a obok znajduje się cały wielki kontynent! – Na jej ustach pojawił się uśmiech, jakby na wyciągnięcie ręki miała dla mnie złote góry, których każdy pragnie. – Jak to zrozumiesz, to przestaniesz się bać.

36

– Melania Niezabitowska? – upewniła się Gorlicka.
– Medium z Gdańska?

Przytaknęłam.

– Powiedziano mi, że współpracuje z policją.

– Z nami nie współpracowała.

Tak bardzo chciałam, żebyśmy już rozpoczęły poszukiwania, że nie mogłam ustać w miejscu. Ilekroć myślałam o tym, że jesteś, że czekasz, zaczynałam krążyć po biurze, a wyjący w szparach wiatr i tykanie zegarka na moim nadgarstku doprowadzały mnie niemal do szału.

– Powiedziała, że powinna pani sprawdzić tę mapę z terenem wokół Gdyni – powtórzyłam po raz kolejny.

– Poszukiwania... – skwitowała moje słowa ciężkim głosem. – Jasmin, na terenie Trójmiasta wczoraj zaginęła pięcioletnia dziewczynka. Mamy ręce pełne roboty, obecnie funkcjonariusze przeszukują teren koło stawu na ulicy Kwiatkowskiego...

Pokręciłam głową, nie chcąc nawet dopuścić do swojej świadomości tego, co próbowała mi w ten sposób powiedzieć.

– Trzeba tam szukać – powtórzyłam, wskazując mapę.

– Bo powiedziało ci tak medium z Gdańska?

Zawahałam się, widząc jej spojrzenie.

– Tak.

Minęły niemal dwa tygodnie, od kiedy prosiła, bym opowiedziała jej o tobie tak, żeby mogła cię zobaczyć jako osobę, a nie kolejnego zaginionego. Wtedy nie umiałam jej tobą zainteresować i wzbudzić współczucia. Teraz na usta cisnęły mi się wszystkie te słowa, jakimi mogłam jej opisać, dlaczego cię pokochałam, kim byłeś dla mnie i kim jestem bez ciebie.

– Proszę – podjęłam z rozpaczą. – Ta kobieta uważa, że on żyje, powiedziała, że powinniśmy się pospieszyć...

– Jasmin – przerwała mi. – Kierujesz się teraz emocjami! Co ta kobieta właściwie ci powiedziała? Że wie, o kim rozmawiacie? Że to twój przyjaciel? Że widzi w rękach oprawców taśmę klejącą? Na Boga, przecież zdjęcia Staszka i opis sprawy można znaleźć w Internecie! Nie pomyślałaś, że ten redaktor, który cię z nią umówił, sprawdził, o kogo chodzi? Że przekazał jej tę wiedzę? To głośna sprawa! Na pewno Melania o niej słyszała z gazet, może nawet obejrzała apel twojej ciotki w telewizji! Nie bądź naiwna! Przez dwadzieścia lat pracuję w policji, ale na palcach jednej ręki mogę wyliczyć przypadki, gdy w poszukiwaniach osób zaginionych brali udział jasnowidze i trafnie wskazali miejsce ukrycia zwłok!

Zabrakło mi argumentów, ponieważ jedynym i najważniejszym argumentem byłeś ty. Chciałam powiedzieć: jakie widzi pani inne wyjście? Co pani ma? Dwa tygodnie śledztwa doprowadziły nas do niczego! A ja przynoszę pani mapę, na której krzyżykiem zaznaczono miejsce, gdzie należy szukać...

– Pójdę tam z mamą i przyjaciółmi – zadecydowałam, cofając się do drzwi. – Weźmiemy latarki...

– Jest za ciemno na poszukiwania.

– Zabroni mi pani?

Westchnęła, jakby zaczęła się poddawać.

– Posłuchaj – rzuciła i zamilkła.

Wydaje mi się, że myślała wówczas o pieniądzach, jakie już zostały wydane na twoje poszukiwania. Była pewna, że jutro albo pojutrze dostanie informację od przełożonego, że budżet się skończył. Nie byłeś przecież małym chłopcem ani nastolatkiem, tylko dorosłym mężczyzną. A tak koszty całej operacji i tak przerosły wszystkie przewidywania. W trzydniowej akcji poszukiwawczej w lesie i na plaży wzięło udział około dwudziestu policjantów. W głowie przeliczyła ich dniówki. Pięć radiowozów, koszty organizacyjne, psy tropiące... Budżet przekroczył już dwadzieścia tysięcy złotych, a wszystkie tropy na razie prowadziły donikąd. W dodatku każdego dnia na komisariaty dzwonili ludzie, którzy uważali, że wiedzą coś o twoim losie, i ich słowa też należało sprawdzić!

– No dobrze – skapitulowała, pewnie uważając, że jazda we wskazane przez medium miejsce może wyjść taniej niż śledzenie krakowskich tropów. – Daj mi tę mapę.

Pojechałam tam z nią i dwoma funkcjonariuszami. Policja wyznaczyła trzy punkty, przypominające teren narysowany przez medium. Wszystkie siły poszukiwawcze skumulowano wokół stawu, gdzie przez cały dzień szukano ciała pięcioletniej dziewczynki. Kiedy jechaliśmy radiowozem, Gorlicka otrzymała informację, że dziecko zostało odnalezione.

– Było w wodzie? – zapytała, a rozmówca poprzez szum i zakłócenia odpowiedział, że nie.

– Mała odeszła aż na teren działek i tam przeczekała popołudnie w baraku.

– Macie ją? – Widziałam, jak twarz Gorlickiej rozjaśnia przepełniony szczęściem uśmiech.

– Tak, jest cała i żywa, chociaż mocno przemarzła!

W tle słyszałam głos kobiety, która być może była matką dziewczynki. Poczułam ścisk na gardle. Policjantka ciągle się uśmiechała, gdy pochyliła się nad mapą narysowaną przez Melanię, ale wtedy westchnęła, jakby wróciła do szarej codzienności zawodu.

– Niedługo skręcamy – przypomniała kierowcy już bez entuzjazmu w głosie. – Trzymaj się lewego pasa, to już za sto metrów...

Rząd budynków stanowiły w większości hurtownie, dalej rozpoczynała się szeroka łąka, na której wznosił się słup energetyczny. Wysiedliśmy z samochodu i owiał nas zimny, mokry wiatr. W ciszy nocnej każdy dźwięk wydawał się głośny, na trawie nasze wydłużone cienie nakładały się na siebie, w pobliskim budynku zaczął ujadać pies.

Drugi zwierzak stał na dachu budy koło jakiegoś sklepu. W mroku nocy rozróżniłam napis, który kołysał się na skrzypiących łańcuchach: „Hurtownia blachodachówek".

– Sklep z metalem. – Poczułam, jak we krwi zaczyna mi krążyć adrenalina.

Rozejrzałam się za jakimś zboczem, ale mało co widziałam.

– Według jej wskazówek, to powinno być tam...

225

Gorlicka jeszcze raz poświeciła na mapę i zaraz uniosła wzrok na łąkę ogrodzoną wysoką siatką. Snop latarki padł na wiszącą na furtce kłódkę i napis: „Przejścia nie ma. Teren prywatny!".

Funkcjonariusze kucnęli obok studzienki ściekowej położonej blisko posesji. Pociągnęli za ciężką kolistą pokrywę. Rozległ się potężny zgrzyt i w końcu udało się ją unieść.

Snop światła wpadł do środka, wydobywając z mroku długie okrągłe ściany i drabinę pnącą się po jednej z nich. Ze środka unosił się fetor czegoś rozkładającego się, wilgoci i zbutwiałych liści.

Jeden z mężczyzn z wyraźną niechęcią spuścił nogi do środka. Po chwili jego głowa zniknęła pod powierzchnią ziemi. Myśl, że jeszcze tej nocy możemy znaleźć cię żywego i całego, była wręcz nieprawdopodobna, aż bałam się w nią uwierzyć. Tutaj, na terenie wskazanym przez jasnowidza każda rzecz, na której zatrzymywałam wzrok, wywoływała nadzieję i lęk.

Ze studzienki dobiegło nas wołanie:

– Nic tu nie ma!

Zaczął padać deszcz, wiatr przybrał na sile. Przeraziła mnie myśl, że pogoda zniechęci Gorlicką i policjantów do dalszych poszukiwań i przełożą je na rano.

– To chyba niebieski kolor, co?

Obróciłam się we wskazanym przez Gorlicką kierunku. Niski, raczej niedawno postawiony budynek z dużą reklamą hurtowni farb. Wzniesiono go na podmokłym terenie i gdy podeszliśmy do ogrodzenia, zdawał się tonąć w wodzie. Zdecydowanie jednak był pomalowany na niebiesko.

– Czy możemy tam wejść? – zapytałam, ale Gorlicka odpowiedziała, że nie. To teren prywatny, nie mamy nakazu.

– Tu jest zbocze! – zawołał policjant.

Zobaczyłam go w kapturze naciągniętym na głowę kilkaset metrów od nas, poruszającego się chwiejnie po podmokłym terenie za łąką.

– Niżej jest woda! – krzyknął.

Natychmiast tam poszłyśmy.

Łąka, ogrodzona siatką, przechodziła w strome zbocze. W dole znajdowała się rozległa sadzawka. Wystawał z niej jakiś wysoki pień, na zboczu leżały druty i śmieci. Starając się utrzymać równowagę, zeszłam kilka kroków, a Gorlicka poruszała się za mną.

– Coś jest w wodzie – odezwała się w tej samej chwili, w której ja również to dostrzegłam.

I faktycznie, na wodzie unosiła się ciemna plama przypominająca ubranie.

– O Boże!

Teraz już nie patrzyłam pod nogi, nie próbowałam utrzymać równowagi. Upadłam na jedno kolano, ale szybko się podniosłam. Deszcz zacinał mi w twarz, kiedy niemal zbiegałam do wody, brudząc dłonie o trawę i krzaki, których próbowałam się przytrzymać.

– Jasmin, poczekaj! – zawołała Gorlicka.

Znalazłam się u brzegu sadzawki, złapałam za ułamaną gałąź leżącą na brzegu i spróbowałam dosięgnąć unoszącej się na wodzie plamy. Któryś z funkcjonariuszy poświecił w to miejsce latarką. Materiał. Miękki, nasiąknięty wodą.

– Jasmin, nie ruszaj! – zawołała Gorlicka ponownie, ale było za późno.

Patyk zahaczył o materiał, spróbowałam go przybliżyć do brzegu. Nie udało się. W materiale coś tkwiło, coś ciężkiego i być może przyczepionego do pnia.

Nie zdając sobie sprawy z tego, co robię, weszłam po kostki do bajora. Lodowata woda natychmiast przesiąkła przez buty i zaczęła chlupotać w stopach, ale nawet o tym nie pomyślałam. Wychyliłam się jak najdalej i znowu zaczepiłam patykiem o ciemny kształt. Tym razem, gdy spróbowałam go pociągnąć, wyraźnie wyczułam, że w środku coś jest.

Gorlicka była już przy mnie, a zaraz po niej obok stanął jeden z policjantów.

– Poświeć tam. Co to jest?

– Chyba ubranie.

Krąg światła ślizgał się po materiale, krążył po wodzie. Policjant wyjął mi z ręki patyk i sam spróbował przyciągnąć to coś bliżej.

– Ciężka.

Cofnęłam się krok i ugięły się pode mną nogi.

Spóźniliśmy się! – pomyślałam z paniką.

Policjant wszedł do wody i mozolnie zbliżał się do wystającego materiału. Woda podchodziła mu do kolan, potem do ud, a na koniec sięgała niemal pasa.

– Niech to szlag! – wyrwało mu się, kiedy znalazł się blisko tego czegoś. Otrząsał dłonie, jakby je pobrudził.

– Masz?! – zawołała Gorlicka, kiedy rozległo się stłumione: „Kurwa mać!".

– Jasna cholera! – usłyszałyśmy w odpowiedzi.

Cofnął się do brzegu, rozgarniając rękami wodę. Kurtki nie miał z sobą, a na jego twarzy malowało się obrzydzenie.

– Dzwoń po ludzi! – zawołał, kiedy znalazł się blisko nas. – Jest ciało. Niech to jasny szlag!

37

Ktoś zaproponował mi koc, ale odmówiłam. Siedziałam na trawie, kilka metrów wyżej na zboczu, wpatrzona w wodę, do której wchodziła ekipa ludzi.

Miejsce, które jeszcze godzinę temu wydawało się odludne, teraz rozświetlały reflektory wozów policyjnych i flary. Na zboczu pojawili się biegli i zabezpieczali teren. Patrzyłam, jak rozciągają taśmę, która miała objąć niemal całą sadzawkę. Gorlicka zniknęła między gapiami, którzy nadeszli od strony budynków, zwabieni przez światła i zamęt, jaki powstał.

– Proszę się cofnąć – powiedział ktoś. – Hej, musisz stąd iść! Zabezpieczamy teren!

– Kim ona jest? – zapytał ktoś inny. – Zabierzcie ją stąd, niech nie przeszkadza!

Zostałam odprowadzona na górę, do radiowozu, którym przyjechałam z Gorlicką. Tam obca młoda policjantka zapytała, czy chciałabym gdzieś zadzwonić, czy jest ktoś, kto mógłby po mnie przyjechać.

– Nie – skłamałam.

Moje oczy zarejestrowały przyjazd kolejnej ekipy policyjnej, słyszałam szum z CB radia, rozmowy funkcjonariuszy, którzy spacerowali przy radiowozie. Stałam w bezruchu z mokrymi kosmykami włosów spadającymi na twarz i czekałam, podczas gdy ciało przenikał coraz większy ziąb. Od strony zabudowań nadchodzili kolejni ludzie.

– Co się stało? – pytali. – Znaleźliście zwłoki?

Policja szybko zaczęła spisywać ich dane i wstępnie ich przesłuchiwać. Twierdzili, że ostatnio nie działo się tutaj nic interesującego, że nie widzieli żadnego podejrzanego samochodu. Któryś wspomniał, że czasem w nocy zdarza się tutaj zajechać jakimś młodym ludziom.

– Wie pan, to odludne miejsce. Nikogo tu raczej nie ma. Czasem tylko zapędzi się tutaj jakaś para i siedzą w samochodzie przy włączonym radiu...

– Od kiedy pod zboczem stoi woda?

– O roku? Nie wiem, nigdy tam nie zaglądałem. Rok temu była tu woda.

Deszcz ciągle padał, ludzie kulili się w pelerynach, wiatr wył coraz głośniej, aż zagłuszył szczekanie psów.

– Proszę zamknąć drzwi! – rzucił jakiś mężczyzna, siadając za kierownicą radiowozu. – Odwiozę panią. Proszę podać mi adres.

Otworzyłam usta i wtedy okazało się, że kompletnie nie pamiętam, gdzie znajduje się mój dom. Jedyny adres, który byłam w stanie podać, należał do mieszkania w Gdańsku, jakie wynajęłam z tobą w zeszłym roku.

– Więc jedziemy do Gdańska – stwierdził, chyba niezadowolony z takiego obrotu sprawy.

Przekręcił kluczyk w stacyjce i samochód ożył.

– To nie tam – odezwałam się z zakłopotaniem. – Już tam nie mieszkam.

Jeszcze chwilę czekał, co mu powiem, i w końcu zawołał Gorlicką po imieniu, które zabrzmiało jakoś obco – choć może po prostu nigdy wcześniej nie zwróciłam na nie uwagi.

– Monika! Gdzie mam odwieźć panią?!

Szczupła sylwetka policjantki przecięła snop światła z reflektorów innego radiowozu. Usłyszałam, jak podaje adres domu mojej mamy.

– Myślę, że powinna pojechać na pogotowie – stwierdził mężczyzna. – Tak będzie bezpieczniej. Zawiozę ją tam.

Zostałam sama w długim szpitalnym korytarzu. Siedziałam osowiała na krześle z włosami spadającymi na jedno oko i ściskałam w dłoniach telefon, czekając na wiadomość od Gorlickiej. Dopiero teraz, z daleka od ekipy biegłych, dotarła do mnie realność wszystkiego, co zdarzyło się na zboczu. Przed oczami nieustannie miałam ciemną plamę materiału unoszącą się na wodzie. Czułam, ciągle czułam ciężar tego, co próbowałam przesunąć. Boże, nie! – pomyślałam. Boże, proszę, tylko nie to!

Na zewnątrz wiatr dmuchał bez ustanku, o szybę uderzały krople deszczu, a kiedy rozpoczęła się prawdziwa ulewa, uruchomiła się pobliska rynna, wypełniając korytarz hałasem.

38
Dawniej

Nie spodziewałam się, że mnie znajdziesz na uczelni. Wczoraj powiedziałam ci, że będę miała poprawkę z prawa karnego i... no, proszę, jesteś.

Dziewczyny przyglądają ci się z zaciekawieniem i przenoszą trochę bliżej nas.

– Jak ci poszło kolokwium? – Oglądasz się na nie, ich wzrok chyba odczuwasz jak palący laser. – Wszystko w porządku? Udało się?

– Chyba tak, wyniki będą z końcem tygodnia.

Głupio się czuję, kiedy tak stoję przed tobą w białej bluzce wsuniętej w wąską spódnicę, w butach na obcasach i czarnych rajstopach. Wolałabym, żebyś zażartował, że wyglądam jak pensjonariuszka, zamiast mi się przyglądać czujnie i na dystans.

– Muszę zaraz jechać do domu – mówisz, a ja widzę, że coś jest nie tak, ale nie mam pojęcia, co i dlaczego. – Jadę teraz do magazynu i wrócę późno, więc... – Znowu oglądasz się, tym razem na chłopaków z mojego roku, którzy też już cię dostrzegli.

Patrzysz na mnie trochę tak, jakbyś chciał już stąd zniknąć, a potem podajesz mi gazetę, którą przez cały czas trzymałeś w ręce, i mówisz, że zakreśliłeś jedno ogłoszenie.

– Jak ci się spodoba, zadzwonię do pośredniczki i umówię nas – dodajesz, cofając się do schodów, i już cię nie ma.

Otwieram gazetę i widzę, że to strona ogłoszeń o wynajmie mieszkań. Korytarz momentalnie zaczyna się na mnie walić. W ostatniej chwili łapię się krzesła i w końcu ciężko na nim siadam. Gazetę trzymam kurczowo teraz już zimnymi palcami. Wynajem mieszkań! Zakreśliłeś dwupokojowe mieszkanie w Gdańsku, blisko Starówki, z niskim czynszem.

Agentka nieruchomości nie przestaje opowiadać o walorach lokalu, kiedy wspinamy się za nią po długich stromych schodach, a potem przystajemy w niewielkim ciemnym holu, na którego końcu znajdują się drzwi do mieszkania. Do mieszkania, które może być nasze!

W środku nie działa światło.

– To wina korków – tłumaczy przepraszającym tonem i wędruje w głąb korytarza.

Stoimy obok siebie w ciemności, moja ręka blisko twojej dłoni, tak blisko, że czuję jej ciepło.

– O, już jest! – woła agentka i nad nami zapala się lampa.

Mrugamy, rozglądamy się po korytarzu. Zauważam długie lustro, które odbija nasze sylwetki.

– Tu jest łazienka, tu kuchnia, a tu pokój sypialniany... Sześćdziesiąt metrów w cenie kawalerki. Prawdziwy rarytas, nie sądzą państwo?

Zbliżamy się do balkonu i spoglądamy na panoramę Gdańska, złożoną z niemal identycznych stromych czerwonych dachów i historycznych murów. Na rogu znajduje się kawiarnia, gdzie moglibyśmy jeść śniadanie, obok sklep z obrazami...

– Mogłaby pani nas na chwilę zostawić? Chcielibyśmy omówić tę ofertę...

Po jej wyjściu ciągle stoimy przy oknie. Nie wiem, czy zdajesz sobie sprawę z tego, jak wiele to dla nas znaczy, jak potężny krok właśnie robimy. Nie wierzę, że to się uda, ale i tak szukam spojrzeniem miejsca, gdzie mogłaby stać twoja sztaluga. Zastanawiam się, ilu kroków potrzebujesz, żeby mieć odejście od rysunku...

– Mnie się podoba – stwierdzasz. – Bierzemy je?

W poniedziałek zaczynamy wielką przeprowadzkę. To znaczy ja zaczynam wielką przeprowadzkę, a ty tkwisz w pracy i tylko w przerwie dzwonisz, żeby spytać, czy wszystko w porządku.

Dałeś mi klucz, do którego przyczepiłeś numizmat otrzymany dawno temu od mojego ojca. Leży na biurku i przyciąga mój wzrok, ilekroć popatrzę w tamtym kierunku. Ustaliliśmy, że dzisiejszą noc spędzimy już w naszym mieszkaniu, chociaż moje rzeczy będą znajdować się w kartonach, a twoje u Alicji i pewnie nie będziemy mieć niczego poza poszwą na łóżkach. Nie zatroszczyliśmy się nawet o to, by wyposażyć kuchenne szafki.

Matka nie wspiera naszego pomysłu, obserwuje nas tak, jakbyśmy byli laboratoryjnymi myszami zamkniętymi pod szkłem. Kiedy myśli, że nie słyszę, zatrzymuje cię w kuchni i szepcze:

– Co ty wymyśliłeś? Wspólne mieszkanie? Ile ty masz lat, na Boga?! Powinieneś skończyć te żarty i zabrać się do nauki, zamiast pracować w magazynie i obsługiwać wózek widłowy! Myślisz, że tego właśnie ona potrzebuje? Wspólnego mieszkania w wieku dwudziestu lat? Wpadniecie i dziewczyna nawet nie skończy studiów!

Otwieram kluczem drzwi. Drewniana podłoga lekko trzeszczy, kiedy kieruję się do kuchni, gdzie na blacie stawiam siatki z zakupami z marketu. Wszystko pachnie czystością i nowością, w kątach osiadły cienie, a w miejscu, gdzie znajduje się świetlik, na dywanie rysują się prostokąty światła. Nasze mieszkanie. Nasz dom. Nie na dwa miesiące ani na kilka dni. Do czerwca, bo na tyle podpisałeś umowę.

W łazience wieszam ręczniki, na wannie ustawiam swoje kosmetyki, wypełniam szafki w kuchni produktami. Mijając stół kuchenny, przelotnie dotykam go i uśmiecham się na myśl, że jutro staną na nim talerze, że będziemy tu jeść śniadanie.

Poprawiam milczącą słuchawkę telefonu, na łóżku układam poduszki i kilka rzeczy, które mi dałeś. Wielu z nich nie znam, zostały kupione w ostatnich latach, nigdy nie widziałam cię jeszcze ani w tej bluzie, ani w tej koszulce... Dziwi mnie widok krawata. Gdzie go zakładasz? Przecież nie do magazynu, gdzie widłowym wózkiem podnosisz tony paczek i ładujesz do kontenera. Tłumaczyłeś mi, że potem te paczki jeżdżą po Polsce i trafiają do sklepów papierniczych. W twoim głosie jednak brakowało jakiegokolwiek entuzjazmu, kiedy wyjaśniłeś, że znajdują się w nich bloki rysunkowe, więc w sumie robisz coś na rzecz sztuk plastycznych. Żeby to zrobić, musisz wstawać o piątej rano.

Kupiłam ci sztalugę. Rozkładam ją przy oknie, w miejscu, gdzie będziesz miał dużo światła. Przypinam do niej kartkę, a na drewnianej półeczce kładę kilka ołówków i pędzle, które wybrałam dzisiaj w sklepie dla plastyków. Moje spojrzenie przyciąga kotara z koralików, która przysłania drzwi do sypialni. Chociaż w pokoju nie ma przeciągu, delikatnie podzwania, anonsując jakiś ruch.

Rzucasz torbę na jasną drewnianą podłogę i obracasz się do mnie.

– Chodź tu! – śmiejesz się.

Twoje rzeczy po całym dniu są wygniecione i pewnie jesteś koszmarnie zmęczony, mimo to żadne z nas nie zamierza teraz spać, a łóżko, które mamy w zasięgu wzroku, przypomina nam tylko i wyłącznie o tym, że przed nami jest wiele dni, tygodni i miesięcy samotności tutaj.

Przez głowę ściągasz koszulkę, a ja zsuwam ze stóp buty. Wyrywam ci się ze śmiechem, kiedy próbujesz mnie przytulić. Kryję się za okrągłym drewnianym stołem, a ty łapiesz go z drugiej strony. W pośpiechu wyciągam z włosów wsuwki, pozwalając jasnym pasmom opaść na ramiona. *Where is my mind?* – śpiewa wokalista The Pixies w radiu, gdy zsuwasz mi z ramion bluzkę, popychasz mnie na ścianę i przyciskasz swoim ciałem.

Orgazm jest jak światło, które ktoś zapalił, przekręcając włącznik tak, że żarówki rozjarzyły się całym swoim blaskiem. Moje ciało wygina się w łuk, a palce zaciskam tak mocno na twoich włosach, że musi cię to boleć. Kiedy potem wypuszczam oddech i powoli rozchylam powieki, przed sobą widzę twoją twarz, twoje oczy wpatrzone we mnie, twoje usta, których dotykam sennie, nagle świadoma nieprzespanej ostatniej nocy i emocji, jakie towarzyszyły nam od kilku dni.

– Nie rozpakowujmy się dzisiaj... – proszę, przytrzymując kosmyki twoich włosów. – Zajmiemy się tym jutro...

– Chciałabym mieć z tobą dziecko.

Układam policzek na twojej piersi. Serce bije szybko, ciągle szybko, chociaż oddech już jest spokojny. Na dłoniach ciągle czuję twój dotyk. Spoglądam więc na nie, patrzę na moje ręce tak, jakby były na nich twoje palce. Przy uchu wciąż słyszę twój oddech, powietrze wypuszczane z drżeniem, wstrzymywane. Dotykam policzka. Palce biegną w dół, do ramienia.

– Nie teraz, ale kiedyś.

Kiedyś, kiedy się pobierzemy.

– Chciałabyś mieć dziecko? – Unosisz głowę, żeby na mnie popatrzeć.

Marzę, że kiedyś będziemy rodzicami jakiejś małej dziewczynki albo małego chłopca, którego pokochamy najbardziej na świecie. Oczywiście, że będziemy to dziecko kochać, bo będzie nasze i będzie kopią nas obojga. I dlatego że strasznie tego chcę.

Wsuwasz rękę pod głowę.

– Jeśli tak się zdarzy, nigdy nie usłyszy ode mnie, że cokolwiek zepsuło w moim życiu. Takich rzeczy nie powinno się mówić dzieciom. To takie wielkie obciążenie, za wielkie, bo potem... – nabierasz tchu, ale nie kończysz tego, co chciałeś powiedzieć.

Gładzę twoją skórę, przytulam do niej usta.

– Tyle dzieci boryka się z jakimiś gigantycznymi problemami – podejmujesz, więc spoglądam ci w oczy.

– Nie nasze – odpowiadam z przekonaniem.

– Więc chcesz mieć ze mną dziecko? – Śmiejesz się, ale w twoich oczach jest coś...

Dotykasz mojego brzucha. Wydaje mi się, że to taki moment, kiedy zaczynasz postrzegać mnie zupełnie inaczej. Już nie jestem Jasmin, która kopała z tobą puszkę po coli na piaszczystej drodze do domu. Ani tą dziewczyną, którą zostawiłeś w Gdyni, a sam wyjechałeś do Słupska. Tamte wszystkie Jasmin zostały w swoich czasach i w nich żyją. Ja jestem nowa, pierwszy raz widzisz we mnie kobietę, której oboje jeszcze nie znamy.

– Twój cień ciągle wygląda tak samo – żartujesz, wskazując ścianę, na której maluje się moja postać.

A potem przytulasz mnie tak mocno, jakby zaraz świat miał się skończyć, i słyszę, jak walczysz ze łzami, z katarem, który napłynął ci do nosa, i mówisz jak najbardziej opanowanym głosem, że bardzo mnie kochasz i że nie powtórzy się już to, co było kiedyś.

Spacerujemy po Starym Mieście w Gdańsku. Słońce już dawno zaszło i od rzeki wieje chłodny wiatr. Na szyi wiążę apaszkę, którą mi kupiłeś. Ty masz na sobie dzisiaj starą wojskową kurtkę – parkę M65 z demobilu. Zachwyca nas widok wąskich uliczek, historycznych budynków, niewielkich kawiarni, z których większość wystawia stoliki na zewnątrz. W Gdańsku jesteśmy obcy, anonimowi jak w piosence Boba Dylana *Like a Rolling Stone*. Jak obieżyświaty... „Jakie to uczucie?" – pyta Bob Dylan, więc odpowiadam mu w myślach: cudowne! Najwspanialsze! Nie mogłabym wymarzyć sobie piękniejszego!

Wokół jest magia. Tkwi w naszych złączonych dłoniach, w prostych gestach jak ten, że kiedy siadamy na ławce, opieram nogi o twoje kolana – w blasku słońca, które rozlewa się po ulicach, i w poczuciu, że nareszcie mamy coś, co imituje nasz własny dom.

Kiedy cię nie ma, bujam się w fotelu w salonie. Próbuję uczyć się z podręczników, przepisuję notatki. Spaceruję po mieszkaniu. W łazience dość długo przyglądam się wannie. Coś mnie niepokoi w wodzie kapiącej z prysznica, ale nie wiem dokładnie co. Dokręcam kurki, a kiedy jestem już w drzwiach, słyszę kolejne kapnięcie. Kap, kap, myślę, wracając na balkon.

Niebo nad Gdańskiem mieni się odcieniami pawich piór.

Układam podręcznik na kolanach i patrzę na małą czcionkę, którą napisany jest cały rozdział.

Kap, kap... Jedna kropla spada na kartkę, marszcząc ją.

– Hej, hej! – przechylasz się przez moje ramię i zaglądasz w notatki, które rozłożyłam na stole. – Co robisz? Odrabiasz jakieś... ćwiczenia czy co wy tam macie na tych studiach?

Zsuwam okulary, do których ciągle nie mogę się przyzwyczaić, i z zakłopotaniem układam dłoń na zeszycie. Jakoś nie chcę, żebyś to czytał, chociaż właściwie nie wiem dlaczego.

– Mam jutro kolokwium – odpowiadam i jak najszybciej zamykam zeszyt.

– Z czego?

– Z prawa karnego.

– Mądralińska! – odpowiadasz ze śmiechem. – Nigdy bym nie pomyślał, że będziesz bronić przestępców!

– Albo ich oskarżać. – Dotykam twojego czoła, na którym widnieje brudna smuga. – Co to?

– Nie zdążyłem się umyć przed wyjściem z pracy. Nie chciałem, żebyś czekała.

Moja mama przychodzi punktualnie akurat, kiedy przygrzewasz przygotowany przeze mnie obiad, więc pierwsze, co zauważa, to mnie pochyloną nad podręcznikami, a ciebie w kuchni. Ten widok chyba ją zdumiewa, bo zamiast się ze mną przywitać, idzie do ciebie i zagląda w bulgoczący gulasz.

– Co robisz? Sam to przyrządziłeś?

– Nie. No co ty? Jasmin zrobiła. – Sięgasz po półmisek gołą ręką. – Kurwa, jakie to gorące!

Myślałam, że mama jest ciągle na nas zła, ale wygląda na to, że zaczęła już oswajać się z nową sytuacją. Zgodnie zwiedzacie mieszkanie, przy czym jej wszystko się podoba i o każdej rzeczy wyraża się ciepło. Zgodnie nakrywacie do stołu i przynosicie z kuchni półmiski. Przy stole rozmawiacie o przestępczości na ulicy, na której Alicja wynajęła mieszkanie po tym, jak wróciliście ze Słupska. Opowiadasz jej o samochodach, które paliły się na parkingach w ostatnich dniach, i o tym, że policja jak zawsze jest bezradna. Coś słyszałam o tych pożarach, ale dopiero teraz zaczynam słuchać uważniej.

– Ten wieżowiec koło was – odzywa się mama. – Tam przeniesiono rodziny z jednego bloku na Chyloni.

Bezrobotne rodziny, które nie płaciły czynszu. Blok zlikwidowano i teraz macie ich u siebie.

– Masakra. – Kładziesz rękę na mojej dłoni.

Mama zauważa to, ale nic nie mówi. Słucha, jak opowiadasz, że większość rodzin mieszkających na waszej dawnej klatce schodowej to „totalna patologia".

– Moja matka ma teraz dodatkowe pół etatu w zakładzie dla niewidomych, więc na szczęście nie zajmuje się już tymi rodzinami, ale powinnaś przyjść do niej na noc, tobyś posłuchała, co dzieje się w jej bloku! – Odwracasz rękę wnętrzem do góry, a kiedy układam na niej swoją, zamykasz ją w uścisku. – Awantura goni awanturę. Ostatnio jakiś sąsiad wywalił telewizor przez okno na trawnik!

Są też śmieszne rzeczy związane z mieszkaniem w takim miejscu. Rozbawiony przypominasz sobie, jak któraś z rodzin z waszego poprzedniego osiedla wygrała w totolotka.

– Naprawdę wygrali! – śmiejesz się i matka też się śmieje. – Otworzyli okno i wywalili na zewnątrz wszystkie stare meble! Koleś ubrał się w garnitur i tak przez kilka dni chodził po osiedlu! Dzisiaj nie mają nic! Tyle pieniędzy, a oni wszystko rozdali rodzinie i przepili albo wydali na totalne pierdoły typu kabina prysznicowa z radiem i telefonem!

Zakręcasz wodę i zabierasz mnie spod prysznica, drżącą, zsiniałą z zimna. Owijasz mnie ręcznikiem, wycierasz.

– Chodź, ogrzej się w pokoju...

Nie pytasz, jak długo tam stałam, dlaczego zalałam całą łazienkę. Pospiesznie ściągasz z łóżka koc i okrywasz mnie, a potem pomagasz mi dojść do salonu.

– Co się dzieje?

Spoglądasz mi niespokojnie w oczy, szukasz w nich czegoś i tego nie znajdujesz. Sięgasz po moje ręce. Są niemal przezroczyste z zimna, sine. Zamykasz je w swoich dłoniach i oglądasz się na wodę, którą trzeba szybko wytrzeć z podłogi, żeby nie spaczyła desek.

– Co tam się stało, Jasmin?...

Milczę.

– Powiedz mi co, inaczej nie będę umiał ci pomóc.

– Ktoś tam był.

Zaciskasz powieki, jakby cię coś zabolało. Pocierasz czoło, spoglądasz na mnie tak, jakby mój widok też bolał.

– Zrobię ci coś do picia, rozgrzej się.

Musisz przysuwać mi kubek z napojem do ust, bo sama nie jestem w stanie go utrzymać. Włosy plączą mi się po twarzy, więc zbierasz je w nierówny warkocz i przewiązujesz gumką.

– Kiedyś mnie tego nauczyłaś. – Spoglądasz mi trochę nerwowo w oczy i puszczasz warkocz na plecy.

Koszmarny sen, w którym jestem kompletnie sama, a coś ciężkiego ponad moje siły siada mi na piersiach. Krzyczę, rozpaczliwie próbując złapać oddech, a ty natychmiast zapalasz światło. Zmora znika.

– Co się dzieje?

Drżę, jestem cała spocona, mam mokre włosy i duszę się. Chcę ci wytłumaczyć, że sobie nie poradzisz, że ja sobie nie poradzę, że dzieje się coś naprawdę złego, więc musisz mnie odwieźć do szpitala, ale kiedy rozchylam usta, nie słyszę swojego głosu, bo brakuje mi tchu.

Płaczę, a wokół zakrzywiają się ściany i jakaś obca siła znowu ląduje mi na piersiach i gniecie, gniecie, gniecie... Kładziesz się przy mnie, opierasz mnie o siebie, prosisz, żebym spróbowała oddychać razem z tobą. Wdech, wydech, wdech, wydech.

– Już lepiej, widzisz? Już lepiej, to zaraz minie, kochanie...

Każdy dźwięk tej nocy wydaje się przerażający i zwiastuje nieszczęście. Pocę się i trzęsę, serce bije mi jak oszalałe. Podłoga trzeszczy, coś porusza się w korytarzu. Wydaje mi się, że ktoś próbuje wejść do środka, że zaraz nastąpi jakiś koniec.

– Coś ci włączę, czekaj... *Where is my Mind* The Pixies. Może być?

Sięgasz po swoją komórkę, szukasz tego utworu na internetowych stronach i mimo moich protestów wsuwasz mi do ucha jedną słuchawkę, a sobie wkładasz drugą i włączasz. Rozlegają się dźwięki gitar, które wokalista przerywa słowem „Stop!". Następuje chwila ciszy i utwór rusza do przodu z lawiną wspomnień, na które nie jestem przygotowana.

Łzy spływają mi po policzkach, kiedy przypominam sobie, jak mieliśmy po dwanaście lat i w twoje urodziny nagrywaliśmy się kamerą. W innym wspomnieniu mam zaledwie kilka lat i przyciskam nos do szyby, czekając, aż przyjedzie twój autobus. W jeszcze innym mama suszy klientce włosy, a one unoszą się...

– Co jeszcze ci włączyć?

Światło z wyświetlacza pada niebieską poświatą na twoją twarz, na pobladłą skórę, wystraszone, zmęczone oczy. Poruszasz palcem po dotykowym panelu i w końcu włączasz *Shine* Muse w wersji akustycznej. W słuchawkach słyszę szum padającego deszczu, dźwięk grzmotu burzy i wreszcie muzykę tak delikatną, jakby powstała z kropel wody...

Zasypiam, przytulona do ciebie. Obejmuję cię przez sen ramionami, ale nie minie kilka chwil, gdy obudzę cię kolejnym krzykiem i tym razem nie uda ci się mnie tak łatwo uspokoić.

Nad ranem z lęku zaczynają się wymioty. Jest czwarta i nad Gdańskiem powoli wstaje świt. Ludzie śpią w domach albo właśnie się budzą, a ty tkwisz ze mną w łazience, zmęczony do granic możliwości, przytrzymujesz moją głowę i spuszczasz wodę, kiedy wydaje się, że to już koniec.

Dzień zastaje nas na wpół śpiących, niemal pozbawionych emocji. Reagujesz odruchowo, kiedy próbuję zsunąć stopy z łóżka: podnosisz się z dywanu i pomagasz mi usiąść.

Nie poszedłeś do pracy, budzik dzwonił gdzieś pomiędzy czwartą a piątą, ale go wyłączyłeś. Potem zadzwonił twój telefon, ale go nie odebrałeś. Teraz spoglądasz na zegar, jakbyś nie mógł uwierzyć, że już jest dzień. Pocierasz oczy i z wyraźnym wysiłkiem wstajesz z łóżka.

– Może to przez te twoje studia? – pytasz. – Ciągle macie kolokwia, a ty uważasz, że jak nie będziesz otrzymywać stypendium, to nie poradzimy sobie finansowo... Mylisz się, poradzimy sobie. Nie musisz się tak starać.

Do pokoju przez zaciągnięte żaluzje wpada szare światło. Mam wrażenie, że każdy głośniejszy dźwięk, każdy ruch i blask mogą mnie zranić.

Nie jestem w stanie zrobić nic więcej, na przykład wziąć prysznica albo uprzątnąć łazienki, ale to, że nie czuję już paraliżującego strachu, to i tak milowy krok. Wiem, że jutro będzie lepiej. Małymi kroczkami dzień po dniu będę robić więcej i więcej, więc jeśli to wytrzymasz, jeśli przy mnie zostaniesz, to za kilka dni znowu będziemy mogli udawać, że wszystko jest w porządku.

39

– To naprawdę ja.

Kucam, a moja dłoń biegnie do twarzy, która wyłania się z gmatwaniny kresek i szarych odcieni. Zdumiewa mnie widok własnych oczu, rozkudłanych włosów, które na rysunku podkreślają wrażenie poranka, pitej przeze mnie kawy w dużym kubku, który parzył, więc trzymałam go poprzez rękawy twojego swetra.

– Mój Boże, jak ty to robisz?

Nie mogę uwierzyć, że wykonałeś ten rysunek tak szybko, że zawarłeś w nim wszystko, nawet światło przeciekające przez moje włosy i modelujące policzek oraz lewą dłoń.

Żadne z nas nie mówi tego na głos, ale wiem, po prostu wiem, że pokażesz te prace profesorowi z ASP, który jest wujkiem Tani i był tak uprzejmy, że zgodził się je przejrzeć.

– Wstań, zrobię ci kilka zdjęć.

Kierujesz na mnie aparat fotograficzny, który kupiliśmy z twojej ostatniej wypłaty.

– Co mam robić?

Rozglądasz się po pokoju i twoje spojrzenie pada na bujany fotel, który ustawiliśmy w kącie, blisko wejścia do kuchni.

– Usiądź tam.

Fotografujesz mnie skuloną w fotelu, z kolanami przyciągniętymi do piersi. Wykonujesz też serię zdjęć, na których stoję na tle okna, prześwietlona przez słońce, trochę jak wspomnienie w kolorze sepii. Nastawiasz w aparacie opcję samowyzwalacza i zbliżasz się do mnie. Opieramy się o siebie plecami, układamy na łóżku w pozycjach, które moja matka pewnie by uznała za zbyt śmiałe. Tracę poczucie czasu. Ostatnie zdjęcia to sceny, gdy owijasz mnie ciasno w białe płótno, gdy owijamy się w nie razem, a potem rozciągamy je, tworząc najlepsze z ujęć, niepokojące i jednocześnie uderzające wymową przemocy i czegoś złego, co nad nami ciąży.

– Kiedy włączą nam ogrzewanie?

– Kiedy zapłacę im zaległość za prąd.

– Czyli kiedy?

– Jak dostanę pieniądze od klienta. Wtedy.

Jest lodowaty grudniowy wieczór. Na parapecie naszego poddasza zalega warstwa śniegu, a w mieszkaniu jest tak zimno, że siedzę na łóżku w grubych skarpetach i z czapką na głowie, podczas gdy ty w rękawiczkach bez palców i okutany szalikiem pracujesz na laptopie.

– Jeszcze pół godziny, Jasmin – przypominasz, zerkając na zegarek. – Za pół godziny musimy wyjść.

W lodowatej łazience maluję usta na szkarłatną czerwień. W lustrze obserwuję swoje odbicie i uderza mnie, jak bardzo schudłam. Być może winić powinnam siebie,

tak rzadko robimy ciepłe posiłki, ale istnieje duże prawdo-
podobieństwo, że wycieńczają mnie nawracające ataki
nocnej paniki.

W sypialni wkładam turkusowy top z włóczki, który
sięga kolan i wciągam grube pończochy. Nie pamiętam,
kiedy ostatni raz kupiłam sobie coś nowego, kiedy mieliśmy pieniądze, żeby wyjść razem na kolację. Od ponad
miesiąca nie masz stałej pracy, a upierasz się, żebyśmy nie
brali pieniędzy od mojej mamy.

– Jesteś gotowa?

Podnoszę głowę, a włosy, których ciągle nie mam czasu
ściąć, spadają mi na piersi i sięgają niemal pasa.

W twoje spojrzenie wkrada się jakieś onieśmielenie,
kiedy patrzysz na moje umalowane usta, na te rozczesane
włosy, kiedy spoglądasz na turkusowy top.

Niebo nad Starym Miastem w Gdańsku jest dzisiaj czyste,
gwieździste. Ledwie wychodzimy przed kamienicę, kiedy
twoja dłoń znajduje moją rękę. Śnieg chrzęści pod naszymi stopami. Mijamy historyczne kamienice, zagłębiamy się
w mrok bramy, gdzie wysoka dziewczyna – prawdopodobnie
studentka akademii muzycznej – gra na wiolonczeli, podczas
gdy oddech opuszcza jej usta w obłoczkach pary.

– Jasmin, cieszę się, że wreszcie mam okazję cię poznać.

Profesor z wydziału grafiki całuje moją dłoń. Ma na
sobie znoszoną marynarkę, spod której wystają długie
rękawy koszuli, i źle dobrane brązowe spodnie. Ciemne,
przyprószone siwizną włosy sięgają mu ramion i przez to
wygląda jak roztrzepany artysta z jakiegoś amerykańskie-
go filmu o pokoleniu bitników.

– Staszek zrobił tak wiele twoich portretów, że rozpoznałbym cię na końcu świata! Występujesz w niemal wszystkich jego pracach!

Oglądam się na ciebie, ale jesteś zajęty rozmową z jakąś dziewczyną, którą najwyraźniej dość dobrze już znasz. Lustro w rzeźbionych ramach odbija moją postać, kiedy zagłębiam się w przestrzenną pracownię wypełnioną obrazami, odlanymi z brązu rzeźbami oraz kształtami owiniętymi w płótna i ustawionymi na drewnianych postumentach. Studenci kumulują się wokół stołu zapełnionego butelkami piwa. Przyglądam się dziewczynom, które wydają mi się takie oryginalne i niezwykłe. Spoglądam na chłopaków, próbuję wyobrazić sobie ciebie pomiędzy nimi i pasujesz idealnie. Uświadamiam sobie, że chyba zawsze właśnie tutaj było twoje miejsce.

– Chodź, coś ci pokażę. – Profesor wskazuje drzwi na prawo od staromodnej sofy.

Schylamy się, żeby przez nie przejść, a w środku znajduje się niewielka zaimprowizowana ciemnia.

– Podoba mi się to, co robi twój chłopak. – Podaje mi plik wydruków. – Popatrz, to jego prace. Pewnie już je widziałaś, co?

Nie, nigdy wcześniej mi ich nie pokazałeś. Najpewniej więc powstały tutaj, na uczelnianym komputerze, podczas twoich wizyt u profesora. Przeglądam wydruki coraz bardziej zaskoczona, ponieważ posłużyłeś się naszymi zdjęciami. Widzę więc moje ciało unoszące się pod gwieździstym, surrealistycznym niebem, bosymi stopami dotykam ulicy. Na innym obrazie siedzę pomiędzy wysokimi źdźbłami traw, niesamowicie realistycznymi, pełnymi żyłek i kropel rosy – wysokimi tak bardzo, jakbym była pomniejszoną Alicją z Krainy Czarów. Moje spojrzenie kieruje się do miejsca, gdzie źdźbła się rozchylają, odsłaniając zbliżającego się tygrysa.

– I co o nich myślisz?

– Są piękne – odpowiadam, ale wolałabym użyć słowa „przerażające". Bo te obrazy to suma wszystkich moich lęków.

Długo przyglądam się swojej postaci spętanej z tobą białym płótnem. Postaci, która jedyna wydaje się realna, podczas gdy ty jesteś rozmytym tłem, czymś, od czego powinnam się uwolnić.

– To rzadki dar, Jasmin.

Czuję, jak policzki mi czerwienieją, jak ogarnia mnie onieśmielenie tak wielkie, że nie wiem, co odpowiedzieć. Jasne, niemal siwe oczy w poczciwej twarzy sondują mnie teraz poważne. Przyglądam się fotografii, na której mam na sobie nocną, sięgającą kostek koszulę. Jej biała krawędź ściera się z ciemnością wnętrza. Umieściłeś mnie przy długim błyszczącym stole w jakiejś gigantycznej gotyckiej jadalni. Na krześle na wprost mnie siedzi nieruchoma kobieta odziana we wdowi strój. Spoglądam na kiście winogron w jej palcach, na twarz modelowaną przez blask ognia – twarz półprzezroczystą jak twarz ducha.

– Jasmin, nie bądź zła, że ci to mówię – przerywa ciszę profesor – ale nie powinnaś pozwolić mu się zmarnować na jakiejś budowie albo w magazynie.

Wracamy późną nocą, trochę pijani, i pewnie dlatego mam problem z włożeniem klucza do zamka. Od progu uderza mnie zimno, które zgromadziło się w przedpokoju.

– Musimy mieć z powrotem ogrzewanie. – Chwiejnie kieruję się do sypialni. – Zadzwoń rano do tego klienta i ponaglij go o pieniądze albo poproszę matkę, żeby nam coś dała. Nie możemy mieszkać w takim zimnie...

Ściągam płaszcz, a twoje dłonie oplatają mnie w pasie. Dotykasz ustami mojego ramienia, odgarniasz mi włosy z szyi, ocierasz wargi o skórę.

– Cały wieczór nie mogłem oderwać od ciebie oczu... – drażniący szept przy uchu.

Rozchylam powieki, a grubo pociągnięte mascarą rzęsy lepią się do siebie.

– Cały wieczór nie odrywałeś oczu od jakiejś studentki. Kto to jest? Ma na imię Agata, tak?

– Jaka Agata? – śmiejesz się i wsuwasz dłonie pod mój top, otaczasz palcami piersi. – Nie znam żadnej Agaty.

– Ona ci się podoba? Staszek, podoba ci się?

Obracasz mnie do siebie i całujesz.

– Ty mi się podobasz.

– Było dobrze? – pytasz potem, pochylając się nade mną w ciemności. Przytrzymuję twoje włosy, żeby nie osypywały się na mnie i przytakuję ruchem głowy.

Układasz się na poduszce, sennie naciągasz na nas kołdrę.

– Koszmarnie zimno... – mamroczesz już na pograniczu snu. – Błagam, nie miej żadnych lęków... Wyśpijmy się chociaż jedną noc. Tak się umawiamy? Żadnych złych snów?

– Co stało się w nocy, Jasmin?

– Coś mnie przestraszyło.

– Co tym razem? Zdajesz sobie sprawę z tego, że właściwie co noc masz jakieś koszmary? Może powinnaś pójść do lekarza. Gdzie masz opakowania tych tabletek, które nabyłaś w aptece bez recepty? Mówiłaś, że to bezpieczne leki, ale trzeba sprawdzić w skutkach ubocznych. Może jest jakaś informacja na ten temat... Jezu, od kiedy bierzesz leki, właściwie ciągle masz w nocy problemy i... Po prostu muszę się wyspać chociaż jedną noc, bo inaczej zwariuję i w końcu będę łykał tabletki razem z tobą!

Chwila niezręcznego milczenia.

– Zwariujesz i będziesz łykał tabletki razem ze mną?

– Nie... Jezuuu, głupio zabrzmiało, nie to miałem na myśli...

Na stole ustawiam talerze, sięgam po chleb i lustruję wzrokiem półki w lodówce, podczas gdy z ramion spada mi szalik.

– Pojedź do matki, Staszku. Tam się wyśpisz.

– Słucham?

– Po prostu też uważam, że powinieneś się wyspać.

– O czym ty mówisz? Co cię ugryzło?

– A ciebie?

Jak to możliwe, że żyjemy tutaj razem, tak zwyczajnie, podczas gdy jej przez cztery lata nie odnaleziono? Mam wrażenie, że dziewczyna porusza się za moimi plecami, zagląda mi przez ramię. Dzisiaj szczegółowo potrafiłabym opisać jej strój, włosy, twarz. Przypominają mi się detale, na które wcześniej nie zwróciłam uwagi. Rozpamiętuję to, jak chwiała się na nogach, co mówiła, o co prosiła. Wszystko wraca, dziwnie ostre, przejaskrawione, jak w krzywym zwierciadle. Co myśmy zrobili? – myślę i z nerwów brakuje mi tchu. Jak mogliśmy? Jak możemy kochać się, zasypiać wtuleni w siebie, układać sobie życie i robić wszystko to, co robią normalni ludzie, podczas gdy z nią stało się tamto?!

– Jezuuu, ale ty jesteś hipokrytką! Wściekasz się, bo profesor nagadał ci, że mógłbym studiować, tak? O to chodzi? Wolałabyś, żebym studiował, bo to bardziej pasowałoby do twoich potrzeb! Mogłabyś wtedy przedstawić mnie ludziom ze swojego wydziału i nie krępowałyby cię ich pytania o to, co robię?!

– Myślisz, że się ciebie wstydzę? Odbiło ci?

– Widzę, że masz z tym cholerny problem!

– Z niczym nie mam problemu! To ty masz problem, bo chciałbyś studiować na ASP, a nie możesz, bo wpieprzyłeś się w mieszkanie tu ze mną!

– Wpieprzyłem się? – W twoim głosie pobrzmiewa niedowierzanie. – Myślałem, że chcemy tego mieszkania. Co próbujesz mi powiedzieć?

Dopada mnie zła myśl, że nie powinieneś być szczęśliwy, bo tamta dziewczyna nie żyje. Odwracam wzrok i skupiam się na robieniu herbaty.

– Nic.

– Mów, jak już zaczęłaś!

– Nic – powtarzam i zalewam kubki gorącą wodą. Do twojego dodatkowo sypię łyżeczkę cukru. Sięgam po cytrynę...

– Nie chcesz mieszkać ze mną, Jasmin?

– Nie powiedziałam tego.

– Ale tak to zabrzmiało.

– Powiedziałam, że chcesz studiować na akademii. Bo chcesz i ja to doskonale rozumiem. Wcześniej nawet ci przez myśl nie przeszło, że mógłbyś, prawda? Twoja matka odwaliła kawał roboty, wmawiając ci, że do niczego się nie nadajesz!

– Jezu Chryste, co w tej rozmowie robi moja matka? Dlaczego cały ranek się kłócimy?

– Przerosło cię to, prawda?

– Że niby co?

– Mieszkanie ze mną, praca na etat, weekendy przy robieniu stron Web i moje stany lękowe, przez które nie wyspałeś się w tym tygodniu ani razu. Wiem, że to cię przerasta, i nie rozumiem, dlaczego upierasz się, żeby jednak tak żyć!

– Nie mogę uwierzyć, że to mówisz.

Spoglądam ci w oczy i widzę, jaki jesteś niewyspany, ziemiście blady, zmęczony do granic możliwości. Patrzę w twoje podpuchnięte oczy i robi mi się żal ciebie, siebie i jej.

– Zadzwonię dzisiaj o te pieniądze do klienta – obiecujesz ugodowo i wydobywasz z opakowania leków ulotkę.

– Będziemy z powrotem mieć ogrzewanie i może przestaniesz zachowywać się jak jakaś zołza.

W kuchni jest dzisiaj naprawdę koszmarnie zimno, więc na głowie masz czapkę, spod której wystają kosmyki włosów, a na wierzch naciągnąłeś czarną bluzę z kapturem.

– Usiądź, herbata ci stygnie – odzywam się łagodniej, sama zajmując krzesło po drugiej stronie stołu.

Nie reagujesz, zajęty studiowaniem ulotki. Niczego tam jednak nie znajdujesz, co potwierdziłoby twoje przypuszczenia. Przy stole oplatasz zmarzniętymi rękami kubek z herbatą i w milczeniu czekasz, aż napój przestygnie na tyle, żebyś mógł go upić. Teraz, kiedy przestaliśmy się kłócić, dobiegają mnie dźwięki zimowej piosenki Chrisa Rei, którą nadaje radio. *Driving Home for Christmas*.

40

Kilka dni później w szafce z ubraniami znajduję przedmiot owinięty w czarną koszulkę. Oglądam się na drzwi wyjściowe, jednocześnie sięgając po niego, i przez materiał czuję, jaki jest sztywny i w sumie ciężki jak na coś tak niewielkiego.

– O Boże! – wyrywa mi się, kiedy rozwijam zawiniątko.

– Co to tu robi? – chciałam zapytać spokojnie, ale mój głos wznosi się o oktawę i brzmi histerycznie.

Patrzysz na pistolet, który położyłam na stole, i po twojej twarzy przebiega jakiś cień. Kiedy spoglądasz na mnie, w twoich oczach dostrzegam zimno, którego jeszcze nie znam. Bez słowa sięgasz po broń i kierujesz się do sypialni, a ja ruszam za tobą, niemal depcząc ci po piętach.

– To pistolet twojego ojczyma? Staszek, zabrałeś go z tamtego domu?

– On nie jest moim ojczymem.

Owijasz broń z powrotem w koszulkę i odkładasz na miejsce.

– Staszku, nie masz pozwolenia na tę broń, ona nie powinna tutaj leżeć!...

Na moment ucisza mnie twoje wrogie spojrzenie.

– Przecież na pewno wystąpił o drugą broń, a tę może nawet zgłosił jako zaginioną! – podejmuję. – Narobisz sobie kłopotów!

Nie wiem, dlaczego zaczynam krzyczeć, dlaczego ty na mnie krzyczysz i uderzasz ręką w ścianę z taką złością, że nieruchomieję.

– To co mam z nim zrobić według ciebie, Jasmin?! Odesłać mu?! Dlaczego w ogóle się w to wtrącasz?!

Patrzę na twoją rękę tuż przy mojej twarzy i ze strachem kieruję wzrok na ciebie. Też w końcu zauważasz, co prawie zrobiłeś. Cofasz dłoń i przyciskasz ją do siebie, jakbyś się bał, że znowu stracisz nad nią panowanie. Unikasz mojego spojrzenia, z jakimś rodzajem zażenowania wycofujesz się z pokoju do kuchni.

– Odwala mi – mówisz zamiast „przepraszam".

Alicja pracuje teraz w ośrodku dla niewidomych i poprosiła cię, żebyś w piątek zastąpił ją tam na warsztatach. Kiedy do ciebie zachodzę, zdumiewa mnie, jak dobrze sobie radzisz, jak świetny masz kontakt z kalekimi ludźmi. Stojąc pod ścianą niezauważona przez ciebie, obserwuję, jak pomagasz młodej kobiecie nanieść glinę na konstrukcję pod rzeźbę. Prowadzisz jej ręce w głąb naczynia z tworzywem, a ona woła, rozbawiona i przestraszona jednocześnie:

– Mokra! Zimna! Okropieństwo!

– Musisz ją ugniatać i nakładać tak... Właśnie tak, jak to robisz, żeby nie spadła z konstrukcji.

Kilka pierwszych ruchów wykonujecie razem. Patrzę na twoje dłonie na jej rękach. Widzę, jak powoli się wycofujesz, zostawiając jej dalsze działania, ale pozostajesz blisko, kiedy zaczyna sama sięgać po materiał. Zaginasz jeden z drucików konstrukcji, żeby się nie skaleczyła.

Starszy mężczyzna zbudował jakąś długą wieżę.

– Co robisz, Marku? Co to będzie? – pytasz, przystając przy jego pracy.

Wyczuwa twój zapach i ruch powietrza i obraca głowę dokładnie w twoją stronę.

– A na co ci to wygląda?

– Nie wiem. Powiesz mi?

Śmieje się, i to tak szczerze, jakby to była najzabawniejsza rzecz pod słońcem.

– Akt!

– Akt?

– No tak, to jest serce... to są płuca, a tu zacząłem nakładać skórę...

– Eeeej, o co chodzi z tymi płucami?

On opiera ręce na udach i klepie się, roześmiany.

– A jak mam inaczej zbudować ciało?!

– Co tu robisz?

Przystajesz przy mnie i opierasz rękę o ścianę za moim ramieniem. Twoje spojrzenie przykleja się do moich ust. Uśmiechasz się i moje usta też wyginają się w uśmiechu.

– Pomyślałam, że może odwiedzimy potem twoją matkę. Dawno u niej nie byliśmy.

– Moją matkę? No dobra. Ale skąd taki pomysł?

Kiedy wyjeżdżamy z ośrodka, zawierucha jest tak intensywna, że niemal całkiem ogranicza widoczność.

Oczywiście z braku pieniędzy nie zmieniłeś opon na zimowe, więc kiedy bierzemy zakręt, czuję ślizg kół. Wycieraczki zbierają śnieg z szyby, ja skupiam się na tym, by wygładzić spódnicę, którą pomiąłeś mi chwilę wcześniej na parkingu pod ośrodkiem dla niewidomych, kiedy mnie całowałeś, a ty manewrujesz pokrętłem od radia. I właśnie wtedy następuje głuche uderzenie i trafiamy na coś kołem.

– Jezu, co to?!

Kierownica odbija raptownie w prawo. Zauważam tylko zbliżające się pobocze drogi. Odruchowo przytrzymuję się kokpitu, a samochód uderza w zaspę i zamiera.

– Co to było? Wydawało mi się, że po czymś przejechaliśmy...!

Wysiadasz na zewnątrz, więc zapinam kurtkę i ruszam za tobą. Na dworze panuje przeszywający chłód, śnieg utrudnia jakikolwiek ruch. Coś zauważyłeś. Zwalniasz kroku i w końcu stajesz w miejscu.

– Co tam jest?

Doganiam cię i nieruchomieję, zapatrzona w leżący na jezdni nieduży kształt.

Zbliżasz się do niego na tyle, na ile ci pozwala. Patrzy na nas mętnym okiem i odsłania skrwawione kły. Jestem jakieś dwa metry od niego, kiedy dociera do mnie, na co właściwie patrzę. Wokół nas świecą się uliczne latarnie, ale śnieg odcina nas od ewentualnych spojrzeń ludzi. Chcę ci powiedzieć, że skoro nikogo tu nie ma, to będzie lepiej wrócić do samochodu i odjechać stąd. Śnieg zasypie nasze ślady i nikt się nie dowie...

Staję kompletnie oszołomiona, podczas gdy ty zbliżasz się do zwierzęcia na tyle, na ile ci pozwala. Już też go rozpoznałeś. Nerwowo pocierasz usta i rozglądasz się za właścicielem, a potem patrzysz w stronę samochodu, gdzie przy kole widać niewielkie wgniecenie.

– Jak to się stało? – pytasz z niedowierzaniem. – Ktoś go chyba potrącił już wcześniej, bo jak inaczej...?

Na zakręcie pojawia się dwóch chłopaków.

– Staszku... – zaczynam, ale już jest za późno.

Dostrzegli nas i rzucają się biegiem.

– Cię chyba zajebię! – krzyczy jeden z nich, może szesnastoletni, piskliwym głosem. – Pies Grubego! Coś ty, kurwa, zrobił?!

Otaczają drgające ciało, a na ich twarzach maluje się nie tyle żal, ile bezgraniczne zdumienie i jakiś rodzaj fascynacji. Pytasz, czy możesz jakoś im pomóc. Proponujesz, że zawieziesz pitbulla do weterynarza albo... Oglądają się na ciebie tak, jakbyś był kosmitą, który nagle pojawił się przed nimi na środku lasu.

– Odjebało ci? – pyta ten młodszy i próbuje cię popchnąć, ale odpychasz jego ręce.

Tłumaczysz, że nie chcesz tu żadnej awantury, że to był wypadek i że pies musiał zostać potrącony już wcześniej. Starszy chłopak przygląda ci się rozszerzonymi oczami, jakby sądził, że śni.

– Czy ty wiesz, co zrobiłeś? – pyta w końcu, a młodszy wykrzykuje coś o tym, co się z tobą stanie, kiedy Gruby się o tym dowie.

Brzmi to przesadnie i głupio i wiem, że w innych okolicznościach po twoich ustach przebiegłby uśmiech. Dzisiaj jednak jesteś poważny.

– To był wypadek – powtarzasz, nie spuszczając z niego oczu. – Słuchasz, co do ciebie mówię? Wypadek. Ktoś potrącił go już wcześniej...

Obserwując ich, zaczynam nabierać przekonania, że są tak zaskoczeni tym zdarzeniem, że kompletnie nie wiedzą, jak się zachować, może też dlatego, że spuścili psa ze smyczy albo im się urwał i odpowiedzialność za jego śmierć spadnie też na nich. Otaczają go zdezorientowani.

– Mogę zawieźć go do weterynarza – powtarzasz, ale sam widzisz bezsens takiego działania.

Pies drga, właściwie zdycha na naszych oczach. Kucasz przy nim i obejmujesz się ramionami, jakby zrobiło ci się zimno.

– Przepraszam – mówisz zmartwiony. – Nie wiem, jak to się mogło stać. Nie widziałem go. Musiał leżeć na ziemi...

Myślę, że mieliśmy dzisiaj koszmarnego pecha. Cofam się do samochodu i strasznie chcę już stąd odjechać.

Coś jest nie tak i wiemy to w momencie, gdy Alicja otwiera nam drzwi dziwnie opieszale, długo po tym, jak manewrujesz przy łańcuchu, który założyła. W przedpokoju ma zgaszone światło, więc kiedy pojawia się w szparze, w pierwszej chwili zauważam tylko, że idzie jakoś inaczej niż zwykle, że trochę ciągnie lewą nogę. Kiedy zsuwa łańcuch i staje na wprost nas, raptownie łapiesz ją wpół.

– Mamo, co...? Jezuuu!

Prowadzisz ją w głąb mieszkania, do mnie wołasz, żebym zadzwoniła po policję i pogotowie, więc pospiesznie sięgam po słuchawkę wiszącą w przedpokoju i wykręcam numer.

– Nie! – unieruchamia mnie jej głos. – Zostaw!

Przyciskam słuchawkę do policzka i nie wiem, co robić, a ona patrzy na mnie opuchniętym okiem, tym samym, nad którym dawniej miała pękniętą brew. Prowadzisz ją do kanapy, pomagasz jej usiąść.

– Kiedy to się stało? – pytasz. – Mamo, trzeba zawiadomić policję! Niech to szlag, kiedy to się stało?! Jak on tu wszedł? Wpuściłaś go?

Alicja odpycha twoje ręce, kiedy chcesz unieść jej twarz do światła.

– Zostaw mnie – mówi niewyraźnie. – Zostaw! – powtarza ostro.

– Jak mogłaś dać mu adres!

– Puść mnie!

Odsuwasz się, dłonie opadają ci na kolana i patrzysz na nią bezradnie.

– Dlaczego wpuściłaś go do domu?

– Całe dnie jestem sama – mówi, prawie krzyczy. – Nawet do mnie nie dzwonisz. Całe dnie. – Spogląda na mnie, celuje we mnie palcem. – Ona ci kazała tu dzisiaj przyjść? To dlatego w ogóle tu dzisiaj jesteś?!

W łazience próbuje zatamować krew, która płynie jej z brwi.

– Ciociu, pomogę ci.

– Niby jak? – odpowiada, ale jej głos nie ma już takiej mocy jak kiedyś. Nawet spojrzenie, którym próbuje mnie do siebie zniechęcić, wydaje mi się jakieś złamane.

– Ciociu, pomogę ci – niemal proszę, zbliżając się do niej.

Uparcie wyciągam jej z ręki wacik i moczę go w zimnej wodzie. Nie wiem, jak opatruje się rany. Nie mam pojęcia, jak domowym sposobem leczyć takie obrażenia.

– Ciociu, powinnaś pojechać do lekarza. Pojadę z tobą, jeśli chcesz, poczekam na ciebie i razem tu wrócimy. Masz...

Ma pęknięty łuk brwiowy i opada jej powieka. Nie wiem, czy można to wyleczyć w domu.

– Powinnaś to zgłosić na policję. Nie możesz tego tak zostawić... To już drugi raz...

Nie chcę nawet myśleć, co może wydarzyć się za trzecim razem.

– Jak masz mi prawić kazania, to wyjdź! – odpowiada twardo, wyrywając mi wacik z palców.

Śpi, kiedy gaszę górne światło w jej pokoju i zapalam nocną lampę. Czekasz w korytarzu zmartwiony i niespokojny. Kiedy się do ciebie zbliżam, krzyżujesz ręce na piersiach i opuszczasz wzrok, czekając, co powiem.

– Już w porządku. Zasnęła.

– Coś mówiła? Opowiadała ci coś?

– Nie.

– Co robimy? Jeśli chcesz wracać, wezwę ci taksówkę. Ja tu zostanę. Nie chcę, żeby była sama...

Spoglądam na twoje dłonie częściowo ukryte w rękawach swetra i odpowiadam, że też tu przenocuję.

– Mogę spać w salonie – proponuję. – Wiesz, że powinniście wezwać policję?

– Tak, wiem, ale ona nie chce.

– Głupia decyzja. Nie wiesz, co jeszcze może się stać. Ryzykujecie.

Dziwnie się czuję, ścieląc sofę i słysząc, jak ty rozkładasz łóżko w swoim dawnym pokoju. O zdarzeniu z psem już nie pamiętam – znikło z mojej głowy, kiedy tylko Alicja otworzyła nam drzwi, i z tobą pewnie jest podobnie. Otaczają mnie rzeczy twojej matki, w większości stare, pochodzące jeszcze z czasów, gdy byliśmy dziećmi. Sięgam po niewielkie pudełko ze zdjęciami, które widziałam tylko raz. Wówczas mnie nie zaciekawiło, ale teraz jest inaczej. Teraz ja jestem inna. Unoszę pokrywkę i kolejno wyjmuję ze środka stare fotografie. Pierwszy raz uważnie oglądam pokój w akademiku, gdzie zamieszkaliście zaraz po tym, jak przyszedłeś na świat. Nie wiem, dlaczego zapamiętałam, że był ciasny i brzydki, i kompletnie niepodobny do mojego. Dopiero teraz widzę, że wcale tak nie było. Jeśli nawet był brzydki na początku, to twoja matka włożyła wiele wysiłku w to, by zaczął przypominać miejsce dla dziecka: na ścianach powiesiła wycięte bajkowe postacie, pomalowała w kwiaty łóżeczko z prętami, a regał przeznaczony na książki wypełniły zabawki i dziecięce przybory. Nad łóżkiem powiesiła lampki w kształcie ptaków.

Wykonała tak wiele twoich zdjęć, jakby nie mogła nadziwić się cudowi, który miała przed oczami. Fotografowała cię śpiącego, jadącego wózkiem, leżącego na kraciastym kocu na brzuchu... Na jednym zdjęciu jest też ona, jeszcze młoda, z czasów, gdy mieszkała w rodzinie zastępczej w Lubaniu, gdzie poznała moją mamę.

To zdjęcie pierwszy raz naprawdę przykuwa mój wzrok. Przypominam sobie słowa mojej mamy, wypowiedziane dawno temu i wówczas bez znaczenia dla mnie. Stwierdziła, że Ali wiele przeszła. Mówiła, że tamten człowiek, właściciel domu, nie był nikim szczególnym. Że wybrał sobie Alicję, ponieważ była najstarsza ze wszystkich dziewczynek. I że ją tam zniszczył. Ją jedną.

Moc tego, co próbowała mi w ten sposób powiedzieć, dzisiaj mnie poraża. Tak długo obracam fotografię w palcach, jakbym mogła w ten sposób cokolwiek zmienić. Dotykam włosów Alicji, obrysowuję palcem chude, wystające spod spódnicy kolana. Dotykam niewielkich, zarysowanych pod bluzką piersi.

W nocy budzi mnie twój dotyk. Rozchylam sennie powieki w chwili, gdy kładziesz się przy mnie. Przekładasz mi na plecy kosmyk włosów i przytulasz dłoń do mojego policzka.

– Śpij – mówisz cicho, poprawiając mi kołdrę. – Nie chciałem cię obudzić. Śpij.

41

– Patrz!

Zamrugałam oczami, wyrwana z odrętwienia, czując, jak serce rozpaczliwie tłucze się w piersiach. Poderwałam wzrok i zamiast białej szpitalnej ściany i recepcji zobaczyłam ciemne, brudne pomieszczenie wylane z betonu. Na wprost mnie niezgrabną ręką był wypisany jakiś tekst, którego nie potrafiłam odczytać. Ktoś powiedział:

– Zobacz, co się dzieje! – I szturchnął mnie czubkiem buta.

Ktoś panikował, powtarzał:

– No i co teraz?! I co, kurwa, teraz? Jak to się mogło stać?!

Wtedy uświadomiłam sobie, że otacza mnie las. Trwała noc, gdzieś daleko pohukiwała sowa, nad drzewami wisiał okręg księżyca.

Było tak, jakbym dostała zaproszenie do nowego wymiaru. Jakbym przeszła przez furtkę, za którą znajduje się coś pięknego, o niebo ciekawszego niż otaczająca mnie rzeczywistość. Przypominało to moment, gdy w telewizorze wymienia się matrycę na lepszą, nowszą. Wówczas zmieniają się kolory, ich jaskrawość, ostrość. Na lepsze. Tak było ze mną.

Oszołomił mnie widok księżyca, który zdawał się wisieć daleko i jednocześnie na wyciągnięcie ręki. Jego światło migotało, opromieniając cały las, odbijało się w guzikach mojego swetra. Ukryty na drzewie ptak wydał krótki okrzyk, kiedy uświadomił sobie, że patrzę mu prosto w oczy.

Jak to możliwe? – pomyślałam, ponieważ stałam na ziemi, a jednocześnie byłam blisko ptaka i mogłam go dotknąć. Miękkie pióra pod palcami. Miękkie jak puch.

Przycisnęłam dłoń do piersi i wtedy to zauważyłam. Taśma. Szara taśma klejąca na nadgarstku.

Coś pociągnęło mnie w tył, głosy zbliżyły się, jakby ktoś zgłośnił fonię.

– I co robimy?

– Jak to się mogło stać?!

– Ale kocioł! Kurwa, rusz się!

Bolało nie do wytrzymania, ponieważ ktoś nałożył na mnie przepocone, lepkie ubranie, w którym była posiniaczona skóra i obolałe kości. Znowu posiadałam zwyczajne oczy, w dodatku opuchnięte, z których wypływały łzy. I nos zapchany katarem. I spękane, bolące usta.

– I po co ta panika? Wszystko gra! – powiedział ktoś. – Po prostu stracił przytomność!

A z moich ust wypadło powietrze. Kolejny oddech. Nigdy wcześniej nie przyszło mi do głowy, że oddychanie może boleć.

– Co robimy?

– Nie wygląda dobrze. Znowu odpada... podnieś go. Trzeba coś zrobić.

– Przecież nie odwiozę go do szpitala!

– Myśl! Myśl!

W zasięgu wzroku miałam czyjś but. Ten but się zbliżył, a ja pomyślałam o księżycu i ptaku, które chwilę temu były w zasięgu ręki. Dotyk miękkich piór wydawał się nierzeczywisty, piękny, jak coś najcenniejszego, co nagle utraciłam. Kiedy but zbliżył się do czoła, odruchowo zmrużyłam oczy, czekając na cios, ale nie nastąpił. Pot lepił mi do ciała spodnie, a w uszach szumiała krew.

– I co? – zapytał głos, tak dudniący, jakby wydobywał się z długiego tunelu. – Co robimy?

Uświadomiłam sobie, że w głowie mam same dziury. Pomiędzy jedną dziurą a drugą znajdował się niewyraźny obraz kobiety i dziewczynki stojących w drzwiach jakiegoś domu. Kolejna dziura. Potem miękkie, niepewne miejsce, w którym była dziewczynka. Siedziała na pomoście nad jeziorem, mocząc stopy w wodzie, i uśmiechała się do mnie, odsłaniając lekko rozstawione jedynki.

Obraz wspomnień zawęził się jeszcze bardziej. Zobaczyłam kobietę o ognistych kręconych włosach. Pochylała się nad łóżeczkiem z prętami, w którym leżałam. Wyciągnęła po mnie ręce, uśmiechnęła się w sposób, który wydał mi się piękny.

Zobaczyłam białą piaszczystą drogę wijącą się między polami. Na jej końcu stał dom. Dwójka dzieci biegła przez ogród. Przeskoczyły porozrzucane narzędzia, minęły wysokie krzaki...

Jasmin... – imię pisane na pierwszej stronie dziecięcego zeszytu, imię wypisane na górze listy życzeń do Świętego

Mikołaja, imię, którym podpisane były prezenty pod choinką. Moje imię. Przypomniałam sobie mnie.

Jasmin...

Byłeś podmuchem wiatru, który wpadł do pokoju,
gdzie spałam, i rozgarnął zasłony. Moja mama piętro niżej
raptownie obróciła głowę tak, jakby wyczuła, że nie jest
sama. Twoja matka przebywała w gabinecie w Monarze,
przyczepiając do korkowej tablicy rysunki podopiecznych. Podmuch wiatru wyrwał jej rysunek z rąk i zrzucił
na podłogę. Schyliła się, a potem coś kazało jej unieść
głowę. Wyszeptała: „To tylko przeciąg" – i naciągnęła na
ramiona sweter.

42

Nie miałam pojęcia, ile minęło czasu ani co się ze mną działo. Powietrze wokół mnie drżało jak wycinanka, jakby w środku znajdował się jakiś żar. Czułam strach i jednocześnie magię, jak w dzieciństwie, kiedy czekałam na pojawienie się prezentów pod choinką albo kaligrafowaliśmy na kartkach swoje imiona, żeby potem ozdobić nimi talerze wystawiane w noc Świętego Mikołaja.

Coś dotknęło moich pleców, lekko zmierzwiło włosy. Przymknęłam powieki. Próbowałam zrozumieć to, co czuję, rozpoznać to, ale nie umiałam. Miękka substancja, trochę jak pajęcza sieć.

Wodziłam wzrokiem za błyskiem światła, za podmuchem wiatru, który poruszył roletą w szpitalnym oknie. Wyczułam jakąś obietnicę, że zaraz wszystkiego się dowiem, że zrozumiem, jak to jest, gdy stajesz się częścią powietrza, kroplami deszczu, gdy w kałużach odbija się obraz nie z tego wymiaru.

Zobaczyłam tamtych mężczyzn tak, jakbym się nad nimi unosiła. Kierowali się do samochodu, niosąc coś, co należało do ciebie. Umieścili to w bagażniku owinięte w koc.

Nad trawą utrzymywała się mgła. Słyszałam krzyki ptaków, nawet te najbardziej odległe, pochodzące gdzieś z krańca lasu. Dotarł do mnie szum morza, rozmowa rybaków, którzy przygotowywali do wypłynięcia kuter. Dialogi ludzi w blokach, w domach, oddechy śpiących, pierwszy śmiech dziecka, które jakaś matka kołysała na rękach daleko, daleko ode mnie.

Bez żadnego trudu mogłam się znaleźć wszędzie tam, gdzie zapragnęłam być.

W miarę jak wędrowałam w głąb miasta, zauważałam dziwne postaci. Wyglądały, jakby śniły: przycupnięty na jednym z balkonów człowiek, bardziej przypominający uśpionego ptaka. Kobieta na ławce w parku śnięta, jakby była tylko czyimś wspomnieniem. Starszy mężczyzna w oknie na parterze kamienicy i ten drugi, który stał na środku ulicy, wpatrując się w nadjeżdżające auto.

Znalazłam się w czyimś mieszkaniu, w sypialni spała jakaś para. Nie wyczuli ani nie usłyszeli mojego wejścia, a wiszące w holu lustro nie odbiło mojej postaci. Kot prychnął, kiedy znowu znalazłam się na ulicy i mijałam śmietnik, przy którym siedział.

Mnogość woni: perfumy kobiet, zapachy skór, włosów, zwierząt, ptaków, nadchodzącej jesieni, nikły zapach liści, trawy, kropel rosy...

Ja nie pachniałam. Przysunęłam dłoń do nosa i nie poczułam niczego poza wonią tych wszystkich rzeczy. Nie było na mnie już nawet smrodu ludzi, którzy odjechali.

Samochód – przypomniałam sobie i spróbowałam go odszukać.

Jechał przez las szeroką drogą pomiędzy drzewami. W radiu akurat szedł numer Rolling Stones *Sympathy for the Devil*. Człowiek za kierownicą wybijał rytm ręką, pozostali gapili się w szyby i milczeli.

– Gdzie jedziemy? – ciszę przerwał chłopak na tylnym siedzeniu, wytrząsając z paczki papierosy w taki sposób, jakby grał w kości.

– Jedź do mnie. Zaparkujemy auto i pomyślimy.

– Nie mogę uwierzyć, że to się stało.

– Może coś z nim było nie tak. Może na coś chorował. Nie wiem... Ja pierdolę!

Samochód wjechał na asfaltową drogę, minął wieżowiec i zagłębił się między dwa kolejne wysokie budynki.

W dźwiękach muzyki pojawił się jakiś dysonans, więc kierowca ściszył radio. Spojrzenia tych, którzy siedzieli z tyłu, uskoczyły na leżącą na siedzeniu torbę. Któryś wyjął ze środka telefon komórkowy. Na wyświetlaczu pojawił się pulsujący napis „Jasmin".

– Dzwoni dziewczyna.

– Odłóż telefon. Niech dzwoni.

– Nieee, no, kurwa, ja chyba śnię!

– Zamknij się i lepiej myśl, co teraz zrobić!

Zaparkowali pod wieżowcem, który wydawał się całkowicie uśpiony. Pozbierali rzeczy z tylnej kanapy i zniknęli za drzwiami na klatkę schodową.

Popatrzyłam na powoli stygnący samochód. Wiedziałam, że w bagażniku leży ciało. Nie musiałam otwierać drzwiczek, by widzieć rozchylone powieki, by wiedzieć, że źrenice nie reagują. Powieki nie mrugały. Krew już nie płynęła. Ciało było puste, lżejsze o dziesięć gramów niż przed śmiercią.

43

– Sara, Sara…. Ciiicho…

– Nie możesz uciszyć tego kundla?

– To nie jest „ten kundel", tylko Sara.

– Po prostu ją ucisz!

– To ją pogłaszcz i nie gap się tak, bo ona się boi!

Pies ciągle się jeżył, ale nie na nich, tylko na mnie. Nie czuł żadnego znajomego zapachu, więc cofnął się, wydając ciche kwilenie, które przeszło w warkot.

Mężczyźni usiedli w pokoju, wypełniając ciałami kanapę i fotele. Zasłony ciągle jeszcze okrywały okna, ale nikt nie zamierzał ich rozsuwać. Ktoś zapalił lampę i ciemne wnętrze wypełniło się jej blaskiem.

Nie miał pojęcia, co zrobić z ciuchami, które z siebie zdjął. Na spodniach były plamy od błota, na bluzie podłużny ślad w kolorze rdzy. Zastanowił się, czy ich nie wrzucić do pralki, ale gdyby policja zaczęła coś węszyć, wyglądałoby to podejrzanie, więc w końcu upchnął na spód kubła z brudnymi rzeczami. Wrócił do salonu.

– Dziewczyna pewnie już dzwoniła na policję.

– Ile mamy czasu?

– Nie wiem. Dobę? Dwie?

– Doba już minęła.

– No to mamy jeszcze jedną.

– Młody załatwi bilety. Trzy.

– Trzy? A co z tobą?

– Ja sobie poradzę.

– Że niby co to za film?

– Ten, na którym był Młody.

– Żartujesz? Mówisz o tym filmie, na który poszli?

– Tak. Masz lepszy pomysł?

– Przecież to jakieś koszmarne gówno! Jak gliny zaczną coś węszyć, to zrobię z siebie idiotę, mówiąc, że oglądałem coś takiego!

W przedpokoju rozległy się ciche kroki i w drzwiach stanął szczupły chłopczyk. Widok tak wielu mężczyzn wyraźnie go zaniepokoił. Sennie potarł oczy, przestąpił z nogi na nogę.

– Wracaj do pokoju! – odezwał się właściciel Sary. – Co tu robisz, Pi?

– Zabierz go stąd – wtrącił się jeden z mężczyzn.

– Piotrek, wracaj do pokoju! – powtórzył właściciel kundla, a kiedy dziecko nie zareagowało, wziął je za rękę i zaprowadził do sypialni.

To był ich wspólny pokój, zorientowałam się, jak tylko go zobaczyłam. Byli braćmi – tę wiedzę przejęłam naturalnie, nawet nie zastanawiając się skąd. Wszędzie walały się dziecięce ubranka i zabawki, mieszając się z męską garderobą. Malutkie wnętrze, w którym wygospodarowano jak największą przestrzeń do życia. Chłopiec spał na półkotapczanie, a łóżko jego starszego brata było zamknięte.

– Po co oni przyszli? – zapytał, posłusznie układając się pod kołdrą. – Już jest rano?

– Porozmawiać. Nie, jeszcze trwa noc. Śpij.

Głowa przylgnęła do poduszki. Starszy brat okrył kołdrą niewielkie ciałko. Adrenalina, która pobudzała go do działania jeszcze chwilę temu i znieczuliła na większość doznań, teraz pewnie opadła. Wyczułam jego zmęczenie i jakiś rodzaj złości.

– Pi, masz tu leżeć i stąd nie wychodzić. Dam ci słuchawki i posłuchasz sobie muzyki na mojej komórce.

Sięgnął po telefon, ale się zawahał. Coś z tym telefonem było nie tak. To miało coś wspólnego z tobą.

Zdjęcie.

Błysk – jak zapalające się światło. Zobaczyłam bunkier, leżące na ziemi ciało, telefon przysunięty do oczu. Usłyszałam okrzyk: „Hej! Patrz tu!". „Będzie miał pamiątkę. Przypomni sobie o nas, ilekroć na nie spojrzy!"

Klik, klik. Chwila zatrzymana na zawsze w oku obiektywu...

– Gdzie byłeś przez całą noc? – zapytał sennie brat.

– Nie twoja sprawa, mały. Bierz słuchawki i śpij.

Przypomniał sobie moment, gdy został w bunkrze sam na sam z leżącym na ziemi związanym ciałem. Krążył wokół niego, nie mogąc ustać w miejscu. Prześladował go tamten szept: „Jasiu? Chcę wrócić do domu. Pomóż mi...". Podszedł w kilku szybkich krokach, zaczął kopać, uderzać, a ciało skuliło się mocniej, w ciaśniejszą bryłę, rozpaczliwie pragnąc osłonić się przed ciosami...

Wstał tak raptownie, że otarł się o moje ramię. Coś go załaskotało, jakby zetknął się z prądem. Mały przeskok w głowie, sztywnienie karku i wrażenie, że znajduje się w samolocie, który nabiera dużej prędkości. A potem zimno, wielkie zimno, które sprawiło, że odruchowo skulił ramiona.

44

Plusk!

Moje ręce rozpaczliwie młóciły wokół siebie, z ust ulatywały bąbelki powietrza. Metry, metry koszmarnej zimnej wody, która zamknęła się u góry jak zatkana korkiem butelka. Nie mogłam krzyczeć, nie mogłam się wydostać na powierzchnię. Tonęłam. Wokół mnie kołysały się długie wiotkie rośliny, widziałam ławicę małych ryb, która na mój widok rozpierzchła się wystraszona.

Tak tu ciemno, tak okropnie ciemno! Migotliwe odblaski księżyca prawie tu nie docierają. W ciemności wyczułam kamienie. Ciało upadło, zagrzebując się w muł. Obok spadło coś jeszcze, coś ciężkiego, co wzbiło w górę piasek i nie pozwoliło mi oderwać się od dna.

– Nie wypłynie – powiedział ktoś.

– Która godzina?

– Pierwsza.

– Cholera, zaraz muszę być w pracy. Podrzucisz mnie?

– Właściwie skąd znasz tę dziewczynę?

– Byłem kiedyś u niej w domu.

– Żartujesz. Byłeś u niej w domu? Po co?

– Miała wtedy dziesięć lat. On też tam wtedy był.

– Kto?

– Kurwa, on!

– Żartujesz. – Zabrzmiało to poważnie.

– Nie, nie żartuję. – To też zabrzmiało poważnie.

Zobaczyłam nas jego oczami. Jakimś cudem nie wiedział o łączących nas niciach i zdziwił się, kiedy ktoś mu wyjaśnił, że jesteś moim chłopakiem. „Kto? On?" – nie mógł uwierzyć. „Tak, chodzi z Kornowiczem. Nie wiedziałeś?" Wtedy pierwszy raz naprawdę cię dostrzegł.

Wiele lat wcześniej obserwował, jak bawimy się w wysokiej trawie. Udawaliśmy, że trwa wojna, a my jesteśmy po dwóch stronach barykady. Z mieszanymi uczuciami przyglądał się naszym bosym stopom, pobrudzonym krótkim spodniom, pogniecionym koszulkom. Miałam we włosach liście, a ty wyciągałeś je, jakbyś był fryzjerem, który dba o moją fryzurę.

Staszek i Jasmin, dwoje nierozłącznych dzieci. Nieraz szedł za nami, kiedy wracaliśmy po szkole do domu. Widział, jak kopiemy jakiś śmieć, jakby to była piłka. Zauważył, jak złapałeś mnie za rękę, żeby bezpiecznie przeprowadzić przez ulicę. A na imprezie kończącej szkołę podstawową widział, jak tańczymy razem na parkiecie. W głowie jeszcze raz rozbrzmiał stary numer *Can't take my eyes off you*, kolorowe balony unosiły się nad naszymi głowami, twoje dłonie obejmowały mnie w talii. Opierałam policzek o twoje ramię, zarzuciłam ci ręce na szyję i kołysałam się w rytm muzyki, czując, jak przy sercu bije twoje serce.

– Nie zapowiadali deszczu, a tu patrz... – kierowca wskazał niebo, które nabrzmiało od chmur, jakby zaraz miało lunąć.

Drobne krople rozbiły się o przednią szybę.

– Wysadźcie mnie tam, za rogiem, to będę miał bliżej – odezwał się mężczyzna z tylnego siedzenia. – I pamiętajcie o kinie.

– Pamiętamy, pamiętamy.

Samochód zatrzymał się w zatoczce. Pasażer wysiadł, naciągając kaptur na głowę, i przeciął ulicę w kilku szybkich krokach.

Pojazd podjął jazdę, by stanąć pod pizzerią. Kierowca i pasażer siedzieli jeszcze przez chwilę w środku, oboje milczący, wpatrzeni w szybę, za którą deszcz z każdą minutą przybierał na sile, aż nastąpiło urwanie chmury.

– Poczekaj, zaraz przestanie tak strasznie lać.

Na chodniku przy wejściu do pizzerii leżał stary but. Dostrzegli go jednocześnie i nie mogli oderwać od niego oczu. Czyjaś tenisówka, wywrócona do góry nogami, popisana kolorowymi pisakami. Pomyśleli o twoich butach, o tym, co się stało kilka godzin wcześniej. Nie rozumieli, dlaczego właśnie widok buta zrobił na nich takie silne wrażenie, silniejsze niż wszystko, co wydarzyło się wcześniej.

45

– Co się dzieje? – zapytał lekarz, świecąc mi latarką w oczy. – Powiedziano mi, że ma pani problemy z pamięcią, ale widzę, że chyba nie tylko o to chodziło.

Ominęłam wzrokiem jego podłużną, wyraźnie niewyspaną i niemłodą już twarz, kiedy podał mi termometr i poprosił, żebym usiadła.

– Zmierzę pani tętno. – Zajął miejsce koło mnie. – Patrzyła pani na siebie w lustrze? – zapytał, obwiązując mi paskiem rękę. – Widziała pani swoje sine usta? Co się pani stało?

Wynik pomiaru chyba mu się nie spodobał. Kazał mi zdjąć buty i dotknął moich stóp. To samo zrobił z rękami.

– Gdzie pani była przez ostatnie godziny? – zapytał z wyraźnym zdziwieniem. – Zamknęła się pani w lodówce czy może leżała w wannie z zimną wodą?

Moje spojrzenie przykleiło się do jego ust. Słuchałam, jak zadaje mi kolejne pytania, mając wrażenie, że znalazłam się za jakimś grubym, zniekształcającym głos szkłem.

– Odczuwa pani niepokój albo chaos?

– Drżą pani mięśnie?

– Ma pani zawroty głowy?

– Jest pani zdezorientowana?

– Coś panią boli?

– Traci pani poczucie czasu?

Położono mnie na niemal pustej sali, gdzie miałam spędzić noc pod błyszczącym srebrzystym kocem. Przyjechała mama i słyszałam, jak rozmawia z lekarzem, a on tłumaczy jej, że hipotermia wpływa na zdolność właściwej oceny sytuacji.

– Pani córka doznała silnego wyziębienia i to musiało postępować w ostatnim czasie, aż doszło do obniżenia temperatury ciała. To nie jest jeszcze bardzo zła sytuacja, ale też nie jest dobrze. Obecnie jest zdezorientowana i nie przejawia zainteresowania własnym losem. Może majaczyć, mogą jej się mieszać czasy. To jednak minie, gdy tylko uda nam się ją ogrzać.

– Przyjadę po ciebie rano. – Mama pochyliła się nade mną i poprawiła mi koc. – Jezu, Jasmin, jak mogłaś nie zadzwonić do mnie? Powinnaś była! Przecież przyjechałabym tam natychmiast.

Ciągle drżałam, ale pielęgniarka, która miała nocną zmianę, powiedziała, że to minie.

– Proszę się nie bać, nic pani nie grozi. – Przelotnie dotknęła mojego czoła i skontrolowała, czy jestem dobrze okryta. – Zaraz poczuje się pani lepiej. Do jutra wszystko będzie dobrze.

Moje stopy poruszały się nieporadnie, jakbym odwykła od ich używania. Były jakieś sztywne, jakby przestały należeć do mnie, i ciągle odczuwałam w nich ból.

Minęłam dyżurkę pielęgniarek i weszłam do łazienki. Na ścianie wisiał kaloryfer. Dotknęłam go, a on mnie poparzył i to uświadomiło mi, jak bardzo jestem zziębnięta. W świetle jarzeniówek moje dłonie okazały się sine, niemal przejrzyste, tak samo jak stopy wystające spod przydługich spodni od pidżamy.

Noc powoli przeradzała się w szary świt. Drżałam z zimna, kurczyły mi się mięśnie. Czekałam na ciebie. Właściwie to o niczym innym nie umiałam już myśleć.

Deszcz wciąż padał, minuty koszmarnie się wlekły. Gdzie jesteś? – pytałam w myślach.

Rozlegające się w holu kroki zabrzmiały, jakby były tylko wytworem mojego umysłu. Potem jednak stały się wyraźne. Poderwałam głowę i zafascynowana patrzyłam na włókna porzuconego na podłodze ręcznika, które rozchylały się w miejscach, gdzie stawiałeś stopy.

Wyciągnęłam dłoń, przekonana, że musnę powietrze, ale pod opuszkami poczułam łaskotanie i palce wniknęły w delikatną substancję, posiadającą własne ciepło, co wywołało nagły dreszcz. Przez sekundę ujrzałam coś, co było jak odblask ognia, a potem powietrze odzyskało swoją intensywność i wróciły zapachy leków, środków dezynfekujących.

Powietrze przede mną gęstniało, wokół robiło się coraz chłodniej, wyziębiałam się w miarę, gdy obraz przede mną się kształtował. Czułam, jak moje włosy, unosząc się, odsłaniają zmarzniętą skórę na ramionach. Cień, który rzucałam na ścianę, wyglądał, jakbym płynęła, jakbym tonęła. Jakby unosiła mnie woda.

Dwa księżyce przypominające ogromne świetliste kule, na których kratery wydawały się tak wyraźne, jakbym patrzyła na nie przez teleskop. Gigantyczne galaktyki. Droga Mleczna. Kometa zatrzymana w biegu z długim welonem gwiazd... Otaczała mnie trawa, realna, intensywnie pachnąca i mieniąca się odcieniami zieleni. Ciemnofioletowe płatki przeskalowanych kwiatów, przypominających dzwonki, pochylały się w moim kierunku. Jakiś rodzaj welonu otoczył moją postać.

– To ty?

Nie było odpowiedzi. Ale przecież czyjeś dłonie dotknęły moich ramion, chociaż nie było żadnych dłoni. Patrzyłam, jak guziki pidżamy wsuwają się w dziurki poruszane niewidzialnymi palcami. Otuliłeś mnie jak koc, jakbyś tym sposobem mógł mnie uchronić, a ja poczułam spokój.

– Nie chcę stąd odchodzić – powiedziałam szeptem. – Nie pozwól mi wrócić tam, do nich...

Nigdy więcej nie chciałam już wrócić do rzeczywistości, która na mnie czekała.

46

– Czy podejrzewacie morderstwo? – dopytywał się dziennikarz, który pojawił się pod koniec nocy na wzgórzu, i chociaż policja nie przepuściła go na ogrodzony teren, udało mu się uzyskać informacje od nocnych stróżów na temat znalezienia zwłok. – Kobieta czy mężczyzna? Podajcie mi jakieś konkrety, żeby nie nastąpiła panika, gdy podam same ogólniki w radiu!

Gorlicka mijała go z daleka, unikając jakiegokolwiek kontaktu. Jej oczy rozszerzała adrenalina, a rozświetlały je mrugające światła radiowozów.

Szczątki zostały przełożone do ambulansu, który stał bez świateł i wokół którego kumulowali się teraz biegli.

Odkrycie przekroczyło oczekiwania policji. Wstępne badania wykazały, że szczątki należały do młodej kobiety, prawdopodobnie około dwudziestoletniej. Miała tlenione włosy i w chwili śmierci była ubrana w skórzaną kurtkę, pasiastą koszulkę i dżinsy. W wodzie, w mule znaleziono jeden but: wysoki koturn, rozmiar 38, z otwartymi palcami i piętą, co sugerowało, że dziewczyna zginęła latem.

Na wzgórzu zaczynało roić się od dziennikarzy. Przyjechała też Marlena Rogucka, młoda reporterka z pisma „Portrety", którą Gorlicka kojarzyła jeszcze z dawnych czasów, gdy ta pracowała w tabloidzie i pojawiała się wszędzie tam, gdzie wybuchały sensacje. Od ponad roku była odpowiedzialna za cykl artykułów o zaginionych ludziach.

Hollywoodzkie jasne włosy spadały jej falami na plecy, a usta były nienagannie uszminkowane mimo nocnej pory. Oparła notatnik o udo i pisała w nim coś zapamiętale, podczas gdy towarzyszący jej fotograf obchodził policyjne taśmy, chcąc zrobić jak najwięcej dobrych ujęć.

– Chodzą słuchy, że to ma jakiś związek ze sprawą chłopaka – zagaiła Gorlicką, kiedy ta zbliżyła się do radiowozu. – Ładnego chłopaka, którego rodzina dostała jakąś paskudną fotografię. – Umalowane oczy uśmiechały się, ale pozostały czujne.

– W wodzie znaleźliśmy ciało kobiety – odpowiedziała policjantka.

– Kto je znalazł? – Długopis śmigał po kartce.

Wiadomość, że policja kierowała się mapką sporządzoną przez medium, miała szansę stać się tabloidową *cover story*. Gorlicka już widziała w wyobraźni nagłówki gazet: „Jasnowidz wskazał policji nie to ciało!" albo „Gdyńska policja szukała chłopaka, a dostała szczątki nastolatki!", „Gdyńska policja współpracuje z jasnowidzem!".

– Przypadkowa kobieta.

Marlena rzuciła jej krótkie spojrzenie, jakby wyłapała w jej głosie fałszywą nutę.

– Przypadkowa kobieta – powtórzyła i zanotowała to. – Co to za kobieta jest w tej wodzie? Są jakieś podejrzenia?

Gorlicka stwierdziła, że jeszcze nie.

– Daj mi coś. – Marlena uśmiechnęła się kusząco.

– Nic nie mam. Jest za wcześnie. Dopiero zawieźliśmy ją do zakładu medycyny sądowej. Co mam ci dać? To szczątki, są w bardzo złym stanie, prawdopodobnie leżały tam kilka lat.

Dziennikarka obejrzała się na kilku reporterów, którzy fotografowali odjeżdżający ambulans.

– To odludne miejsce – odezwała się, ściszając głos. – Nie każ mi wierzyć, że przypadkowo przechodziła tędy w środku nocy kobieta i zobaczyła coś w wodzie. Co to za kobieta? Dostaliście skądś informację? Skąd?

Popatrzyły na siebie i w końcu Gorlicka odpowiedziała niewesoło:

– Nie uwierzysz, jeśli ci to powiem.

– Spróbujmy!

Kolejna chwila wahania. Gorlicka uświadomiła sobie, że dałaby wiele, żeby zobaczyć zdziwienie w tych starannie umalowanych oczach, ale w końcu oparła się tej pokusie.

– Muszę się ogrzać – mruknęła, zamykając się w radiowozie.

Chłód i wilgoć zrobiły swoje. Cała drżała mimo ciepłych ubrań. Kiedy tutaj jechała, przyświecała jej naiwna nadzieja, że zamknie twoją sprawę. Teraz zamiast ciebie miała szczątki nastolatki, które były w tak złym stanie, że jedynym wyjściem będzie wykonanie badań DNA. Nie mogło być mowy o porównaniu cech rysopisowych, zdjęciu linii papilarnych czy innych mniej czasochłonnych badaniach, które ułatwiłyby identyfikację osoby, ponieważ według wstępnej oceny biegłych kobieta nie żyła od długiego czasu.

Teren wyglądał na odosobniony, ale ktoś przecież kupił działkę przy skarpie. Ktoś na pewno mijał to miejsce w ciągu ostatnich lat. Jak mogli jej nie zauważyć wcześniej? – zastanowiła się.

Być może odpowiedź kryła się w dróżce wydeptanej w trawie, która omijała dziurę ze skarpą w sporej odległości. Jeśli spacerowali tędy ludzie, co na pewno zdarzało się bardzo rzadko, nie zapuszczali się na podmokły teren, tylko szli ścieżką.

Wilgotny chłód przeniknął jej ciało, kiedy jeszcze raz rozłożyła mapkę i popatrzyła na miejsce zakreślone krzyżykiem. Jasnowidz pomylił się o sto metrów, ale bezbłędnie zaznaczyła różne detale topograficzne, w tym również nieczynne tory, które przebiegały niedaleko zbocza.

47

Nie było problemu ze znalezieniem jej adresu. Ledwie wpisała w wyszukiwarkę imię i nazwisko kobiety, a już wyskoczyła jej strona domowa, na której znalazły się wycinki z prasy, opinie fachowców, dwie prace magisterskie na temat jej osiągnięć oraz lista wykładów, jakie prowadziła w Gdańsku ze studentami Politechniki na temat zjawisk paranormalnych.

Dwie fotografie umieszczone na stronie ukazywały medium podczas pracy: na jednej trzymała przy czole zdjęcie zaginionej osoby i miała zamknięte oczy, druga fotografia musiała pochodzić z jakiejś dłuższej sesji i prezentowała jasnowidza na czarnym tle, z narysowaną przez siebie mapą w dłoni.

W zakładce zatytułowanej „Oferta" znajdował się szeroki wachlarz usług – od odszukiwania zaginionych osób przez sprawy zdrowotne i biznesowe aż po wskazywanie miejsc pobytu zagubionych pupilów, takich jak psy i koty. Czynne od poniedziałku do piątku w godzinach od ósmej rano do osiemnastej.

– Godziny otwarcia jak w sklepie… – zamruczała Gorlicka, wstając od biurka.

Radio od rana podawało informacje o znalezionych w stawie szczątkach, a ostatnie wiadomości, które usłyszała, brzmiały podejrzanie znajomo: „Nieoficjalnie mówi się, że miejsce porzucenia zwłok wskazała gdańska jasnowidz Melania N., określając je na sporządzonej przez siebie mapie".

– Pani podała mediom informację o swoim udziale w sprawie Staszka Kornowicza? – zapytała od progu.

– Jak rozumiem, jest pani z policji? – Melania wyciągnęła do Gorlickiej dłoń. – Melania Niezabitowska. Ciało znajdowało się tam, gdzie mówiłam, prawda?

Gorlicka uścisnęła jej rękę, wymawiając swoje nazwisko i funkcję. Kiedy tylko weszła do salonu, jej uwagę przyciągnęła spakowana walizka.

– Pani wyjeżdża?

– Tak, na kilka dni. Mam podpisaną umowę na cykl odcinków do programu, w którym będę pomagała rozwikłać skomplikowane zbrodnie.

– Gdzie to będzie kręcone?

Melania przewidziała jej niezadowolenie i pewnie dlatego odpowiedziała łagodnie:

– W Anglii.

Oficjalnie nie była jeszcze poproszona przez prokuraturę o złożenie zeznań, ale taki wniosek lada dzień mógł się pojawić i niestety miał dużą szansę trafić do skrzynki na listy w pustym domu.

– Nigdzie nie uciekam. – Uśmiechnęła się rozbawiona. – Za dwa tygodnie będę z powrotem w kraju, jeśli nie zostanę poproszona o kolejny wyjazd. Mam ich sporo z racji mojej profesji...

– Wczoraj sporządziła pani mapę, z którą przyszła do mnie Jasmin Sochacka.

Kobieta przytaknęła z wyraźnym ożywieniem.

– Tak, i moja wizja była trafna.

– Niezupełnie.

Wzrok Gorlickiej padł na lakierowany czarny stolik i zastanowiła się, po co w tak jasnym pokoju ten jeden ciemny mebel. Nie znała się na wystroju wnętrz, ale wszystkie sprzęty, na jakie napotykał jej wzrok, wydały się jej bardzo drogie. Zastanowiła się, ile kosztuje wizyta u Melanii i ile ja zapłaciłam tej kobiecie za sporządzenie mapy.

– Znalezione ciało znajdowało się jakieś dwieście metrów od miejsca, które zaznaczyłam, ale to niewielka pomyłka – weszła jej w słowo Melania. – To się czasem zdarza. Teren jednak opisałam szczegółowo. Tu nie ma mowy o błędzie. Wiem jednak z wiadomości radiowych, że znaleziono nie tę osobę, której szukałam...

– Może mi pani wyjaśnić, jak udało się pani sporządzić tę mapę?

Po twarzy medium przemknął wyraz rozbawienia.

– Naprawdę chce pani tego słuchać?

Melania przystanęła za czarnym krzesłem i dotknęła palcami jego oparcia.

– Nie mam zbyt wiele czasu, za godzinę muszę być na lotnisku – przypomniała. – Co chciałaby pani wiedzieć?

Gorlicka zapytała, czy Melania już wcześniej słyszała o twoim zaginięciu.

– Oczywiście. Przecież to głośna sprawa.

– Spodziewała się pani wizyty Jasmin?

– Nie byłam specjalnie zdziwiona, kiedy zadzwonił do mnie mój dobry znajomy i serdeczny przyjaciel Jakub Sowiński i powiedział, że przywiezie do mnie dziewczynę, która szuka zaginionego chłopaka.

– Jakub Sowiński. Jak rozumiem, to dziennikarz i twórca portalu Paranormal.net?

– Tak.

– Powiedział pani, że chodzi o Staszka Kornowicza?

Medium przytaknęło, ale trochę ostrożniej.

– Tak mi powiedział przez telefon. Że przyjedzie z dziewczyną zaginionego Kornowicza.

– Co pani wówczas zrobiła?

Melania wydawała się zbita z tropu.

– Nie wiem, co dokładnie ma pani na myśli. Chodzi pani o to, czy szukałam informacji na jego temat w Internecie?

– Na przykład.

– Tak. – Kobieta kiwnęła głową. – Włączyłam komputer i poszukałam ich. Chciałam nawet ustalić wstępną wizję bez jego rzeczy... to czasem się udaje, jeśli dobrze się skupię. Oglądałam jego zdjęcia, czytałam wywiad z jego matką oraz trafiłam na stronę, gdzie zostało zaprezentowane tamto zdjęcie, które trafiło pod drzwi rodziny. To na nim spróbowałam się skoncentrować.

– I co pani zobaczyła?

Kobieta poruszyła się trochę niespokojnie.

– Niewiele. Głównie chaos, co w moim przypadku może oznaczać, że osoba, której szukam, żyje.

Spojrzenie Gorlickiej przykleiło się do jej palców, którymi poruszała na poręczy krzesła.

– Znaleźliśmy ciało kobiety – przypomniała.

– Tak, wiem. – Medium wydawała się tym zmartwiona. – Nie wiem, jak to rozumieć. Nigdy wcześniej nie miałam takiej sytuacji. Być może to przez sweter, który przyniosła mi dziewczyna... Zawsze potrzebuję rzeczy zaginionego albo jego fotografii. To daje mi większą możliwość skupienia się nad sprawą. Kiedy dotknęłam swetra Kornowicza… – Jej spojrzenie uciekło w bok, a Gorlicka przypomniała sobie szkolenie z psychologiem, które odbyła kilka lat wcześniej, podczas którego padło stwierdzenie, że osoby kłamiące patrzą w bok, ponieważ sięgają do ośrodka w mózgu odpowiedzialnego za tworzenie fantazji. – Kiedy go dotknęłam, zobaczyłam urywki z jego życia. Widziałam jego i dziewczynę, kiedy jeszcze byli mali. Wydało mi się, że byli nierozłączni. Potem wyczuwałam jakąś pomyłkę w ich relacji… Jakby ten chłopak mylił wdzięczność i przywiązanie z miłością… Nie wiem tego na pewno. Rzecz, którą przyniosła dziewczyna, prawdopodobnie była przez nią używana, może więc fragmenty jej życia i odczuć zakłócały to, co mogłam zobaczyć na jego temat. W każdym razie na podstawie wizji określiłam miejsce, gdzie powinien znajdować się Kornowicz. – Poruszyła niespokojnie ramionami. – Nie mam pojęcia, czemu w tym miejscu znaleziono ciało kobiety. Sporo o tym myślę od rana i jedyne, co mi przychodzi do głowy, to to, że byli w jakiś sposób z sobą powiązani. Chciał, żebym odnalazła najpierw ją.

– Pani twierdzi, że on żyje?

Melania kiwnęła głową, ale już mniej zdecydowanie.

– A ma pani jakieś przeczucia dotyczące fotografii, którą otrzymała rodzina?

Kobieta skrzyżowała dłonie na piersiach, jakby jej też ten temat nie dawał spokoju.

– Tak. To zdjęcie nie zostało zrobione dla rodziny.

– Nie dla rodziny?

– Nie. To miał być rodzaj triumfu. Długo przechodziło z rąk do rąk, zanim trafiło pod drzwi rodziny Kornowicza.

– To ciekawe, co pani mówi.

– To raczej dziwne – poprawiła ją Melania. – Ponieważ kiedy myślę o tym zdjęciu, widzę jakiś pieniądz. Ma dużą wartość... Być może to pieniądze Kornowicza. Tak, to jego pieniądze. Chyba zostały przekazane komuś w związku z tą fotografią, która tak zaniepokoiła jego rodzinę. Może ponosi mnie wyobraźnia, czasem tak mam, jeśli zbyt wiele wiem na temat jakiejś sprawy. Wtedy nie analizuję jej jak jasnowidz, tylko bawię się w detektywa. – Uśmiechnęła się i Gorlicka popatrzyła na nią z większą sympatią.

– Jak pani to robi? – Nie mogła darować sobie tego pytania. – Skąd pani wie, że to wizja?

Melania przypatrywała się jej przez chwilę, namyślając się.

– Widzi pani tamto miejsce? – Wskazała róg pokoju, gdzie sufit łączył się ze ścianą. – Nie może pani go dotknąć i prawdopodobnie nawet go nie dostrzegła aż do tego momentu, ale doskonale pani wie, że ono tam jest, że bez niego konstrukcja domu byłaby zachwiana. – Widząc zdziwioną minę policjantki, podjęła z ożywieniem: – To może inaczej. Rozmawia pani przecież przez telefon komórkowy. Dzwoni do pani... powiedzmy, że córka. Pani, słysząc jej głos, wierzy, że z nią rozmawia. Mamy bluetooth, mamy MMS-y oraz zaawansowaną technologię niewidzialną dla oka... A tak ciężko pani uwierzyć, że istnieje inny wymiar?

Gorlicka jeszcze przez chwilę stała przy stole i zastanawiała się, czy sugestia na temat córki była przypadkowa. W końcu zdecydowała się wstać.

– Nie będę zawracać pani teraz głowy, skoro pani wyjeżdża – oznajmiła, cofając się do drzwi. Ostatnie pytanie wyszło bardzo naturalnie: – Gdzie jest Kornowicz?

Medium skrzyżowała dłonie na piersiach i spoważniała, wpatrzona w drzwi wyjściowe. Powoli podniosła na policjantkę wzrok, a jej oczy w tej chwili były odległe, jakby nie widziała ani kobiety stojącej przed nią, ani nawet własnego domu.

– Widzę z nim jakąś kobietę. Są w jakimś ładnym miejscu. Myślę, że to daleko stąd.

48

Dawniej

Jak wiele mamy czasu? Ile zostało nam minut, godzin, dni, a może tygodni i lat? Myślę o tym, że chciałabym się przy tobie zestarzeć, że może pewnego dnia będziemy jak ta dwójka starszych ludzi, jaką minęliśmy dzisiaj na Starym Mieście w Gdańsku. Wskazałeś mi ich i powiedziałeś: „Patrz, niesamowite!". Byli o pół wieku starsi od nas, a siedząc na ławce, z gołębiami na kolanach i wokół nóg, trzymali się za ręce.

Te myśli przychodzą mi do głowy, kiedy pracujesz na laptopie, odcięty ode mnie słuchawkami, z głośno nastawioną muzyką i tym szczególnym wyrazem twarzy, który mówi mi, że jesteś daleko, daleko, w świecie, gdzie istnieją dwa księżyce, a nie jeden, i gdzie każda rzecz jest tak piękna, że chciałoby się mieć ją na własność.

Unoszę dłoń i przesuwam ją nad twoimi plecami, nad łukiem ramienia, obrysowuję w powietrzu twoje włosy, kształt głowy...

W myjni nie wysiadam z auta, tylko zostaję w środku z rękami na kierownicy. Woda spływa po szybach, ze wszystkich stron przybliżają się szczotki, rozlega się wyraźny szum. Zmieniam stację radiową na kompakt, uśmiecham się, słysząc 30 Seconds to Mars *Closer to the Edge*.

– *No, I'm not saying I'm sorry…* – śpiewa Jared Leto.

– *One day maybe we'll meet again. No I'm not saying I'm sorry, one day maybe we'll meet again!*

Nie wiem, co się dzieje, dlaczego zaczyna mnie boleć głowa. Opuszczam powieki i wtedy szum szczotek staje się głośniejszy, i mogłabym dać się oszukać i uwierzyć, że twój samochód nurkuje w wielkiej głębinie. Pod powiekami pojawiają się obrazy morskiej toni, widzę ławicę ryb, muł i refleksy światła na falach, wysoko, wysoko w górze...

W myjni poza mną nie ma nikogo. Oglądam się do tyłu, ale na każdej szybie jest woda. Znowu pocieram oczy, a moje wszystkie mięśnie się napinają, chociaż nie ma powodu, żeby się bać. Z zamyślenia wyrywa mnie dzwonek. Już czas, żebym zjechała z torów. Samochód jest czysty, na szybach drżą tylko nieliczne krople.

– Dziękuję.

Podaję pieniądze pracownikowi myjni.

– Dobrze się pani czuje? – pyta, gdy chcę zamknąć szybę.

– Tak.

W lusterku ze zdziwieniem dostrzegam bladość mojej twarzy.

Na klatce schodowej wspinam się po dwa schody naraz. Wydaje mi się, że w domu wydarzyło się coś niedobrego, ale nie mam pojęcia, co to mogłoby być i dlaczego. Mimo to pokonuję stopnie w pośpiechu. Otwieram drzwi i od razu zaglądam do naszej sypialni. Nie ma tam ciebie.

– Staszku?

W głowie czuję pulsujący ból. Pojawia się intensywne, złe przeczucie jak w myjni. Zaglądam do kuchni, ale tam też jest pusto.

– Staszku!

Chodzę od pomieszczenia do pomieszczenia, zapalam światła, ale ciągle cię nie znajduję. W salonie przystaję zdezorientowana przy twoim laptopie. Przychodzi mi do głowy, że może zadzwonił jakiś klient i musiałeś nagle wyjść. Ale ta myśl jest bez sensu, bo przecież na pewno poczekałbyś, aż oddam ci samochód. Poza tym zostawiłbyś mi jakąś wiadomość...

Oglądam się na balkonowe drzwi i ogarnia mnie natychmiastowa ulga. Wychodzę do ciebie w chłodną, wietrzną noc.

– Już jesteś? – Spoglądasz na mnie spod czapki. – Nie słyszałem, że wróciłaś.

Z zimna chowasz ręce w rękawach swetra, końcówka papierosa jarzy się na pomarańczowo. Opieram łokcie o barierkę i w myślach nazywam się skończoną idiotką.

– Byłam w myjni. Masz na jutro czysty samochód.

Rozciągnięte przed nami miasto migocze światłami. Ogarnia mnie spokój, tak głęboki, że przypomina zmęczenie.

– Dzisiaj pełnia. – Wskazujesz niebo.

Księżyc wisi nad ratuszem okrągły jak piłka i potężny, jakby znacznie zbliżył się do Ziemi. Wiem, że to tylko złudzenie, opisywałeś mi kiedyś to zjawisko. Opieram policzek o twoje ramię i nie chcę już nigdzie stąd iść.

– Lubię patrzeć na nocne niebo – mówisz, zaciągając się papierosem. – Przyniosę koce i może posiedzimy tutaj trochę? Jest tak ładnie...

49

Gdańsk późną wiosną wydaje się wyprany z kolorów, trochę jak fotografia w odcieniach sepii. Już w butach ostatni raz ogarniam spojrzeniem wnętrze naszej sypialni. Bez naszych rzeczy wydaje się pusta, jak te wszystkie mieszkania, które dawniej czyściliśmy z Alicją do połysku, a potem wrzucaliśmy klucz do skrzynki na listy.

Teraz, kiedy mam wyjść, ta Jasmin, której nie zabiorę z sobą, właśnie otwiera walizki i z powrotem wykłada rzeczy na półki, zapełnia szafy, ustawia na stole w kuchni talerze, tak byś po przyjściu z pracy mógł z nią usiąść i jedząc, opowiedział jej o minionym dniu.

Druga Jasmin zaciąga zamek w walizce, zapina guziki w swetrze. Oglądam się na salon, a ty bierzesz mnie za rękę i mówisz, żebym się nie martwiła.

– Nie miej takiej smutnej miny, Jasmin. We wrześniu wynajmiemy coś fajniejszego – obiecujesz.

Zamykasz za nami drzwi, przeczepiasz numizmat do kluczy od mieszkania swojej matki, a te wrzucasz do skrzynki na listy. Schodzimy po stopniach, podczas gdy echo powiela każdy nasz krok.

Na całe lato pojadę do Pragi, gdzie dostałam propozycję dobrze płatnych praktyk w gazecie prawnej. To dla mnie wielka szansa – tak ci powiedziałam i przyjąłeś to do wiadomości. Będę tam szkoliła język angielski i jednocześnie zarobię pieniądze, dzięki którym będziemy mogli wynająć ładniejsze mieszkanie. W czerwcu i tak skończyła się nam umowa najmu poddasza, więc...

– Staszku?

Chcę ci powiedzieć tak wiele, a w końcu proszę tylko, żebyś jeszcze chwilę poczekał, zanim odjedziemy spod kamienicy.

– Zapomniałaś czegoś z mieszkania?

– Nie. Po prostu...

Po prostu chcę tu jeszcze chwilę posiedzieć z tobą.

Spoglądasz na swoje dłonie na kierownicy, a ja udaję, że szukam czegoś w torebce, a tak naprawdę przyglądam się tobie. Łowię zarys twojego profilu na tle okna i tamtej kamienicy, w której spędziliśmy dziesięć miesięcy i którą zaczęłam już nazywać domem.

– I co? Masz? – Przenosisz na mnie wzrok.

– Tak, pomyliłam się... Możesz jechać.

Spoglądasz w górę, w okna naszego mieszkania, i mrugasz, jakbyś strzepywał coś z rzęs. Odjeżdżamy przy głośnych dźwiękach muzyki, a kiedy obracam się za siebie, kamienica zlewa się z innymi podobnymi do niej budynkami i po chwili nie jestem już w stanie powiedzieć, która to.

W Pradze mieszkam w nowoczesnej kawalerce typu studio na obrzeżach miasta. To moje pierwsze w życiu samodzielne lokum i pewnie dlatego czuję się w nim jak gość. Ciężko mi przyzwyczaić się, że jestem całkiem sama, ciężko oswoić się z ciszą, z samotnością, z nowością, która z każdym dniem, zamiast mnie zachwycać, staje się ciężarem.

Praga to miasto malarzy, więc widzę cię w co drugim artyście, którego mijam na ulicy. Oswajam się z widokiem zalanych słońcem wąskich uliczek, skośnych czerwonych dachów, przypominających nasze gdańskie poddasze.

– Nie słyszę cię dobrze, Jasmin. Mamy dzisiaj w Polsce burzę i mam jakieś zakłócenia...

– Teraz mnie słyszysz?

– Tak, teraz tak.

– Co u ciebie?

– Widziałem dzisiaj na ulicy dziewczynkę z ojcem. Poprosiłem go, żeby pozwolił mi ją sfotografować.

– Zgodził się?

– Tak, wyszło świetnie, ale miał mnóstwo obaw. Patrzył na mnie, jakby myślał, że zajmuję się dziecięcą pornografią! Pamiętasz? Opowiadałem ci o cyklu prac, które chciałbym zrobić, tych z przebraniami, na temat przemocy. Ona będzie pierwsza.

– No to masz swoją pierwszą modelkę. Podeślij mi zdjęcie, jak znajdziesz chwilę...

– Teraz znowu cię nie słyszę. Co powiedziałaś?

Japońska turystka na moją prośbę robi mi zdjęcie pod dwoma budynkami, które wyglądają, jakby przytuliły się w tańcu.

– *Ginger i Fred* – informuje. – *These buldings. They were made by Frank Lloyd Wright. The great architect!*

– Wright – powtarzam, a ona unosi palec, nakazując mi milczenie.

Spada migawka, kobieta woła:

– *One more! Left!*

Gestami namawia, żebym odrobinę się przesunęła. Kieruje kciuk do góry.

– *OK!* – woła, odsłaniając w uśmiechu zęby.

Po jej odejściu zbliżam się do krawędzi mostu i spoglądam w dół. W wodzie odbijają się ptaki, które właśnie lecą pod chmurami. Między kołyszącymi się refleksami światła zauważam cień mostu i moją postać ze stopą wysuniętą poza barierkę, z rozwianymi włosami. Wyglądam, jakbym chciała unieść się w powietrze, jakbym robiła o jeden krok za dużo. Pochylam się, zapatrzona w swoje odbicie, aż zza chmur wychodzi słońce i rozbija mój cień na tysiące drobnych fragmentów.

– Staszku? Gdzie jesteś?

– W pubie… Strasznie tu głośno.

– W pubie? Z kim?

– Nie słyszę, co mówisz… Czekaj, wyjdę na dwór…

Czekam i słyszę śmiech jakiejś kobiety, głośne wołanie: „Gdzie idziesz, Staszek?!”.

– No, co tam? – pytasz, gdy wokół ciebie zapada cisza.

– Nic, po prostu chciałam ciebie usłyszeć. Z kim jesteś w pubie?

– Ze znajomymi z ASP.

Znajomi z ASP. Zastanawiam się, czy jest z nimi dziewczyna, z którą rozmawiałeś na tamtej uczelnianej imprezie. Przedstawiła mi się jako Agata.

– Od wczoraj mam nową pracę.

– Jaką?

– Nic ważnego. W firmie, która prowadzi bezpłatną gazetę.

– Jaką gazetę?

– Nic wielkiego, mówię ci. Mam wykładać egzemplarze do stojaków w blokach. Już czuję, że nienawidzę tej roboty... A ty? Co ty robisz? Jak minął twój dzień?

50

– Nie bierzecie pod uwagę, że mógł uciec? – zapytała Tania, kiedy Gorlicka przystanęła nad nią w ogrodzie. – Wiem o tym zdjęciu, które otrzymała rodzina, mimo wszystko…

Po lecie jej ogród wyglądał na wymarły. Tania i jej mama przesadzały kwiaty, obie z chustkami na głowach i z buziami pobrudzonymi ziemią. Tania zsunęła gumowe rękawiczki, przetarła dłonią czoło, a na skórze pozostał kolejny brudny ślad.

– Jasmin jest moją przyjaciółką, znam ją od dziecka, mieszkamy w tej samej okolicy, kończyłyśmy te same szkoły, obie studiujemy prawo… Nie wiem, czy powiedziała pani, że w zeszłym roku miała jakieś problemy, że cierpiała na silne lęki.

Gorlicka nie wiedziała, więc Tania podniosła się z ziemi i otrzepała spodnie.

– Staszek mi o tym wspomniał – dodała nieco napiętym głosem. – To znaczy, ona też mi o tym mówiła, ale w jej relacji to nie było takie straszne. Dopiero on mi uświadomił, jakie to było uciążliwe. Wpadliśmy na siebie jakoś pod koniec sierpnia, Jasmin była wtedy w Pradze. Odprowadził mnie do domu. Zaprosiłam go do siebie, usiedliśmy razem na werandzie i... – Jej wzrok pobiegł do werandy, gdzie stała długa bujana ława. Tam siedzieliście. Tania przyniosła zimne piwo z lodówki. Butelki były oszronione, otwieraliście je kapslem o kapsel.

– Wie pani, myślę, że on nie był szczęśliwy z Jasmin.

Odpychając się stopą od muru, żeby rozbujać ławę, zapytałeś, czy ma jeszcze piwo. „Masz jeszcze piwo, Taniu?" Uniosłeś na nią wzrok, niepokojące niebieskie oczy, które zawsze ją peszyły. Przyniosła z lodówki kolejną butelkę. Był koniec sierpnia, nad żółtymi polami, które rozciągały się aż po horyzont przecięte wstęgą białej drogi i kanałem, wisiało gwieździste niebo...

– Przyjaźnisz się z nim? – zapytała Gorlicka, więc Tania pokręciła głową.

– On nie zbliża się do nikogo poza Jasmin na tyle, żeby nazwać to przyjaźnią. Koleguje się z nami, chyba tak to można określić.

Gorlicka wskazała ławę.

– Usiądziemy?

– Jasne, proszę.

Tania poczuła się niezręcznie, że wcześniej sama nie zaproponowała tego policjantce.

Usiadły i spojrzały na żółte pola. Akurat słońce doszło do krawędzi jednej z chmur i pejzaż nagle się zmienił. Żółć rozbłysła jak na obrazach impresjonistów, zieleń nabrała intensywnego odcienia...

– Łączyło was coś?

Minęła chwila, nim do Tani dotarł sens pytania. Parsknęła śmiechem, trochę zbyt głośnym, i zaraz przytknęła rękę do piersi, jakby składała komuś przysięgę.

– Że niby mnie i Staszka? Nie, skąd! Przecież to chłopak mojej przyjaciółki!

Ale tamtego wieczoru, kiedy byłam w Pradze, jej złota bransoletka migotała w ciemności, ściągając twoją uwagę. Miała wrażenie, że pada na was jakieś nowe światło. W twoich oczach widziała zapowiedź całych tych złotych gór, których przecież chciała. „Co dzieje się z Jasmin? Mówiła, że ma jakieś problemy. To coś poważnego?" Zaprzeczyłeś, ale zaraz zmieniłeś zdanie. „Była u lekarza w Pradze. Twierdzi, że to tylko napady lęków i że wielu ludzi tak ma. Zapisał jej leki uspokajające. Ale kiedy to się dzieje, przychodzą mi do głowy głupie myśli". Przez chwilę bawiłeś się kapslem od butelki, w końcu podniosłeś na nią wzrok. „Że to prawda".

Zapadła kłopotliwa cisza, w której Tania oczekiwała, że zaraz wycofasz się z tego, co właśnie powiedziałeś. „Gdybyś ją wtedy widziała…" – podjąłeś, mrużąc oczy, jakbyś rozpamiętywał ten obraz. „To nie są tylko słowa. Ona w to wierzy, panicznie się boi, a jej ciało… Wszystko jest dokładnie tak, jak ona to opisuje". Wychyliła się w twoim kierunku i ściszyła głos: „Uważasz, że Jasmin widzi duchy?". W pierwszym odruchu uśmiechnąłeś się, ale zaraz zmarszczyłeś brwi. „Nie wiem…" – zawahałeś się. Miała wrażenie, że chciałeś powiedzieć to, co jej też przyszło do głowy. Że czasem jednak uważasz, iż lekarz ma rację. Przyciągnąłeś kolano do piersi i oparłeś na nim brodę. „Boję się tego" – wyznałeś. „Nie wiem, skąd to się wzięło. Jasmin…" – nabrałeś tchu, zastanawiając się, czy kolejne słowa nie zabrzmią głupio. „Jasmin jest jak prezent". Roześmiałeś się z zakłopotaniem, ale zaraz pochyliłeś głowę i spoważniałeś. „Znam ją od dziecka, zawsze byliśmy przyjaciółmi. Jest taka doskonała we wszystkim, co robi. Ciągle podnosi sobie poprzeczkę. Cholerny szczęściarz ze mnie". Przełknęła ślinę, trudno było jej znaleźć jakiekolwiek słowa. W końcu sięgnęła po twoją rękę i przesunęła palcem po jej wnętrzu...

Siedząc koło Gorlickiej, czuła, jak z nerwów zasycha jej w gardle. Nigdy nie powiedziała o tamtym nikomu, a teraz...

– Wydaje mi się, że nie układało mu się z Jasmin. Ona woli sądzić, że stało się jakieś nieszczęście, skoro Staszek zniknął, ale powiem pani prawdę: ja myślę, że on nie widział sposobu, żeby się od niej uwolnić, więc porzucił swoje życie i teraz układa je gdzieś indziej, z dala od nas... Taka trochę romantyczna, szalona wizja, prawda? – Roześmiała się.

W jej wspomnieniu podniosłeś się z ławy, pozbierałeś swoje rzeczy i ruszyłeś do furtki. Musiała ci ją otworzyć kluczem, więc w ciemności poruszała się za jasną plamą twojej koszulki. Przy bramce wyraźnie widziała twoje roztrzepanie. Zbyt późno odpowiedziałeś na jej pożegnanie. Uśmiechnąłeś się trochę smutno, kiedy ją mijałeś.

51

Płatek śniegu zatrzymał się na mojej dłoni i rozpuścił, aż została z niego tylko kropka wody.

– Mamy jeden konkretny trop w sprawie Staszka – powiedziała Gorlicka przez telefon. – Otrzymaliśmy sporo informacji o jego pobycie w Krakowie, a wczoraj zadzwoniła do nas kobieta, która twierdzi, że podróżował z nią autobusem z Krakowa do Cieszyna. Tam przechodzi granica, za którą można wsiąść w iCK do Pragi. Uważamy, że to istotny trop i trzeba się na nim skoncentrować.

Niebo, przed chwilą pełne gwiazd, teraz zasnuło się chmurami. Śnieg miarowo spadał na zieloną trawę, na której jeszcze wciąż drżała rosa, na fioletowe kwiaty o dużych płatkach. Powoli przechodził w śnieżny mrok, aż stworzony przez ciebie pejzaż zaczął przypominać mroźną koszmarną krainę, wywróconą do góry nogami, jak z baśni.

Powietrze drżało, obraz się łamał, czułam, jak rozpada się pode mną ziemia, jak niszczeje piękna, stworzona przez ciebie przyroda. Wszystko pękało, ginęło, aż została tylko lodowata pustka.

Siedziałam w holu na krześle i czekałam, aż mama odbierze od lekarza wypis. Razem zeszłyśmy po schodach. Ona też otrzymała już telefon od Gorlickiej i prawdopodobnie dlatego w samochodzie wyłączyła radio. Nie chciała żadnych informacji. Chciała ciszy.

Wszystko, co napotykały moje oczy, wydawało się nieistotne, szare. Mrużyłam powieki przed słońcem próbującym przebić się przez chmury. Nasze głosy: takie zwyczajne, bez miękkiej melodyjności, którą słyszałam, gdy patrzyłam na świat tamtymi oczami. Ulice: mieszanina szarości i zwyczajności, niepodobna do nasyconych barw, jakie widziałam na polanie i jakie towarzyszyły mi, gdy poruszałam się po uśpionym lesie. Pod powiekami mignął czysty błękit nieba, intensywny fiolet kwiatów, doskonale miękkie pióra ptaka... Twoja bliskość. Brak samotności. Ty.

Chciałam być z tobą w wodzie, na plaży, którą przedstawiłeś na moich ulubionych grafikach. Nie musiałam poruszać rękami ani nogami, woda niosła mnie dokładnie tam, gdzie chciałam być. Piaszczyste dno, muszle i kamienie. Refleksy wody na dnie, błyszcząca powierzchnia...

– Jasmin?

Zamrugałam i zobaczyłam, że już jesteśmy w domu.

– Chodź.

Mama sięgnęła do mojej dłoni, uchwyciła ją i pociągnęła mnie za sobą.

52

Pierwsze doniesienia dotyczące wyjętych z wody szczątków znalazły się w prasie mniej więcej po dziesięciu dniach od chwili, gdy byłyśmy tam z Gorlicką i dwoma policjantami. Materiały DNA potwierdziły to, co już wiedziałam, że odnaleźliśmy Kamilę Jamroz. W telewizji w tamtym czasie wielokrotnie powtarzano amatorski film wideo, prawdopodobnie nakręcony w domu Kamili, kiedy miała zaledwie kilka lat. Widać było na nim dziewczynkę siedzącą na kolanach matki, ubraną w śliczną balową sukienkę, z koroną we włosach. Kiedy kamera zbliżyła jej twarz, dziewczynka energicznie zaczęła machać do obiektywu, w uśmiechu wyginając usta.

Komuś udało się nagrać matkę Kamili płaczącą pomiędzy dziennikarzami, którzy otoczyli ją, gdy opuszczała gmach komisariatu. Dzień później stanęła przed kamerami w schludnej sukience, ze starannie zaczesanymi włosami i makijażem i podziękowała wszystkim tym osobom, które współpracowały z nią przez ostatnie cztery lata przy poszukiwaniach jej córki i które nigdy nie zwątpiły w to, że dziewczyna się odnajdzie. Wyraziła też współczucie dla cierpienia rodzin innych zaginionych młodych ludzi. Obiecała, że wciąż będzie prowadzić fundację i ich szukać.

Wydawało się, że to już koniec konferencji i matka Kamili za chwilę zejdzie z ekranu, ale ona po długiej chwili wahania, podczas której spoglądała na swoje notatki, zdecydowała się wyrazić swoje uznanie dla talentu jasnowidza Melanii Niezabitowskiej, bez której ciało jej córki nie zostałoby odnalezione.

– Policja szukała mojego dziecka przez cztery lata – powiedziała, spoglądając w oko kamery. – Tymczasem wystarczyła godzina spędzona z panią Niezabitowską, żebym poznała prawdę.

Pani Jamroz zadzwoniła do nas i umówiła się na wizytę, podczas której chciała mnie poznać osobiście.

– To dzięki pani córce odnalazłam moje dziecko – tłumaczyła przez telefon. – Chcę jej podziękować.

Przyjechała do nas jakoś pod koniec listopada, kiedy cała Gdynia otulona była miękką pierzyną śniegu. Przez okno zobaczyłam jej samochód, a chwilę później stanęła na wprost mnie. Przez to, że wcześniej tak wiele o niej myślałam i oglądałam tyle zdjęć, wydała mi się znajoma, jakbym widywała ją od lat.

– Chciałam pani podziękować – powiedziała, ujmując moją dłoń w obie swoje.

W jej spojrzeniu zgasło coś, co przykuwało uwagę na wcześniejszych fotografiach. Dopiero teraz wyglądała na swoje pięćdziesiąt lat. Pod oczami widziałam siateczkę zmarszczek, a w nich smutek, który pojawił się, gdy z laboratorium przyszły wyniki badań DNA znalezionych przeze mnie szczątków. Wtedy przypomniałam sobie swoje idiotyczne dywagacje sprzed lat, gdy próbowałam relatywizować zło, do jakiego się przyczyniliśmy. Kamila powinna była wrócić do domu – pomyślałam.

Tamte momenty, gdy stałam po kostki w wodzie, próbując gałęzią przyciągnąć ciężki, nasiąknięty materiał, przypominały mi się jak obrazy z innego życia. W pamięci słyszałam trzaski w policyjnych krótkofalówkach, widziałam flary i światła wozów, a człowiek przycupnięty koło mnie rozpinał taśmę, ogradzając teren.

– Od czterech lat liczyłam się ze złymi wiadomościami – odezwała się pani Jamroz. – I wiem już, że brak jakichkolwiek wieści jest najgorszą rzeczą, jaka może spotkać człowieka. Dlatego jeszcze raz chciałam pani podziękować. Gdyby nie pani...

Odwróciłam wzrok, zabrałam dłoń z jej rąk. Czułam zmęczenie, jakbym odbyła po chorobie bardzo długi spacer. Mama zauważyła to i naciągnęła mi na ramiona spadający z nich szal, a potem pomogła mi dojść do fotela. Zwróciła się cicho do pani Jamroz:

– Jasmin nie czuje się dzisiaj najlepiej, mamy z nią trochę problemów...

Zostawiły mnie w salonie i poszły do stołu w jadalni, gdzie ustawiła filiżanki z kawą. Słyszałam, jak opowiada o mnie, o tym, jakim szokiem było dla mnie odnalezienie ciała, i że od tamtej pory codziennie muszę brać leki przeciwlękowe.

– Myślała, że to on... – dodała, jeszcze bardziej ściszając głos. – Nie wiem, co powiedzieć. Policja od wielu dni posuwa się tropem, który prowadzi z Krakowa poza granice Polski, ale lada dzień te poszukiwania się zakończą. Staszek jest dorosły. Jeśli chciał wyjechać i ułożyć sobie życie w innym miejscu i wśród innych ludzi... – urwała, ponieważ nie miała słów, którymi mogłaby cię usprawiedliwić.

Wiem, bo słyszałam to nieraz, kiedy jeszcze byliśmy mali, jak kobiety zorientowane w sytuacji Alicji i mojej matki twierdziły, iż nie ma sensu inwestować swojego czasu w dziecko, które nigdy nie czuło się kochane. Uważały, że nie będzie potrafiło odpłacić za włożoną w nie miłość. Podawały przykłady osób, które wychowały cudze dzieci, a potem zostały przez nie naciągnięte na pieniądze, okradzione albo źle potraktowane. Mama zawsze zaprzeczała, nie wierzyła w to, teraz zaś...

– To takie trudne – powiedziała, ze zmęczeniem pocierając czoło. – Ciągle nie mogę w to uwierzyć. W to, że zaplanował to. Odebrał z firmy wypłatę i wyjechał, narażając nas na to wszystko. – Jej spojrzenie podążyło do mnie. – Czuję się winna – dodała, nie kierując jednak tych słów do pani Jamroz. – Dawno temu, kiedy ją zostawił, rozmawiałam z nim w taki sposób, że mógł poczuć się wobec niej zobowiązany. Nie powinnam była. Ciągle o tym myślę. O tym, że właściwie wymusiłam na nim deklarację tego, co będzie dalej.

Najgorszą raną w jej sercu byłeś nie ty, lecz ja. Gdzie jest moja córka? – myślała. Gdzie jest osoba, która miała być tancerką, lekarzem albo piosenkarką? Gdzie jest dziewczynka, dla której dawno temu wyczarowałam najpiękniejszą przyszłość? Być może myślała też o tamtych dzieciach, których nie donosiła do porodu. Miała dać mi rodzeństwo, ulokować w nich miłość i wychować je na dobrych ludzi. Tymczasem dostała ciebie. Ja dostałam ciebie.

A teraz zostałyśmy same.

Gdy siedziała przy stole z panią Jamroz, denerwowało ją i napawało lękiem, że tkwię w fotelu, otulona szalem,

i nic nie obchodzi mnie wezwanie, które już dwukrotnie wysłała moja uczelnia, a w którym informowano, że
nie przystąpiłam do egzaminów poprawkowych z prawa
karnego i że jeśli nie zgłoszę się na ostatni proponowany
termin, zostanę usunięta z listy studentów.

53

Wiem, że mama, nie mogąc spać, oglądała nocami kopię tamtego zdjęcia, które znalazła na ganku naszego domu. Z jej ust wyrywało się głośne westchnienie bólu, gdy patrzyła na twoje pokryte siniakami ramię, gdy spoglądała w pozbawione nadziei oczy. Ale z biegiem dni pod napływem wiadomości, które co jakiś czas przekazywała nam Gorlicka, nawet jej ta fotografia zaczęła wydawać się przesadzona, zbyt brutalna, zbyt oczywista, aż w końcu wszystko, co się na nią składało, łącznie z taśmą klejącą na rękach i nogach, ze światłem padającym na podłogę jakby z góry i kumulującym cienie – wszystko to zaczęło jej przypominać teatralne rekwizyty i doskonale ułożony plan zdjęciowy.

Tego samego planu dopatrzyła się w ustawieniu rzeczy w twoim pokoju. Nagle zaczęło wydawać się jej podejrzane, że o piątej rano włączyłeś laptop i zacząłeś ściągać film. Że nie zabrałeś z sobą ładowarki od komórki. Że na parapecie został kubek z niedopitą kawą. Odchylona kołdra, poduszka ze śladem odcisku twojej głowy...

Wiem, że wiele razy myślała o tamtej komórce i portfelu, które znaleziono pod klifem. W jej wyobraźni przedmioty zataczały w powietrzu łuk, ale od dawna przestała już wierzyć, że zostały rzucone przez sprawców przemocy. Teraz w jej głowie to twoja ręka robiła ten ostatni zamach.

Wyobrażała sobie, jak wstajesz rano. Mimo wczesnej pory włączasz laptop, zaczynasz ściągać jakiś film z netu, jednocześnie popijając kawę. Odstawiasz kubek na biurko. Chwila wahania i przestawiasz go na parapet. Tak będzie lepiej wyglądał, kompozycja jest pełna.

Jest upalny ranek, ale decydujesz się sięgnąć po ciepłą bluzę. Przyda ci się w razie zmiany pogody. Do torby wkładasz gazety, które powinieneś roznieść na Oksywiu, ale nie zabierasz kompletu, ponieważ wtedy musiałbyś użyć samochodu, a to by wszystko skomplikowało. W ostatniej chwili cofasz się, żeby na podłodze położyć książkę tak, by wyglądało, że wieczorem czytałeś.

Twoja matka jeszcze śpi. Uchylasz drzwi do jej sypialni, co będzie pamiętała jak przez mgłę. Ostatni rzut oka na jej pogrążoną we śnie twarz.

– Mamo, już wychodzę. Zamknę na klucz. Śpij.

Z jej ust wyrywa się cichy pomruk:

– No, na razie...

Zamykasz drzwi kluczami, przy których wisi numizmat. Schodzisz na parter. Na dole spotykasz sąsiada.

– Nie przesadziłeś z tymi ciuchami, młody człowieku? – pyta. – Dzisiaj ma być prawie trzydzieści stopni!

Nie znajdujesz żadnej odpowiedzi, więc uśmiechasz się tylko, przytrzymując mu uprzejmie drzwi, poprawiasz torbę na ramieniu i wsiadasz do autobusu, który jest tak stary, że nie działa w nim monitoring, więc żaden zapis z tego właśnie momentu nigdy nie dotrze do rąk policji.

Kupiłeś bilet na pociąg do Krakowa na wtorek, więc masz cały dzień na doprecyzowanie szczegółów twojego zniknięcia.

Spotykasz się z kimś w bunkrze, gdzie ten ktoś – być może osoba poznana na akademii i posiadająca talent do fotografii oraz zdolności malarskie – robi ci makijaż i układa włosy. Żartujecie na ten temat, oboje sporo się uśmiechacie. „Połóż się tutaj" – proponuje, więc układasz się dokładnie tam, gdzie jest najlepsze światło. „Tak jest dobrze. Nie ruszaj się, sprawdzę poziom światła... Czekaj, dołożymy trochę siniaków na ramieniu".

Dziewczyna – bo w myślach mojej mamy to jest dziewczyna – kuca przy tobie i pędzelkiem nanosi sine plamy na twoje ramię. Potem, śmiejąc się z tego, wiąże ci taśmami ręce i nogi. „Nie za mocno? Masz krążenie w palcach?" „Tak, wszystko w porządku." „Popatrz tutaj... Dobrze, wytrzymaj tak przez chwilę!" „Taśma na ustach? Nie wyglądałoby mocniej?" „Okej... Czekaj". Klik, klik – w aparacie zostaje zdjęcie, które trafi potem pod nasze drzwi.

Jedziecie do jej domu, po drodze zamawiając na wynos jedzenie. Pracujesz nad fotografią na jej komputerze dopóty, dopóki nie zacznie wyglądać prawdopodobnie. Drukujesz ją i fotografujesz telefonem komórkowym dziewczyny, a potem spotykasz się z kimś, od kogo masz odebrać dokumenty wystawione na fałszywe nazwisko.

Telefon dzwoni kilka razy, na wyświetlaczu pojawia się Alicja. Potem włączymy się w to ja i mama. Nie odbierasz

315

i niespecjalnie się tym przejmujesz. Wiesz, że zanim policja zacznie cię szukać, muszą minąć dwie doby.

Noc spędzasz u tej dziewczyny, być może się z sobą kochacie. Mama uważa, że staliście się parą, kiedy wyjechałam do Pragi. A może jeszcze wcześniej, kiedy mieszkałam z tobą w Gdańsku i miałam napady lęków. Podejrzewa, że to dziewczyna, z którą widziałam cię rozmawiającego na imprezie na akademii, podczas gdy profesor pokazywał mi twoje grafiki.

Tu muszę dodać, że kilka dni temu pojechała na uczelnię i szukała jej. Znalazła ludzi z roku, z którymi brałeś od czasu do czasu udział w zajęciach, mając na to pozwolenie profesora. Profesora też znalazła. Wyrażał się o tobie w samych superlatywach.

– Ogromny talent! – przyznał mojej mamie. – Nie mogę odżałować, że nie ma go wśród moich studentów. – Poinformował ją, że mogłeś studiować na jego wydziale jako wolny słuchacz już od zimy. – Nie zrobił tego, ponieważ wynajmował mieszkanie z dziewczyną i opłacał czynsz z zarobionych pieniędzy. Nie było go stać na płacenie za studia. W tym roku, z tego, co wiem, mieli znowu zamieszkać razem, więc ustaliłem z nim, że będzie wpadał na uczelnię tak jak poprzednio, ale jednocześnie powiedziałem mu szczerze, że powinien normalnie studiować. Że tylko wtedy zdobędzie wiedzę, która pozwoli mu na to, by w przyszłości zajmował się tym, do czego się urodził.

Ludzie z twojego roku kojarzyli cię jako niezwykle miłą i uczynną osobę. Twierdzili, że przyjaźniłeś się z Agatą Mielnik, dziewczyną, która w tym roku nie pojawiła się jeszcze na uczelni.

– Agata starała się o przeniesienie na uczelnię do Wiednia – wyznała jedna z jej koleżanek. – Myślę, że się jej udało, że teraz studiuje właśnie tam.

Mama po wielu kombinacjach dostała telefon do rodziców Agaty. Usłyszała od nich, że owszem, dziewczyna studiuje obecnie w Wiedniu.

– Kiedy tam pojechała? – zapytała, czując już, jak zimny robak niepokoju pełznie jej po plecach.

– W połowie września – padła odpowiedź. – Chciała być tam wcześniej, żeby trochę nacieszyć się miastem, zanim rozpocznie się rok akademicki.

– Nie bała się jechać sama?

W telefonie zapadła chwilowa cisza.

– Nie. Powiedziała, że będzie tam jakiś chłopak, którego zna. Mieli wspólnie wynająć mieszkanie.

W myślach mojej mamy jest wtorek, siedemnastego września. Rano zostawiasz w mieszkaniu śpiącą Agatę i jedziesz na nadmorski klif na Oksywie. Od morza wieje ciepły wiatr. Jest tak cicho, tak spokojnie. W dole rozciąga się bezludna o tej porze piaszczysta plaża. Sortujesz rzeczy, których chcesz się pozbyć, i zrzucasz je pomiędzy kamienie. Niektóre spaliłeś poprzedniego dnia, żeby zatrzeć ślady i rozwinąć scenariusz swojego zaginięcia. Część zakopujesz pod klifem, a ze swoich tenisówek wyciągasz sznurowadła. Po co? Tego mama nie wiedziała i nie umiała wyjaśnić. Może to miał być tylko kolejny rekwizyt, który sprawił, że udało ci się skierować oczy policji w niewłaściwe miejsce. A może przełożyłeś je do swoich nowych butów, ponieważ miały bajeranckie kolory i zwyczajnie chciałeś je mieć.

Kilka dni temu mama zrobiła mały eksperyment. Przyłożyła sobie do ust taśmę klejącą, by sprawdzić, czy mogłeś – zakładając, że faktycznie zostałeś pobity i związany – ją sobie zdjąć. Wynik eksperymentu kompletnie ją oszołomił. Taśma nie lepiła się do skóry, wystarczył niewielki ruch ust, by spadła!

W jej myślach zapadł wtorkowy wieczór. Z nowymi dokumentami, z pieniędzmi i w nowych ciuchach wsiadasz do pociągu jadącego do Krakowa. Planujesz nie rzucać się w oczy, ale staje się inaczej. W warsie zamawiasz kawę. Roztrzepanie i problemy z koncentracją sprawiają, że nie możesz skupić się na słowach barmanki. Pewnie od nowa analizujesz swój plan, szukając w nim luk, i przez to barmanka cię zapamiętuje. W tym czasie my jesteśmy w mieszkaniu Alicji, poruszamy się po twoich śladach, dzwonimy do znajomych i firmy kolportażowej. Za oknem robi się ciemno. Pociąg oddala się od Gdyni, mrugając światłami i wydając sygnały dźwiękowe.

W ostatniej scenie, którą wyobraża sobie mama, siedzisz w wagonie restauracyjnym, obejmując kubek z kawą. W uszach masz słuchawki od iPoda, którego przecież nie znaleziono w twoim pokoju, a więc musiałeś zabrać go z sobą. I słuchasz muzyki, podczas gdy niebo za oknem ciemnieje tak bardzo, że w końcu w odbiciu szyby widzisz swój rozszczepiony, powielony kontur.

54

– Tak wiele wysiłku. Po co? Dlaczego?

– Nie wiem, Reni. Myślałam, że znam mojego syna, ale teraz już nic nie wiem.

Minęło kilka dni, od kiedy mama była ostatni raz w twoim pokoju. Poczuła się trochę tak, jakby wróciła do domu. Uświadomiła sobie obecność twoich rzeczy. Wzrok napotkał płytę CD, twoje buty wciąż stojące pod szafą...

– Zrobić ci kawy? – zapytała Alicja, kierując się do kuchni.

– Tak, zrób – odpowiedziała nieuważnie.

Twoja matka zajrzała do szafki i westchnęła głośno.

– Nie mam już kawy, będzie trzeba kupić jutro nową.

– No to sok.

Roześmiała się z niedowierzaniem.

– Soku też nie mam, Reni. Dawno nie miałam okazji robić zakupów!

– No to coś, co masz.

Twoja koszulka ciągle leżała na łóżku, teraz już nie czekając na twój powrót, tylko tworząc jakiś rodzaj zapisu nieobecności. Sięgnęła po nią. Głos Alicji dobiegł do niej jak z oddali:

– Nie wyobrażasz sobie, jak dużo mam rzeczy do zrobienia. Dostałam zaproszenie do audycji radiowej, gdzie będą tworzone portrety rodzin, którym zaginął ktoś bliski. Dziennikarka już przysłała mi pytania, powinnam się za to zabrać...

Gdzie zniknąłeś? – pomyślała mama. Gdzie teraz jesteś?

Kilka razy dzwoniła już do Wiednia, do dziewczyny, z którą mogłeś wyjechać. Studentka jednak tylko raz odebrała jej telefon. Nie brzmiała zbyt miło. Powiedziała, że mieszka z przyjacielem i że nie życzy sobie niepokojenia jej. Kiedy usłyszała, że zaginąłeś, przez długi moment po prostu milczała. „Co pani mówi?" – zapytała w końcu z napięciem. „Nie widziałam go od zeszłego roku. Dlaczego dzwoni pani do mnie?"

W myślach mamy w Wiedniu mieszkałeś z Agatą i razem studiowaliście na ASP. Zabiegała, żeby Gorlicka przefaksowała twoje zdjęcie na uczelnię, a kiedy policjantka wciąż tego nie zrobiła, sama zadzwoniła tam i łamaną angielszczyzną wyjaśniła, o co chodzi. Przesłała twoją fotografię i usłyszała, że wśród studentów pierwszego roku grafiki nie ma chłopaka o twoim wyglądzie. Mimo to ciągle była przekonana, że studiujesz. Może po prostu ściąłeś włosy, zmieniłeś ich kolor? Artyści stylizują się i nie jest to specjalnie dziwne, więc w czarnych włosach, przy których twoja twarz mogła wyglądać wampirzo, wmieszałbyś się w tłum i stał niezauważalny.

– ...Nie zdajesz sobie sprawy z tego, ile mam na głowie – głos Alicji z chwili na chwilę stawał się cichszy, jakby oddalała się od mojej mamy w długim tunelu. – Ludzie

320

piszą mi tak wiele listów, a ja przecież muszę każdemu podziękować za modlitwy albo propozycję pomocy. Nawet tym małym blogerkom... Słyszałaś o blogerkach?

Ujęła w dłonie kubek, który wciąż stał na parapecie. Kawa spleśniała, w środku tworzyły się brudne smugi. Ale kiedy zamknęła palce wokół uszka, poczuła delikatne ciepło emanujące z ceramiki. Jakby chwilę wcześniej ogrzały go czyjeś ręce...

– No więc obecnie istnieje już kilka, jeśli nie kilkanaście blogów, na których rozpowszechniane są zdjęcia Staszka. Robią to jakieś smarkule. Wypisują głupoty o tym, jaki to ładny z niego chłopak i że chciałyby się z nim umówić. Nóż mi się otwiera w kieszeni, jak to czytam, ale Gorlicka ma rację, te dziewczyny też trzeba docenić i podziękować im, ponieważ puszczają w obieg jego zdjęcia i dzięki temu młodzież zacznie rozglądać się wokół...

Jej kroki wzbiły w górę kurz i wzniosły go na wysokość ramion. Drobinki migoczące w świetle lampy. Jak cekiny. Jak brokat. Na blacie było ich całe mnóstwo.

Spojrzenie mamy ślizgało się po twoich notatkach, długopisach, zdjęciach – kiedyś to wszystko było oczywistością i codziennością, potem stało się dowodami w sprawie, a teraz, wiele tygodni po zaginięciu nabierało cech relikwii.

Opuściłeś ją – pomyślałam, ze zdziwieniem odkrywając, że od wielu już lat jestem jak kartka papieru w twoich dłoniach: mogłeś mnie zapisać albo zgnieść i wyrzucić.

Alicja czekała na nią w kuchni na krześle, z kolanem podciągniętym do piersi i z papierosem w palcach.

– Twoja herbata – odezwała się, wskazując kubek.

– Jak się czujesz? – zapytała mama.

Uderzały ją zmiany, jakie zachodziły w przyjaciółce. Miała zaróżowione policzki, szeroko otwarte oczy. Dostrzegała w jej ruchach jakiś pośpiech, determinację.

– Nie wiem, co masz na myśli – odrzekła i strzepnęła popiół z papierosa do popielniczki. – Jak mam się czuć? Jest mi ciężko. A myślałaś, że co? Muszę się starać – dodała, źle odczytując milczenie mojej mamy. – Trzeba wykorzystać to, że media się mną interesują, bo dzięki temu docieramy do większej publiczności. Zdajesz sobie sprawę z tego, jak wiele osób codziennie do mnie pisze? Rany boskie! Założyli nawet kilka wątków na internetowych forach, gdzie analizują w szczegółach jego zaginięcie i stawiają różne śmiałe hipotezy!

Zaciągnęła się papierosem, a mama uświadomiła sobie, że jeszcze chyba nigdy poza spotkaniem w domu parafialnym nie słyszała jej wypowiadającej naraz tak wielu zdań. Zawsze była taka milcząca. Małomówna i szara. Ludzie nie interesowali się nią, ale teraz to się zmieniło. Oparła głowę o ścianę i przymknęła oczy.

– Wczoraj mówili, że Kamila Jamroz prawdopodobnie zginęła pod kołami samochodu, że miała dużo alkoholu we krwi. Niewiarygodne, prawda?

Spojrzenie mamy zbłądziło na ręce Alicji. Na środkowym palcu ciągle nosiła pierścionek z bursztynowym oczkiem, który pamiętała jeszcze z dzieciństwa, gdy mieszkały w rodzinie zastępczej. Dawno temu powiedziała, że należał do jej biologicznej matki, że to jedyne, co jej po niej zostało. Przeniosła spojrzenie na twarz i zauważyła, jaka Alicja jest przejęta tym, co działo się właśnie w jej życiu, i jak bardzo by chciała, żeby mama już sobie poszła i pozwoliła jej wrócić do korespondencji. Wyobraziła sobie tych wszystkich ludzi, którzy czekali na nią przy komputerach i laptopach w całej Polsce.

– Alicjo?

Popatrzyła na nią, marszcząc brwi.

– Alicjo, jak myślisz, co się stało?

Zamrugała zupełnie jak ty. Zmarszczyła brwi, poruszyła ustami, nieporadnie formułując odpowiedź:

– Wyjechał, prawda?… Zawsze go broniłaś, a przecież ja znałam go lepiej. Wiedziałam, jaki jest. Nigdy nie myślał o nikim poza sobą. Nieznośny dzieciak, który od małego robił wszystko tak, żebym była na niego zła.

Położyła rękę na dłoni mojej mamy i ścisnęła ją kościstymi palcami.

55
Dawniej

Samolot kołuje nad lotniskiem. Chwilę wcześniej oblałam się kawą, ale nie mam już czasu, żeby zaprać koszulkę albo pobiec ją zmienić. Ze swojego miejsca przy oknie obserwuję białe obłoki, które rozsuwają się, odsłaniając widok na Gdańsk. Plątanina ulic, gąszcz budynków i ludzi. Samolot celuje skrzydłem w morze i bierze szeroki łuk. Zaciskam powieki i w myślach odmawiam modlitwę, żebyśmy szczęśliwie wylądowali, żebym już zaraz mogła się z tobą spotkać...

Zamykasz mnie w ciasnym uścisku.
– Daj mi dwadzieścia minut, Jasmin – szepczesz w moje włosy. – Za dwadzieścia minut zabiorę cię stąd.

W niedzielę siedzimy na ławce na bulwarze nadmorskim i obserwujemy kota, który tam przycupnął.
– Przypomina mi Pandę – stwierdzasz.

– To już tyle lat – odpowiadam ze wzruszeniem ramion.

– Dam sobie głowę uciąć, że matka się go pozbyła, bo kłaczył.

Kucasz przed kotem i wyciągasz do niego dłoń. Zwierzę cofa się w głąb ławki, ale po chwili, gdy ty się nie poruszasz, wysuwa pyszczek. Patrzę, jak obwąchuje twoją rękę.

– Nic ci nie zrobię, chodź tutaj.

Po chwili możesz już je pogłaskać.

– Chciałbym jeszcze kiedyś mieć w domu kociaka – odzywasz się, nie spuszczając z niego oczu, podczas gdy twoje palce nurkują w miękkim futrze.

– Możemy go wziąć do nowego mieszkania – odpowiadam. – Kilka dni pomieszka u ciebie, a pod koniec tygodnia przecież się przeprowadzimy.

Mrużysz oczy i przez chwilę nie odpowiadasz.

– Innym razem – stwierdzasz w końcu, cofając dłoń.

56

P istolet leżał w mojej szafce z ubraniami. Rozchyliłam czarną koszulkę i wyjęłam go, a potem usiadłam na łóżku i położyłam go sobie na kolanach. Błyszczący metal, a w środku dwa naboje.

Dawno temu podniosłeś go z podłogi w mieszkaniu męża Alicji i zabrałeś z sobą na nasze poddasze w Gdańsku. Wiosną pokazałeś mi, jak się go obsługuje. Zwykły gest, który miał mnie z nim oswoić i przepędzić strach, teraz nabrał nowego znaczenia.

Umiałam otworzyć magazynek i wyjąć naboje, które na mojej dłoni połyskiwały światłem odbitym od lampy.

Nie było żadnych dowodów, niczego, co mogłabym dać Gorlickiej, żeby zrozumiała, że mam rację. Ja sama nie posiadałam pewności.

Kiedy opowiedziałam o nich Gorlickiej, wydawało mi się, że byli wirtualnymi postaciami, które mogłam obrócić pod dowolnym kątem. Opisywałam ich twarze i wszystko, co wiedziałam na ich temat, a policjantka przyglądała mi się swoim zdystansowanym spojrzeniem i pewnie myślała o tym, że w historiach, które poznawała w ciągu całej swojej policyjnej pracy, najbardziej zdumiewało ją to, że im mocniej pochylała się nad czyimś nieszczęściem, tym bardziej stawało się ono trywialne. Tak było też z tobą.

– Znam tę grupę – przyznała. – Widuję ich blisko mieszkania Alicji.

Kilka lat temu, kiedy pierwszy raz zobaczyłam właściciela pitbulla, wydał mi się bardzo dorosły, ale kiedy teraz próbowałam przypomnieć sobie jego rysy, przyszło mi do głowy, że jest w moim wieku, może starszy o kilka lat. Gorlicka wspomniała, że jego brat odsiaduje wyrok za napaść. Kolejni byli bracia, których kojarzyła lepiej ode mnie z czasów, gdy jeszcze pracowała w dochodzeniówce. Ich ojciec bił matkę, zamykał ją w tapczanie, a dwójka dzieci na wszystko patrzyła. Powiedziała, że często byli głodni i wystraszeni, całkowicie zdezorientowani w tym, co jest dobre, a co nie. Chłopak, z którym chodziliśmy do szkoły podstawowej, też miał trudne życie. Jego rodzice pili, ojciec wiele razy zapominał odebrać go ze szkoły. Kiedy mama przyprowadziła go do nas, przyglądał się nam trochę tak, jakbyśmy go onieśmielali i jednocześnie okropnie denerwowali. Szczególnie ty, ponieważ to ty próbowałeś wciągnąć go w nasze zabawy.

Gorlicka znała go z innej strony. W szkole średniej pobił kolegę, i to tak mocno, że złamał mu kość szczękową. Kiedy ostatni raz rozmawiała z nim na komisariacie, patrzył jej w oczy w ten szczególny sposób, w jaki patrzą ludzie, którzy wiedzą, że robią źle, ale są pozbawieni złudzeń co do tego, że następnym razem postąpią inaczej.

– To ciekawe, co mówisz, Jasmin – odezwała się, kiedy skończyłam swoją opowieść. – Ale jest kilka spraw, które dyskwalifikują twoją rację.

– Jakich spraw?

– Po pierwsze, Kamila Jamroz. Ustaliliśmy, że została potrącona przez samochód. Być może była w lesie w czasie, gdy wy tam przebywaliście, i faktycznie piła z tamtymi chłopakami. Rysopis się zgadza. I ten wątek dotyczący alkoholu… Ale potrącił ją samochód. Prawdopodobnie pijana wyszła mu prosto pod koła. Podejrzewamy też, że człowiek, który to zrobił, wystraszył się, więc zabrał jej ciało z sobą i wywiózł na pustkowie.

– To mógł być tamten samochód, który widziałam w lesie. Może próbowała im uciec, może ją gonili…

– Powiedziałaś, że ledwie stała na nogach.

Opuściłam wzrok na swoje dłonie.

– Będę pamiętać o twojej wersji zdarzeń – podjęła po chwili. – Sprawa wróciła na wokandę i badamy różne tropy.

– On nie żyje – powiedziałam cicho, z uporem. – Wiem o tym.

– Chcesz w to wierzyć – odpowiedziała. – Bo to łatwiejsze niż uświadomienie sobie, że nie znasz go tak dobrze, jak myślisz. Pracuję w policji kilkanaście lat. Poznałam wiele osób, które uważały, że znają drugą osobę, a prawda okazywała się kompletnie inna.

Odchyliła się na krześle i przyglądała mi się w jakiś szczególny sposób, jakby już wiedziała to, do czego ja nie miałam jeszcze dostępu.

– Jasmin, policja rozmawiała z chłopakami, o których wspominasz. Rozmawialiśmy z nimi zaraz po zaginięciu

Staszka, ponieważ mieliśmy nadzieję, że będą umieli wskazać nam jakiś trop. Są czyści.

Pokręciłam głową.

– To niemożliwe. Powinniście przesłuchać ich jeszcze raz!

– Mają alibi na tamten dzień.

– Jakie alibi? – Przyglądałam się jej z narastającym niedowierzaniem, a odpowiedź sprawiła, że zabrakło mi słów.

– Byli w kinie, Jasmin, i to jest pewne, ponieważ jeden z nich zachował nawet bilety.

Mama siedziała przed telewizorem z niezapalonym papierosem w palcach i pudełkiem zapałek na kolanie.

– Wychodzisz? – odezwała się, nie odrywając wzroku od ekranu. – Patrz. Mówią, że Kamila Jamroz zginęła pod kołami auta i prawdopodobnie kierowca spanikował i spróbował pozbyć się zwłok. Ludzie dzisiaj nie mają żadnej moralności. Żadnej!

Przystanęłam za kanapą i obserwowałam zmieniające się na ekranie obrazy. Teraz, w świetle dnia, otoczony policyjnymi taśmami i wypełniony biegłymi staw nie robił już na mnie takiego wrażenia jak wtedy w nocy.

– Idę się przejść – powiedziałam i przelotnie dotknęłam ramienia mamy.

57

O dwudziestej pierwszej w grudniu z ulic poznikali prawie wszyscy ludzie. Tylko oni siedzieli w tym samym miejscu co zawsze. Czułam, jakby wokół mnie skruszyło się szkło, zostawiając mnie w ostrej, lodowatej rzeczywistości.

Najmłodszy właśnie uniósł dłoń w geście pożegnania i oddalił się w stronę niskiego, dwupiętrowego bloku. Pozostała czwórka też zaczęła się zbierać z ławki. Wymienili uściski dłoni i rozeszli się w różnych kierunkach, a ja sięgnęłam do kieszeni kurtki i namacałam leżący tam przedmiot.

Na skórze czułam wilgotne nocne powietrze. Latarnia rzuciła na ulicę mój cień w taki sposób, że wyglądał, jakby został podzielony na dwa.

Minęliśmy żywopłot i zmniejszyłam dzielący nas dystans. Byłam teraz dość blisko, by słyszeć, jak idąc, gwiżdże cicho jakąś melodię. Z bliska na jego wygolonej głowie widziałam bliznę tuż nad karkiem i pomyślałam, że ktoś go kiedyś uderzył w to miejsce. Odpędziłam od siebie tę myśl.

Nie chciałam w nim widzieć wystraszonego chłopca, który siedział przy szkolnej furtce z tornistrem u stóp i popatrzył na moją mamę smutno, kiedy wyciągnęła do niego rękę.

Przyspieszyłam kroku, ponieważ zbliżaliśmy się do wejścia na klatkę schodową.

Otworzył drzwi. Ze środka nie dobiegły mnie żadne rozmowy, nie usłyszałam kroków, które miałyby mnie przepłoszyć. Weszłam do środka za nim.

– Jasiu?

Ułamki chwil.

Dłoń sięgnęła po broń, odwinęłam ją z koszulki, pociągnęłam za klamkę w chwili, gdy drzwi nie zdążyły się jeszcze zamknąć.

Był tuż przede mną, na wyciągnięcie ręki i jakimś cudem mnie nie usłyszał. Ja zaś słyszałam jego oddech i własny, który drżał. Widziałam, jak kładzie rękę na ścianie, szukając włącznika. Przybliżyłam broń do jego blizny na głowie i odbezpieczyłam ją.

Rozległ się cichy trzask.

Miałeś rację, mówiąc, że kiedy dzieje się coś niedobrego, chwila rozciąga się w całe wieki. Tak było z nami. Momenty rozciągnięte w czasie. Powolne bicie serca. Błysk światła na broni, jego włosy, takie realne, delikatne. Dotykająca ich lufa. Pistolet trzymany w mojej ręce.

Odwrócił się i spojrzeliśmy sobie w oczy.

Jedną ręką namacałam klamkę w drzwiach do piwnicy. Nigdy wcześniej nie miałam tak skoncentrowanego wzroku, tak skupionego umysłu.

– Zejdź do piwnicy – powiedziałam, nie spuszczając z niego oczu.

Przy ramieniu miałam włącznik światła, ale go nie użyłam. Miało być ciemno. Ciągle celowałam do niego. Słyszałam nasze oddechy, teraz to jego oddech drżał. W jego oczach błysnęło niedowierzanie, a potem niepokój.

– Znam cię, chodziliśmy do jednej szkoły!

Miałam wrażenie, że chciał powiedzieć coś innego. Drgnęły mu usta, wzrok uskoczył na lufę.

– Gdzie on jest? – zapytałam.

Znowu to spojrzenie: trochę zagubione, przypominające dziecko, które nie wie, co powinno odpowiedzieć.

– Kto? Odwaliło ci?

– Gdzie on jest?

Wydał z siebie krótki dźwięk ni to śmiechu, ni kaszlu. Uświadomiłam sobie, że tracę szansę, że za moment będzie bardziej panem tej sytuacji niż ja. Miał możliwość wytrącić mi broń z ręki, odepchnąć mnie, był przecież o wiele silniejszy i wyższy. Zacisnęłam obie dłonie na pistolecie.

– Co z nim zrobiliście? Gdzie jest ciało?

Zaczął się śmiać trochę nerwowo, trochę tak, jakby myślał, że jestem szalona.

– Odjebało ci – stwierdził. – Nie mam pojęcia, o czym mówisz!

– Wiesz, o czym mówię.

Cofnęłam się, żeby być poza zasięgiem jego rąk.

– Jasmin – wymówił moje imię powoli, jakby dopiero teraz wygrzebał je z odległego miejsca w swoim mózgu, gdzie tkwiło od momentu, gdy znalazł się w moim domu i usiadł na dywanie ze mną i z tobą. – Nie wiem

– odpowiedział. – Nie mam cholernego pojęcia, gdzie jest twój kochaś! W nic mnie nie wrobisz!

Coś poruszyło się za moimi plecami. Może tylko mysz. Ale kątem oka dostrzegłam jakiś ruch i wówczas sytuacja wymknęła się spod kontroli…

Nagle czas przyspieszył. Sekundy uciekały jedna po drugiej, gdy szarpaliśmy się, uderzając plecami i ramionami w wąskim, zakurzonym i ciemnym korytarzu. Chyba krzyknęłam, kiedy wykręcił mi rękę, gdy wyrywał mi broń z palców, gdy mnie popchnął tak mocno, że uderzyłam plecami o drzwi do czyjejś piwnicy i poczułam, jak w krzyż wgniata mi się metalowy rękaw, którym chroniony był klucz.

– Za kogo ty się masz?! – wrzasnął.

Z nosa ciekła mi krew. Wytarłam ją wierzchem ręki i zobaczyłam, że kapie na podłogę.

– Za kogo ty się, kurwa, uważasz?!

Popchnął mnie na ziemię tak mocno, że ugięły się pode mną kolana. Uklękłam. Krew spłynęła na usta, kiedy przycisnął lufę do mojej głowy tak mocno, że zabolało. Rozchyliłam powieki. Patrzyłam na jakieś drzwi, na wystające spomiędzy prętów deski.

– Przychodzisz tu i celujesz do mnie z broni?! Odwaliło ci?!

– Powiedz mi, gdzie on jest… – Wargi już puchły, już bolało.

Spróbowałam na niego spojrzeć, kiedy złapał mnie za włosy.

– Gdzie on jest…? Co z nim zrobiliście?

Puścił mnie, a ja poleciałam w dół jak szmaciana lalka. W ostatniej chwili podparłam się, żeby nie położyć głowy na ziemi. W zasięgu wzroku miałam jego buty. Buty poruszyły się, zbliżyły do mnie.

Pod powiekami mignął obraz tych samych butów gdzieś tam, na innym betonie.

Słyszałam charakterystyczny dźwięk, jaki wydaje otworzenie magazynku pistoletu.

– Byłeś tam – poderwałam na niego wzrok. – Wiem, że to ty przyniosłeś nam zdjęcie! Nie dałeś sobie z tym rady, bo to był pierwszy raz, kiedy widziałeś śmierć człowieka! Dlatego dałeś nam to zdjęcie! Znałeś mój adres! Z waszej czwórki tylko ty znałeś mój adres!

Pistolet upadł koło mnie pozbawiony nabojów.

– Moja matka zaprosiła cię do domu!

– Odbiło ci – powtórzył, ale w jego głosie pojawiło się drżenie. – Nie mam pojęcia, o czym mówisz!

Ruszył w stronę wyjścia.

– Za co mu to zrobiliście?! – krzyknęłam za nim. – Byłam przy tym, jak rozjechał twojemu kumplowi psa! O to poszło? O pieprzonego pitbulla?! Chcieliście go postraszyć, ale wam nie wyszło?! Prosił cię, żebyś pomógł mu wrócić do domu! Chciał wrócić do domu, ty cholerny gnoju!

Okręcił się. Zbliżał się pospiesznie zdenerwowany tak, jakbym nareszcie powiedziała magiczne słowa, których potrzebował, żeby puściły hamulce. Pochylił się nade mną i spojrzeliśmy sobie w oczy, a na ustach poczułam jego oddech. Ani trochę nie przypominał już tamtego chłopca, który zjadł obiad u mojej matki i bawił się z nami.

– Zamknij się! – wyszeptał, a jego spojrzenie prześlizgnęło się po mojej twarzy w jakiś taki szczególny sposób. – Nic na nas nie masz. Wracaj do domu i odczep się!

58

W lutym tata wracał z rejsu samolotem przez Wiedeń. Mama poprosiła go, żeby odwiedził mieszkającą tam studentkę ASP i spotkał się z jej chłopakiem.

– To może być on – dodała przez telefon, ściszając głos, żebym jej nie usłyszała.

Tata miał zaledwie kilka godzin przed kolejnym lotem, więc pojechał tam od razu, taksówką, trochę zirytowany, że przydzielono mu takie zadanie. W taksówce pierwszy raz zastanawiał się, co ci powie, jeśli podejrzenia mamy okażą się prawdziwe i otworzysz mu drzwi. Uprzedzony przez nią, spodziewał się, że będziesz miał przefarbowane włosy i być może wpadniesz w panikę, kiedy zrozumiesz, że cię odnaleźliśmy. Powiem mu, że ją skrzywdził – postanowił. I że nigdy mu tego nie wybaczę.

Tak naprawdę to im bliżej był tamtego mieszkania, tym większą rolę odgrywały jego emocje. Spodziewał się wszystkiego, nawet tego, że cię uderzy, jeśli wypowiesz jakąś idiotyczną uwagę na temat tego, że byłeś ze mną nieszczęśliwy i nie widziałeś innego sposobu, by zmienić swoje życie.

Mieszkanie zaznaczone na mapie przez mamę znajdowało się w historycznej kamienicy, która była urzekająco piękna i idealna dla dwójki artystów. Idąc po schodach na trzecie piętro, czuł coraz większe zdenerwowanie.

Zadzwonił i usłyszał, jak gdzieś w głębi mieszkania rozlega się melodyjne bim-bam. Jakiś głos zawołał: „*Wait!*" – i rozległy się kroki, które przybliżyły się do drzwi. Tata, pchnięty impulsem, nakrył palcami wizjer, ale to nie było potrzebne. Ktoś zdjął łańcuch z zamka i drzwi się rozchyliły.

– *Yes?* – zapytał kobiecy głos.

Stała przed nim niska i drobna dziewczyna z fryzurą czarownicy: długie ciemne dredy spływały jej po ramieniu aż do łokcia. Spod szerokiej złotej opaski wyłaniała się miła twarz o ładnym uśmiechu i trochę zadartym nosku. Czarna sukienka gotki, bose stopy, umalowane na czarno krótkie paznokcie

– Przyjechałem na prośbę mojej żony – odpowiedział tata nagle onieśmielony.

– Pana żony?

– Renaty Sochackiej, matki Jasmin.

– Jasmin – powtórzyła i zamilkła.

Oparła się o framugę drzwi, wyraźnie zbita z tropu.

– Ciągle szukamy tego chłopaka, Staszka… – Tata w jednej chwili poczuł się niezręcznie. – Żona uważa… Czy mogę wejść?

Popatrzyła za siebie i w końcu bez słowa przesunęła się, robiąc mu przejście.

Mieszkała w niewielkiej kawalerce. Jeden pokój z balkonem o giętej, ładnej barierce. Na ścianach wisiały akademickie akty – być może jej dzieła. Tata szukał spojrzeniem czegoś, co nasunęłoby mu skojarzenie z tobą, ale nie wiedział, co to mogłoby być. Nie znał cię dość dobrze, nie kojarzył twojego stylu ubierania, nie umiałby rozpoznać twoich grafik. Przyświecała mu nadzieja, że zobaczy jakieś zdjęcie, na którym cię rozpozna, ale jedyna fotografia oprawiona w ramki przedstawiała nocne niebo nad Wiedniem.

– Ładne. To pani? – zapytał, a dziewczyna skinęła głową.

Przesunął palcami po ramce, nie mając pojęcia, co mógłby jeszcze dodać. Na materacu, który służył za łóżko, zobaczył męską koszulę w jasnopomarańczowym kolorze, ale zabrakło mu odwagi, by o nią spytać. Męskie buty pod szafą w przedpokoju. Długi wełniany szal w pasy wiszący na wieszaku.

– Przepraszam. – Tata cofnął się do drzwi.

Jeszcze chwilę stał w progu, zastanawiając się, czy wypada mu poprosić o zdjęcie współlokatora, ale w końcu zrezygnował. Uświadomił sobie, że to bez znaczenia. Jeśli nawet tu mieszkałeś, nie zmusiłby cię przecież, żebyś wrócił do mnie i naprawił to, co zniszczyłeś.

– Moja córka choruje – odezwał się przepraszającym tonem. – Żona myślała…

– Rozumiem.

O jej nogi otarł się kot. Zamiauczał i dziewczyna wzięła go na ręce, a tata poczuł jeszcze większą niezręczność tej sytuacji, ponieważ stojąca przed nim studentka musiała być dobrym człowiekiem, skoro zdecydowała się zaopiekować zwierzęciem pozbawionym oka i z okaleczonym uchem.

– Znaleźliśmy go przy uczelni – wyjaśniła, gładząc miękkie futro. – Był prawie zagłodzony, chyba wcześniej potrącił go samochód.

– Jeszcze raz przepraszam za najście – odpowiedział tata.

Na zewnątrz w mrozie czekała jego taksówka, ogrzewając się włączonym silnikiem. Ostatni raz rozejrzał się wokół i wsiadł do środka, prosząc, by kierowca zawiózł go z powrotem na lotnisko.

59

Pod powiekami było ciemno. Ciemno. W wodzie lodowaty prąd ocierał się o moje ciało. Ale potem coś ciepłego otoczyło moje nogi pod kolanami i pociągnęło mnie na głębię...

W telewizji natknęłam się na obrazy z jakiejś demonstracji w Wiedniu. Spiker opowiadał, że ludzie strajkowali już trzeci dzień przeciwko nowej ustawie, której podpisanie zapowiedział rząd Austrii. Kamera filmowała kobietę, która wypowiadała się do podsuniętego jej mikrofonu, podczas gdy za jej plecami widać było gmach jakiejś uczelni. Mój wzrok bezwiednie zboczył właśnie tam. Na tle białego śniegu stała grupka studentów.

– ...Ludzie nie mogą pozwolić na podpisanie tej ustawy – tłumaczył spiker słowa kobiety, a moje spojrzenie przykleiło się do chłopaka stojącego tyłem do widzów.

Ułamki sekund, gdy jego głowa obróciła się trochę w prawo...

– Z Wiednia mówił Krzysztof Albiński – zakończył relację polski korespondent i program przeniósł się do telewizyjnego studia.

Siedziałam w bezruchu, nawet nie zdając sobie sprawy z tego, że wstrzymałam oddech. Jedna za drugą mijały chwile, a ja ciągle od nowa odtwarzałam w pamięci tamto ujęcie. Jak na zwolnionym filmie widziałam twarz chłopaka, częściowo przysłoniętą przez czarne włosy.

To niemożliwe, pomyślałam, pragnąc strzepnąć ten obraz z rzęs, ale on się przykleił i już nie chciał zniknąć. Tak samo, jak nie znikało ostre słoneczne światło, które wpadało do pokoju przez balkon. I obecność mamy za moimi plecami, a na włosach jej dłonie. Było tak, jakbym przestała śnić i nareszcie po bardzo długim czasie otworzyła oczy.

Już cię nie czułam. Nie umiałam już też przywołać obrazów morskiej toni.

To niemożliwe, powtórzyłam z mniejszą pewnością siebie. A jeśli to jest prawda? – zastanowiłam się chwilę później.

Mama w tym czasie czesała mi włosy spokojnymi ruchami, które pamiętałam z dzieciństwa.

– Będą ładne – powiedziała łagodnie, spoglądając na jasne pasma, po których biegł grzebień.

Będziesz piękna.

Poznasz kiedyś chłopca o dobrym sercu i jeszcze będziesz bardzo, bardzo szczęśliwa.

Epilog

– Czego tam szukasz?

Chłopczyk schylił się do kałuży koło krawężnika i wsunął do niej palec.

– Co tam zgubiłeś, Pi?

– Ten pieniążek od ciebie.

– Numizmat.

– Właśnie.

Mimo że wolał już wrócić do domu, kucnął przy kałuży i poświecił komórką.

– Co mogę za niego kupić? – zapytał brat, nie przestając szukać.

– Wiele rzeczy. Dlatego powinieneś na niego uważać, zamiast latać z nim po podwórku. A co chciałbyś za niego kupić?

– Zestaw: strzelnica, tarcza i pistolet na podczerwień! – padła natychmiastowa odpowiedź.

Znalazł go kilka chwil później, niemal pod krawężnikiem, w miejscu, gdzie woda z kałuży ściekała do odpływu.

– Jeszcze chwila i popłynąłby do oceanu! – roześmiał się zapatrzony w znalezisko. Zamknął monetę w dłoni i poczuł, jaka jest wilgotna i zimna. Kiedy rozchylił palce, odbiło się w niej światło latarni.

– Masz – oddał bratu pieniążek i wsunął ręce do kieszeni. – Chodź już, Pi – powiedział, podnosząc się. – Chodź, bo robi się późno!

6 listopada 2012 r.

Podziękowania

Wielu przydatnych informacji na temat zjawisk paranormalnych udzielił mi dziennikarz i twórca fundacji Nautilus Robert Bernatowicz.

Wielkie podziękowania należą się Ilonie Powierz-Marciniak, mojej dyżurnej pani psycholog, która od początku wspierała pomysł napisania tej książki. W doskonałym momencie zamknęłaś oczy i zapytałaś: „Czy tak trudno wyobrazić sobie, że podmuch wiatru to jego ręce?".

Dziękuję Dorocie Keller i Oli Orlicie, ponieważ dzięki rozmowom o książce i moim przydługim monologom, których wysłuchiwały, mogłam poukładać powieść i zrozumieć, co w niej będzie najważniejsze.

Maćku, zawsze na Tobie opieram męskie postacie. Dziękuję więc za dobre strony Staszka.

Moim Rodzicom dziękuję za to, że zawsze mnie wspierają i wierzą, że napiszę świetną książkę.

Teściom, ponieważ pomogli mi znaleźć czas na pisanie.